de la Part de
Francine Beaus
Fromagerie P'tit train du Nord.

Épousailles bières et fromages

Guide d'accords et de dégustation

Mario D'Eer

Trécarré

Dans cet ouvrage, les genres masculin et féminin sont employés sans discrimination pour l'autre sexe.

Données de catalogage avant publication (Canada)

D'Eer, Mario

Épousailles bières et fromages : guide d'accords et de dégustation

Comprend un index

ISBN 2-89249-853-8

1. Bière. 2. Bière - Québec (Province). 3. Fromage - Variétés - Québec (Province). 4. Bière - Dégustation. 5. Brasseries - Québec (Province). I Titre.

TP577.D442 2000 641.2'3 COQ-940882-7

Couverture : François Croteau et Cyclone Design Communications
Révision linguistique : Monique Thouin
Lecture d'épreuves : Liliane Michaud
Infographie : Mario D'Eer

ISBN : 2-89249-853-8

Dépôt légal : 2e trimestre 2000
Bibliothèque nationale du Québec

Imprimé au Canada

Nous reconnaissons l'aide financière du gouvernement du Canada par l'entremise du Programme d'aide à l'édition (PADIÉ) pour nos activités d'édition.

Mario D'Eer : deerm@bieremag.ca

Éditions du Trécarré
7, chemin Bates, Outremont (Québec) Canada H2V 1A6

Table des matières

Remerciements

Dans cette entreprise savoureuse, j'ai eu le plaisir de partager des bouchées et des gorgées mémorables avec des personnes remarquables. Leur complicité et leur aide furent non seulement une importante source d'information, de rétroaction et de conseils, mais ont surtout constitué un réservoir inépuisable de motivation pour moi.

Alain Geoffroy, mon fidèle et inconditionnel complice depuis la première capsule;

Gaston Collin, le *gastonome*, dont la contagieuse passion m'a inoculé le goût du fromage;

Jacquy Cange, l'affineur belge qui m'a fait pénétrer dans l'antre magique de ses enfants fromagers;

Éric Granger, le passionné, l'entrepreneur, qui m'encourage depuis la première phrase fromagère;

Gilles Jourdenais, le fromager jovial dont les conseils et services exemplaires m'ont permis de découvrir les meilleurs fromages au monde;

Louis-Michel Carpentier, mon frère.

Chers amis, je vous remercie du plus profond de ma chope (que vous savez profonde). Ce livre rend hommage à la qualité de votre collaboration. Je vous embrasse.

J'aimerais également remercier le personnel de la Fromagerie du Marché Atwater et de la Fromagerie Hamel pour les précieux conseils qu'il m'a prodigués, ainsi que le Bureau laitier du Canada pour les photographies de fromages gracieusement offertes.

Avant-propos

Mon projet m'apparaissait assez simple : tracer une sorte de tableau des règles gouvernant les accords fromages et bières. Il me suffirait de déguster toutes les bières, en les associant à tous les fromages en vente au Québec. J'allais répartir mes séances de la façon suivante : chaque jour, croiser trois bières avec six fromages. Cette méthode me donnerait, à la fin de chaque exercice, 18 couples à décrire. J'obtiendrais, au bout d'un an, 1 170 analyses. Au moment où j'entrepris mes recherches, il se vendait au Québec plus de 400 fromages et 150 bières, soit 60 000 combinaisons. Au rythme que je m'étais fixé, j'allais publier, dans 51 ans, un livre d'environ 10 000 pages ! Même en doublant ma cadence, j'éprouvais beaucoup de difficulté à me motiver pour la publication d'un ouvrage 25 ans après la signature de mon contrat. Mon éditeur partageait cette opinion.

J'ai également découvert une vérité einsteinienne de la loi de la relativité de mon existence. Plus je goûte, plus mes papilles évoluent : plus mes papilles évoluent, plus je goûte ! Ce phénomène tourbillonnaire constitue le véritable drame de ma vie et gère l'irrépressible accroissement de mon incompétence. Plus je développe mon érudition sur l'étrange objet de ma passion et plus je constate que la galaxie des goûts est en perpétuelle expansion. Plus j'avance, plus j'allonge le chemin à parcourir. Le monde de la perception des saveurs constitue pour moi le big bang de mon univers gustatif. Par une sorte de comportement masochiste, je cultive mon ignorance en développant mes connaissances. Plus j'apprends, plus je doute. Ce livre est donc le fruit de mon ignorance à ce jour.

Je confesse que mon apprentissage est aussi solide qu'une pâte molle lavée au marc de Bourgogne : on a beau aimer, c'est mou et ça pue. Le corollaire de cette tragique constatation fragilise les balises de mes conseils. Voilà la condition irrévocable de mon passage sur cette planète incertaine et l'esprit avec lequel j'ai rédigé mon ouvrage. Je vous propose donc une démarche plutôt que des résultats. Voici le témoignage partiel et partial d'un collectionneur de saveurs aimant bien interroger les informations présentées par ses papilles.

Des partenaires naturels

Dans tous les cas, mariez-vous.
Si vous tombez sur une bonne épouse,
vous serez heureux;
et si vous tombez sur une mauvaise,
vous deviendrez philosophe,
ce qui est excellent pour l'homme.

Socrate

Les accords bières-fromages, au simple niveau de la consommation quotidienne, sont aussi vieux que l'invention du fromage. La découverte de ces deux aliments précède l'invention de l'écriture. Ils n'ont pas véritablement été inventés, ils font partie de l'alimentation de l'homme depuis toujours. L'intérêt gastronomique de leur association est toutefois nouveau. Jusqu'à une époque récente, nous ne dégustions pas vraiment leur union. Nous la consommions surtout dans le simple but de satisfaire un besoin utilitaire, apaiser nos démangeaisons stomacales.

Lorsqu'on examine les caractéristiques du monde de la dégustation des bières et des fromages, on constate qu'elles soulèvent des passions dont les racines prennent naissance dans l'origine des civilisations, rien de moins ! Les plus anciens textes de l'humanité, gravés sur des pierres au Moyen-Orient, illustrent le mode de vie de nos aïeux. Le brassage et la transformation fromagère y figurent de façon proéminente. Nous remarquons dès lors leur complémentarité originelle : la soupe de vitamines et de constituants alimentaires qu'ils assemblent nous offre un repas complet. L'un se présente à nos papilles sous une forme liquide tandis que l'autre le fait dans une configuration solide, mais seulement après que l'on a inversé leurs natures originelles ! On prend de l'orge, un aliment consistant, pour en faire une boisson, tandis que le fromage émerge d'une liqueur solidifiée. Quel est le sens profond de ces conversions initialement considérées comme surnaturelles ? Il s'agit d'une conséquence fortuite de l'esprit rusé de l'homme, ou plus vraisemblablement de son épouse. Elle comprend vite que la partie liquide du lait est inutile et se consacre à l'exploration des façons de maximiser les bienfaits de sa fraction solide, le fromage. À l'inverse, elle observe que la partie solide des céréales est inutile et ausculte le potentiel spirituel offert par ses composantes solubles, la bière.

Ni primates ni hommes, nos très lointains ancêtres voyagent beaucoup. Vivant d'abord de la cueillette et de la chasse, les premières peuplades se baladent d'un garde-manger à l'autre. L'invention de l'agriculture les sédentarise. Dès lors, elles doivent résoudre de nouvelles équations portant sur la conservation de leurs céréales. Elles disputent en effet les réserves à la vermine et aux rongeurs. Se développe alors l'entreposage dans des jarres. On constate que la technique du trempage dans l'eau conserve les précieux grains beaucoup plus longtemps. On réalise surtout que l'effet de la consommation des fonds de cruche, quelques semaines après les récoltes, procure un effet agréable. Les buveurs se sentent ragaillardis, invincibles, et surtout ils éprouvent la douce sensation de communiquer avec les êtres supérieurs. Les durs labeurs de la terre leur semblent plus acceptables. La suite est connue : ils développent des méthodes de transformation de cette soupe afin d'en maximiser les effets spirituels.

Les tribus sont souvent accompagnées dans leurs déplacements de chèvres ou de moutons. Quelle est la nature de la cacophonie qui accompagne nos aïeux dans leurs balades ? Des bêlements ou des béguètements ? La réponse varie selon que nous posons la question à un éleveur de chèvres ou de moutons... Une chose est certaine, tous s'entendent là-dessus, il ne s'agit pas de meuglements ! La théorie la plus plausible expliquant l'origine du fromage établit un lien direct avec la domestication des moutons et des chèvres. La plupart des auteurs identifient néanmoins la source du premier fromage comme originant du pis d'une brebis, car le lait de ce mammifère offre le gras le mieux constitué pour sa fabrication.

Nous pouvons déduire que, à compter du moment où il fut possible d'extraire manuellement le lait de l'animal, la découverte du fromage s'est faite quelques heures plus tard. Le lait coagulant en peu de temps de façon naturelle, il est vraisemblable qu'un fond de fiole a eu temps de cailler avant la gorgée du cadet de la phratrie. Le fromage s'est-il plutôt formé à l'intérieur d'une outre ? Plusieurs sont fabriquées de la caillette des jeunes ruminants, qui renferme de la présure, un enzyme faisant coaguler le lait ! La véritable question est de déterminer à quel moment on a commencé à produire cet aliment plutôt que de le recueillir au travers du petit-lait. La réponse est : tout simplement lorsqu'on a constaté qu'il était possible de conserver les bienfaits alimentaires du lait pour une durée plus longue.

La découverte des deux aliments que sont le fromage et la bière est donc le fruit du hasard et des habitudes des premiers humains. Ni l'un ni l'autre n'a été inventé. On a plutôt constaté l'importance utilitaire de la transformation des aliments. Nous savons désormais que le moteur des opérations est l'intervention de ferments. De cruches en godets, nous en sommes venus à raffiner des techniques dont les principes n'ont jamais changé.

Le mot *fromage* origine du grec « *formos* », signifiant faisselle ou forme, en référence à la forme qu'on lui donne. On emploie aussi de plus en plus fréquemment l'ancêtre du mot anglais *cheese* : *caseus*, car il origine du latin, beaucoup plus près de notre histoire. Le mot bière provient quant à lui de l'allemand « *bier* », lui-même inspiré du latin « *bibere* », qui signifie « *boire* ». Il remplace le mot cervoise dans la langue française depuis le moment où le houblon fut introduit dans le brassage. La bière des Gaulois se caractérise par l'absence de houblon dans les recettes. Cette désuétude est attristante lorsque nous considérons sa signification étymologique. Le mot cervoise se compose des mots « *ceres* », le nom de la déesse des céréales, et de *vis*, qui signifie « *force* ». En d'autres mots, cervoise veut tout simplement dire « la force offerte par les céréales ». Plusieurs résultats de recherches récentes portant sur les effets sur la santé de la consommation modérée de l'alcool, y compris la bière, confirment cette acception. Ils démontrent que boire deux bières par jour apporte en général des effets plus bénéfiques pour la santé que l'abstinence totale.

L'intervention monastique

Les moines vivent en autarcie. Ils respectent les règles de saint Benoît, qui favorisent la complète autonomie des monastères afin que les moines puissent y vivre reclus de la société. On y fabrique donc les aliments de base : de la bière (ou du vin selon la latitude), du pain et du fromage. Au fil de l'histoire, nous constatons le rôle important joué par les convers dans l'amélioration des techniques de fabrication de la bière et du fromage. Toujours de nos jours, les produits qui portent l'estampe d'un monastère nous assurent un produit qui respecte les traditions séculaires d'élaboration et l'absence de compromis dans la qualité.

Il est souvent conseillé d'associer le fromage du terroir au type de bière localement élaborée. La quintessence de cette pratique se retrouve dans plusieurs abbayes qui produisent toujours de nos jours les trois principaux membres de la famille de la fermentation : bière, fromage et pain. Ce qui nous amène au passage aux magnifiques dégustations bière-pain-fromage de l'abbaye d'Orval en Belgique, que l'on peut faire à l'auberge *L'ange-Gardien*, à quelques pas devant la vénérable maison des prières.

La pasteurisation diabolique

En 1876, la corporation Les Brasseurs de France confie à un jeune scientifique, Louis Pasteur, la mission de trouver une solution au problème du surissement de la bière. En utilisant les nouvelles technologies que la révolution industrielle lui fournit, surtout le microscope, il examine des échantillons de la précieuse boisson. Ses découvertes révolutionnent non seulement les méthodes de brassage, mais le monde alimentaire au complet, y compris la fabrication du fromage. Il constate que la source de l'aigrissement de la bière est constituée de bactéries, « qu'il faut détruire » pour assurer « l'intégrité » du produit. Il propose à cet effet de faire chauffer ce liquide « fermentescible » afin de détruire les micro-organismes qui y squattent. Le procédé porte depuis le nom de son découvreur et est appliqué à tous les liquides pouvant fermenter, incluant le lait. Le mouvement d'aseptisation qui s'appuie sur ses découvertes, jumelé aux contingences industrielles de production, contribue directement à l'atrophie du goût des aliments et, par voie de conséquence, de notre sensibilité gustative. Cet aboutissement se reflète dans le fait que les bières pasteurisées des grandes brasseries accompagnent bien plusieurs fromages au lait pasteurisé des grandes fromageries.

La pasteurisation s'avère une clé importante de l'évolution des civilisations. Elle ne constitue toutefois pas une panacée et ne peut surtout pas être considérée comme une vérité absolue. Elle l'est pour le monde titanesque des industries de transformation des aliments, mais elle représente tout son contraire pour les industries artisanales. Pendant que les producteurs se protégeaient en faisant chauffer leurs soupes, les développements technologiques ont poursuivi leur évolution. L'équipement de production moderne, jumelé aux connaissances scientifiques, permet de recréer les recettes médiévales sans faire appel à la pasteurisation, tout en assurant l'intégrité des aliments ainsi que la santé des humains qui les consomment. Par ailleurs, les lois du marché étant ce qu'elles sont, plus importante est la production d'une compagnie, plus la stabilité des saveurs est déterminante pour la santé financière de l'entreprise. Les contingences inhérentes à l'industrialisation rendent impossible la production de fromages très typés : que ce soit sur le plan de l'approvisionnement, des méthodes de contrôle de la qualité, des méthodes de fabrication, etc.

Chez les épicuriens gambrinaux ou fromagers, le mot pasteurisation est souvent diabolisé et suscite des discussions très animées. Un fromage fait de lait pasteurisé ou une bière pasteurisée évoque le Mal en personne. Il s'agit naturellement du besoin fondamental des humains de détester une chose afin de mieux aimer son contraire. Si tout le monde voulait être heureux, cela serait bientôt fait. Le problème, c'est que tout le monde veut être un peu plus heureux que le voisin...

Un verre plein d'analogies

La bière et le fromage partagent une origine et une destination communes. Ils naissent dans un champ et s'évanouissent dans notre bouche. Entre ces deux pôles de la chaîne alimentaire, d'autres similitudes les unissent et quelques particularités les distinguent.

Dans les deux cas, la source alimentaire est constituée de végétaux : des céréales. L'intervention des humains et des usines n'arrive toutefois pas au même moment dans le processus de leur transformation. Nous savons tous que la femelle d'un ruminant joue un rôle intermédiaire déterminant dans le cas du fromage. Évoquons ici une anecdote amusante. L'orge maltée utilisée dans le brassage, la drêche, renferme toujours une valeur alimentaire importante, notamment pour le bétail. Les vaches dont l'alimentation contient de la drêche produisent 20 % plus de lait que les autres ! En d'autres mots, elles nous donnent donc plus de fromage parce qu'elles ont consommé de la bière en devenir.

Dans les deux cas, on fait intervenir des micro-organismes pour la transformation de la matière originelle. Ces bestioles invisibles en constituent également la principale menace. Parmi les milliards de ferments, on n'en retient que quelques-uns, judicieusement sélectionnés en laboratoire afin d'atteindre des objectifs précis. Dans notre environnement immédiat, nous côtoyons des milliers de ces petits êtres à l'affût de toute occasion de se reproduire. Si nous leur en donnons l'occasion, ils n'hésitent jamais et passent aux actes. Brasseurs et fromagers doivent ainsi prendre des mesures rigoureuses d'aseptisation afin de contrôler les colonies d'ouvriers invisibles disposées à sévir. Il existe quelques exceptions notoires à cette loi générale : les producteurs de gueuses d'origine ont exactement le contraire !

La production de bière ou de fromage implique un processus de vieillissement. Ce dernier porte le nom d'affinage pour le fromage et de garde pour la bière. L'optimum est bien connu pour le fromage, mais un peu moins pour la bière, surtout les grands styles. Les deux produits sont généralement au meilleur de leur forme au moment de leur mise en marché.

D'un côté comme de l'autre, des débats font rage entre la production industrielle et la production artisanale. On constate que l'industrialisation s'accompagne souvent de l'affadissement du produit au point de le rendre même quelquefois plutôt insipide par rapport au produit d'origine.

L'essentiel est invisible pour les yeux ? Qu'à cela ne tienne, la tendance spontanée des amateurs de bière et de fromage est de classer les deux produits d'après leur apparence sans tenir compte de leurs saveurs fondamentales.

Un Québec paradisiaque

La qualité ainsi que la variété de bières et de fromages élaborés ici n'ont rien à envier aux produits importés. Dans les deux cas, les producteurs s'inspirent des meilleures traditions internationales et sont motivés par l'atteinte de l'excellence. Cela n'empêche pas les Québécois d'importer les meilleurs produits de partout dans le monde. Ainsi, nous retrouvons au Québec un choix merveilleux de la plus haute qualité. De plus, la tradition de consommation de bières et de fromages variés étant plutôt récente, la curiosité des consommateurs stimule l'accroissement de la variété. Essayez d'acheter un roquefort en Allemagne, en Angleterre ou aux États-Unis... Tentez de trouver une bière de type Blanche en Allemagne ou en Angleterre. C'est possible, mais il faut pour les trouver être prêt à additionner pas mal de kilométrage à l'odomètre de sa voiture. Le Québec est non seulement le paradis de la bière, mais également celui du fromage.

Sans jeu de mots

La prodigalité des accords bières et fromages puise sa véritable inspiration dans la langue française. Je devrais plutôt écrire sur la langue des Français, puisque l'Hexagone produit la plus grande variété de fromages sur cette planète. L'une de ses originalités est de sexualiser des mots fondamentalement asexués. Pourquoi diable devons-nous consacrer plusieurs heures de notre existence à mémoriser le genre de certains moyens de transport ? Une ou un autobus ? Une ou un avion ? Le sexe des sujets de nos élucubrations dans ce livre se retient facilement : le fromage et la bière. Cette inspiration impromptue nous permet de libérer notre imagination et d'accorder aux tourtereaux des caractéristiques inspirées des relations qui gouvernent les relations entre les hommes et les femmes. Cette source inépuisable d'idées donne une coloration vivante aux accords bières et fromages. Notre bouche devient alors une agence de rencontres au sein bienheureux de laquelle des aventures prennent place. L'objet de nos recherches intègre la quête de l'orgasme palatal ou encore l'expérience orgasmoleptique. Quant à sexualiser les mots, il me semble que le vocable orgasmoleptique devient une nécessité, à cause justement du plaisir perçu par la langue. Quelques dégustations suffisent pour constater que ces deux-là sont conçus pour se donner rendez-vous sur nos papilles. Les accords bières et fromages représentent-ils le yin et le yang de nos papilles ? Que penser alors des dégustations vins et fromages qui n'invitent que des aliments masculins sous les voûtes de nos palais ?

Des différences

La bière et le fromage ne comportent pas seulement des similitudes. Ce sont justement leurs différences qui les rendent complémentaires. La richesse du monde des dégustations bières et fromages puise sa source dans les différences suivantes :

- l'un est liquide, l'autre solide;

- l'un possède du gras, l'autre pas;

- l'un sent plus qu'il ne goûte; l'autre goûte plus qu'il ne sent.

Les ennuis ou les incompatibilités existent, mais si peu : le gras du fromage est un des principaux ennemis de la mousse de la bière.

La rumeur populaire colporte que la bière fait engraisser. Avec 150 calories par bouteille, une bière (5 % alc./vol.) ne fait pas plus engraisser que la consommation d'une même quantité de jus de pomme (175 calories). Même en abusant de la bière, le risque d'accumuler un surplus de poids est minime. Nous devons toutefois porter attention à une deuxième rumeur ! Pourquoi ? Parce que la consommation de bière stimule l'appétit. Et que mange-t-on avec une bière ? Du fromage, bien sûr ! Un minuscule morceau de 25 g nous enrichit d'au moins 75 cal s'il s'agit d'une pâte molle. Il faut en ajouter 25 pour une pâte dure ! La bière fait manger tandis que le fromage fait boire. Quelle complémentarité ! Nous pouvons alors facilement avaler 200 g de fromage sans éprouver une sensation de trop-plein. Deux bières et 150 g de fromage nous apportent au moins 525 cal.

Valeur calorique

Bière

Bière à 4 % alc./vol.	approximativement 125 cal/341 ml
Bière à 5 % alc./vol.	approximativement 150 cal/341 ml
Bière à 7 % alc./vol.	approximativement 175 cal/341 ml
Bière à 9 % alc./vol.	approximativement 200 cal/341 ml

En bref, plus la bière renferme de l'alcool, plus elle contient de calories.

Fromage

Pâte molle	entre 300 et 320 cal/100 g
Pâte semi-molle	entre 320 et 350 cal/100 g
Pâte semi-dure	entre 325 et 375 cal/100 g
Pâte dure	entre 350 et 420 cal/100 g
Pâtes persillées	en fonction de leur consistance (molle, semi-molle, etc.)

Bref, plus la pâte est dure, plus le nombre de calories est élevé.

Sous notre palais, la combinaison bière-fromage semble être d'une complémentarité planifiée par les grands esprits qui gouvernent nos papilles : l'un est bourré de vitamine B; l'autre déborde de protéines et de vitamines A, B2 et D.

Épousailles à l'infini

Comme nous l'avons constaté dans l'avant-propos, il est possible de former 60 000 combinaisons bières et fromages présentement au Québec ! Ce calcul ne tient pas compte des nombreuses variables qui peuvent intervenir à un niveau ou à un autre, influençant les perceptions sensorielles : la température des aliments, l'ordre de consommation, le moment de la journée, l'âge des produits, la saison, les nouveaux styles développés, etc., autant de facteurs multiplicatifs qui augmentent les combinaisons. Et ce travail titanesque aussitôt terminé, ses résultats sont désuets, car le goûteur a évolué, riche de l'expérience accumulée. Pour la rédaction de cet ouvrage, j'ai maintenu ce rythme pendant 18 mois. Combien de calories ai-je brûlées pour maintenir cette cadence ? J'en ressors dans une forme splendide, avec une pulsation cardiaque qui copie le rythme de la trotteuse et une masse musculaire que je n'ai jamais connue dans toute ma vie ! Les épousailles bières et fromages sont excellentes pour la santé !

Je constate néanmoins que les fondements de mes conseils reposent sur la base fragile d'environ 3 000 épousailles, soit à peine 5 % des combinaisons potentielles ou, pire, moins de 1 % des agencements si nous tenons compte de 5 variables (la température de service, l'âge des produits...). Dans les circonstances, ma célébration du monde des épousailles est relativement modeste et ne constitue que ce qu'elle représente véritablement : une humble contribution. Les visées de cet ouvrage sont donc d'offrir une information partielle et surtout très partiale. Je ne me suis quand même pas tapé tous les bries et camemberts industriels du Québec ! Dans ma quête, j'ai opté pour la maximisation des variables. Comme le disait si bien Jean Poupart dans le cours d'approche qualitative à l'École de criminologie, j'ai tenté de « saturer l'information » dans le but d'offrir un compte rendu le plus près de la réalité possible.

L'objet de ce livre

Ce livre propose surtout une démarche, une façon d'explorer le monde des accords bières et fromages, en espérant que cette approche permettra aux amateurs de maximiser leurs propres découvertes.

Pour en savoir plus sur la bière ou sur le fromage, il faudra consulter des ouvrages spécialisés sur ces questions. Ici, j'ai tout simplement tenté de faire ressortir la quintessence de ce que ces deux univers ont à offrir lorsque nous les invitons à converser en tête-à-tête sur notre langue.

Il importe ici de souligner que dans les deux cas, la bière et le fromage, l'élévation de l'art à un niveau gastronomique est particulièrement récente dans l'histoire. Que ce soit en Europe ou en Amérique, le phénomène s'observe depuis les années 60 pour le fromage et depuis les années 70 pour la bière. Nous en sommes toujours dans l'enfance de l'art à cet égard. Tout reste à faire.

Un goût d'aventure...

Ne vous demandez pas : « Qu'est-ce que ces épousailles peuvent faire pour mes papilles ? », mais plutôt : « Qu'est-ce que mes papilles peuvent faire pour ces épousailles ? *. Le succès des épousailles bières et fromages repose fondamentalement dans l'attitude que nous adoptons à leur égard. Les possibilités sont infinies et les frontières sont déterminées par nos seules limitations physiques, et surtout psychologiques. Les relations pouvant s'établir entre les deux sont si variées et si uniques que j'oublie souvent de porter un jugement sur elles. La route de mes découvertes brassicoles et fromagères m'a conduit à faire lever la barrière de mes préjugés à l'égard de plusieurs héritages, surtout les « territoriaux ». J'ai réalisé que le mot puant dissimule une réalité riche de subtilités gustatives. Je pense ici aux premiers lambics d'origine et aux premières croûtes lavées qui se sont retrouvés à la merci de mes papilles. Dans les faits, j'avais plutôt l'impression que mes papilles étaient à leur merci ! Il y a fort à parier que la forte odeur de certains fromages y a été délibérément insérée afin de réserver les inventaires à quelques passionnés.

---

* « Ne demandez pas ce que la nation peut faire pour vous. Demandez plutôt ce que vous pouvez faire pour la nation. » John Kennedy, 1963.

L'attitude à adopter n'est pas de déterminer dans quelle mesure nous aimons ou non un couple bière-fromage particulier, mais plutôt de découvrir la nature fondamentale de ses caractéristiques au chapitre des flaveurs et des goûts. Le concept fondamental n'est pas l'aboutissement du chemin mais le chemin lui-même, car le bonheur n'est pas d'arriver à un but, mais se trouve sur la route, peu importe notre destination.

Le goût se développe

Notre goût évolue constamment, depuis notre tendre enfance jusqu'au trépas. Il se transforme de deux façons inextricablement reliées : physiologiquement et psychologiquement. Pour certains, cette évolution est strictement physiologique : ils goûtent plus ou moins intensément les saveurs de base en se contentant d'un régime alimentaire composé d'une série stable d'aliments spécifiques. Les principales variations résident dans les différentes combinaisons qu'ils tentent. L'élargissement des horizons gustatifs par la consommation de nouveaux aliments offre souvent un défi beaucoup plus difficile. La principale raison réside dans le fait que l'une des fonctions primaires de nos percepteurs sensoriels est de nous protéger. Toute sollicitation nouvelle doit primitivement être interjetée selon une dichotomie manichéenne : on aime ou on rejette. Toute stimulation qui n'évoque pas une connaissance maîtrisée ou encore un rapprochement immédiat avec une sensation agréable suscite spontanément un rejet commandé par notre subconscient. Notre jugement est alors sans appel. Il est possible d'abolir les frontières tracées par ce réflexe.

Considérons l'amertume. Les aliments aux saveurs amères se voient spontanément repousser par les enfants. Le corps rejette instinctivement cette saveur. L'hypothèse la plus souvent retenue pour expliquer ce phénomène nous ramène à nos lointains ancêtres, bien avant les primates. Il semble en effet que la majorité des poisons offrent une saveur amère. En rejetant l'amer, nous nous protégeons. Dans nos sociétés, l'amertume représente un goût appris qui survient habituellement vers l'adolescence. L'adulte en devenir affirme sa maturité par ce rituel de consommation d'aliments amers. Observez les gens qui ne boivent pas de bière. La majorité dénoncent l'amertume de la gorgée d'une bière bien ordinaire. Pourquoi ? Dans ce cas-ci, tout simplement parce qu'il s'agit de personnes qui n'ont probablement pas franchi le rituel initiatique. Leur seuil de détection de l'amertume étant très bas, elles réagissent fortement à sa présence dans tout aliment.

Après avoir intégré le goût amer à nos habitudes, nous pouvons poursuivre la découverte d'une ribambelle de produits de plus en plus amers. Si nous ne le faisons pas, le cortège des aliments amers suscitera toujours le préjugé du rejet.

Nos perceptions sensorielles sont ainsi tributaires d'une quantité incroyable d'influences plus ou moins subjectives, dont les racines prennent naissance dans notre éducation et nos expériences. Elles façonnent nos préférences à partir de moules précis dans lesquels seuls les aliments connus peuvent prendre place. Notre capacité de construire de nouvelles matrices est déterminée par la vitesse et la variété des nouveaux aliments que nous découvrons. Nonobstant la passion qui nous habite, l'important lorsque nous souhaitons développer nos perceptions sensorielles et amplifier notre plaisir de déguster, est de faire abstraction de notre attirance/rejet. Il faut simplement nous consacrer à l'observation de ce qui se passe dans notre bouche et dans notre nez.

Si nous souhaitons atteindre la performance sportive olympique, il nous faut consacrer un nombre considérable d'heures à nous exercer ! À l'image des sports, si vous souhaitez atteindre un niveau supérieur de dégustation, il faut choisir une discipline : il est préférable de maintenir quelques variables constantes (bière ou fromage) auxquelles on ajoute, à l'occasion et graduellement, des nouveaux produits.

Le plus grand obstacle

Le défi à relever est un corollaire de l'évolution du goût : la cristallisation d'une impression basée sur l'odeur de certains fromages, habituellement des croûtes lavées. Les odeurs pithécanthropiques de certains fromages provoquent souvent un puissant réflexe de rejet chez le néophyte. Il répond à un instinct primitif de l'homme et surtout de son épouse. Nous savons tous que le nez de cette dernière est plus sensible que celui de ce premier et qu'elle est ainsi plus susceptible d'être rebutée. Si nous ne franchissons pas cette première frontière, l'aliment ne sera tout simplement pas consommé. Il existe un lien étroit entre cette première impression et notre état affectif. Je me souviens très bien de ma première bouchée de roquefort à Deuil La Barre, à quelques lieues de Paris. Nous étions en train de faire la fête chez Roger et Adrienne en compagnie de Madeleine et d'une ribambelle de joyeux lurons. Alors que le repas lui-même était terminé depuis longtemps, les discussions volaient haut et bas autour des souvenirs qui nous réunissaient à cette table. Instinctivement, je grignotais ce qui me passait sous les doigts sans vraiment porter attention à la nature de la chose. Avant que je ne me laisse glisser de l'autre côté de l'ivresse, un sursaut de raison m'incita à enregistrer dans ma souvenance l'objet de mon plaisir lingual afin de pouvoir récidiver le lendemain. C'est alors que je constatai avec beaucoup d'amusement que je me régalais du fromage qui me repoussait quelques gorgées plus tôt ! Voilà comment j'ai fait la connaissance de ce fromage bleu unique. Cette nuit a marqué un tournant dans ma curiosité gustative.

Il existe quelques moyens de faire évoluer son goût :

- il faut d'abord y aller à petites bouchées ou petites gorgées;

- il est aussi possible de s'initier à différents goûts à la fin des dégustations, alors que nos papilles sont passablement fatiguées;

- il faut questionner nos perceptions sensorielles : ce que l'on aime et ce que l'on n'aime pas et surtout de tenter de déterminer la nature fondamentale de l'attirance ou du rejet.

Il faut surtout être curieux, refuser les idées préconçues et abattre le mur des préjugés et des images projetées (couleur, empaquetage, étiquette, publicité, etc.).

La bière

L'origine de la bière se perd dans la nuit des temps. Son développement est étroitement associé à celui de la civilisation. Jusqu'à la révolution industrielle, les améliorations qui lui sont apportées se basent sur la méthode empirique essais et erreurs. Le grand bouleversement scientifique et industriel constitue le principal point tournant de son évolution. À compter de ce moment, le brasseur développe une compréhension des phénomènes naturels qui interviennent à chaque étape de la production. Il peut aussi contrôler les différentes températures d'infusion et de fermentation ainsi que la densité du moût. Il est finalement en mesure de mécaniser le brassage et de produire ainsi des quantités industrielles de bière. Nous assistons ensuite à l'affadissement du produit, jusqu'au moment où des brasseurs artisans, véritables passionnés de la bonne bière, décident de faire la promotion du goût.

De tout temps considérée prosaïque, la bière devient, depuis une dizaine d'années, une boisson de luxe abordable. Il s'agit d'un nouveau marché et, malgré que les styles s'inspirent de recettes anciennes, l'équipement moderne et les matières premières ne sont plus véritablement les mêmes que dans le bon vieux temps. Les appels romantiques aux aïeux ne sont que des poèmes pour faire vendre... Seuls les lambics d'origine peuvent prétendre reproduire une saveur qui ressemble à certains types de bières anciennes.

Par ses composantes, la bière est d'abord et avant tout un aliment. Elle est surtout constituée d'eau : en règle générale 95 % (pour une bière titrant 5 % alc./vol.). Sa deuxième composante, l'alcool, origine du sucre ayant fermenté. La proportion la plus importante de sucre provient de l'orge maltée. D'autres sources naturelles, plus économiques, sont aussi utilisées : surtout du maïs et du riz. Le blé se retrouve quant à lui principalement dans les bières blanches, les weizen et les lambics. Le houblon compte pour une proportion infinitésimales de ce que nous consommons, et pourtant, une petite variation est facilement détectable par nos papilles. L'ingrédient maître de la bière demeure la levure car, tel l'artiste, elle signe son œuvre, et en configure la finesse. En fait, il est plus juste de considérer la levure comme une ouvrière à l'emploi du brasseur que comme un ingrédient, même s'il s'agit d'une matière première essentielle.

Fabrication

La fabrication de la bière est une suite de manipulations d'une grande simplicité au cours desquelles sont utilisées des matières naturelles baignant dans de l'eau, chauffées à des températures spécifiques pour être ensuite fermentées. Il s'agit ni plus ni moins d'une infusion composée de céréales et d'eau dont on ne conserve que la partie liquide, à laquelle on ajoute des aromates composés de fleurs ou d'épices, et qui est finalement transformée par l'action de champignons microscopiques. Voyons un peu plus en détail la nature des transformations qui se déroulent à chacune de ces quatre étapes.

Maltage

La graine d'orge est d'abord trempée dans de l'eau afin de stimuler sa germination. L'amidon qu'elle renferme devient soluble et les enzymes qui s'y trouvent s'activent. Lorsque les radicelles commencent à se nourrir de l'amidon, on arrête la germination par séchage. Pendant cette opération, le malteur contrôle la température et la durée d'assèchement. Plus la température est élevée et plus la durée est longue, plus le grain se colore et fonce. On peut ainsi produire une variété considérable de malts différents. L'utilisation d'une petite quantité de ces malts spéciaux (moins de 10 %) dans une recette peut suffire pour produire une bière noire comme l'ébène. Toutes les nuances brunâtres ou rougeâtres intermédiaires sont déterminées par une judicieuse combinaison de ces malts.

Saccharification

La saccharification consiste tout simplement en la dilution des sucres du malt dans l'eau. Le mélange malt et eau est chauffé à des températures qui sortent les enzymes de leur sommeil. Ceux-ci transforment l'amidon du malt en sucres plus ou moins complexes solubles dans l'eau. Le brasseur retient ce liquide sucré, baptisé « moût ». Plusieurs brasseurs ajoutent ensuite d'autres types de sucre fermentescible, tel le sucre de maïs, pour remplacer une proportion de malt (ce qui est plus économique) ou pour accroître la densité du moût, c'est-à-dire le pourcentage d'alcool que la bière renfermera après fermentation. Cette pratique donne lieu à de multiples débats dans le milieu des amateurs de bière.

Aromatisation

Le moût sucré est ensuite porté à ébullition afin, d'une part, d'être stérilisé, et d'autre part, aromatisé. L'aromatisation se fait principalement par l'ajout de houblon. Il s'agit de fleurs renfermant des huiles et des résines. Les huiles procurent les arômes tandis que les résines confèrent l'amertume. Il existe plusieurs types de houblon, certains plus aromatiques, d'autres plus amérisants. En dosant judicieusement les proportions des différents houblons et les durées d'ébullition ou d'infusion (macération en dessous du point d'ébullition), le brasseur configure la complexité des saveurs et des arômes de chacune de ses bières. De plus en plus de brasseurs ajoutent des épices. Le moût est de nouveau filtré afin de retirer les parties solides de ces dernières.

Alcoolisation

Le moût est transformé par l'action d'un champignon microscopique nommé levure. Pendant sa reproduction, la levure consomme les acides aminés contenus dans le moût et brise les molécules de sucre en leurs deux composantes essentielles : le gaz carbonique et l'alcool. Le règne des levures est très prégnant. Chaque type configure le moût à sa façon, contribuant ainsi au développement de nuances gustatives originales. Le même moût fermenté par deux levures différentes donnera deux bières dont les saveurs seront facilement distinguables. Il existe trois grandes familles de fermentation : la fermentation haute (dont les bières sont souvent connues sous le nom de ales), la fermentation basse (dont les bières sont souvent connues sous le nom de lagers) et la fermentation spontanée (dont les bières sont souvent connues sous le nom de lambics). Bien qu'il s'agisse du critère le plus souvent retenu par les auteurs pour classer les bières, au chapitre des saveurs, ces caractéristiques techniques ne sont pas d'une grande utilité.

Classification

La plupart des auteurs classent les bières selon leurs caractéristiques techniques et visuelles, ce qui nous renseigne très peu sur ce qu'elles goûtent. Comme pour tout produit de consommation, j'ai plutôt tendance à développer des repères gustatifs. Qu'elle soit blonde, brune ou rousse, qu'elle ait connu une fermentation haute ou basse, ma principale préoccupation, lorsque je demande une bière, est de savoir ce qu'elle goûte. De plus, dans le cadre d'un ouvrage tel que celui-ci, l'établissement des accords ne peut se faire qu'en se basant sur les saveurs des produits. Dans l'univers des bières, nous pouvons déterminer cinq principales familles, par structure de goût : les douces, les amères, les acides, les liquoreuses et les saugrenues (dont une ou plusieurs caractéristiques poussées à l'extrême en font une bière originale). J'ai toutefois constaté que, toute nuance gustative est déterminante dans les harmonies bières et fromages. J'ai ainsi découvert que d'infimes variations de douceur ou d'amertume, souvent amplifiées par la température de service, peuvent faire basculer la relation bières-fromages du côté positif au négatif ou vice-versa !

Ces nuances étant établies, vous trouverez une description générale des principaux types de bières dans la section des épousailles bières-fromages.

L'ACHAT

Les règles gouvernementales en matière d'étiquetage et l'absence de consensus sur la définition des styles limitent considérablement la quantité d'informations utiles imprimées sur les étiquettes. Il faut s'en remettre aux rares guides et à sa propre expérience. La date de fabrication est une information cruciale qui permet d'établir de façon précise l'âge du produit. La date de péremption est établie de façon arbitraire par le brasseur, qui tient compte de la nécessité de récupérer les inventaires invendus après ladite date. Il a ainsi tout intérêt à donner une longue vie à ses produits. Nous avons constaté ces dernières années que, à l'instar des êtres humains, l'espérance de vie des bières s'allonge. Comment s'y retrouver ?

Le produit est une chose; l'endroit où nous l'achetons en est une autre. Les bouteilles exposées au soleil pendant plus de quelques heures ou couvertes de poussière sur une étagère sont probablement de mauvais achats. Si de surcroît la bouteille est de couleur verte ou translucide et qu'elle y loge une boisson blonde, cette dernière se classe dans les mauvais achats. Le contenu a été trop longtemps exposé à la lumière. Ses saveurs sont altérées et portent désormais la signature de la mouffette. Remarquons toutefois que plusieurs consommateurs affectionnent le goût typique des glandes anales du petit mammifère associé aux Corona, Heineken, Sleeman, etc. Les producteurs concernés brassent d'abord des affaires, puis de la bière. Ils sont probablement les seuls producteurs alimentaires du monde qui enveloppent volontairement leurs produits dans un emballage qui en favorise la détérioration ! Pour ces produits, il faut s'assurer d'acheter la caisse au complet et de maintenir les bouteilles à l'abri de la lumière jusqu'à leur consommation. Pour les produits de fermentation basse, la canette représente l'emballage idéal. Les flaveurs des Grolsh, Pilsener Urquell, Stella Artois, etc., sont à leur meilleur dans les contenants métalliques !

Les mentions de style imprimées sur les étiquettes sont laissées à la discrétion du brasseur, qui interprète les styles à sa façon. D'après nos observations, ces mentions constituent une indication approximative de ce que la bière goûte. La section « épousailles bières et fromages » présente une description des principaux styles de bières dégustés aux fins de cet ouvrage.

Le pourcentage d'alcool constitue finalement un indice précis sur sa présence dans le précieux breuvage.

CONSERVATION

Comme la majorité des aliments, le goût de la bière est en perpétuel mouvement. La transformation des saveurs dépend d'abord du type de bière puis des conditions de transport et d'entreposage. Les produits titrant plus de 8 % alc./vol. offrent un véritable intérêt gustatif et peuvent être entreposés en cave, à l'abri de la lumière, à une température fraîche et constante. À compter de la cinquième année, la bière se madérise et développe une complexité de saveurs sucrées qui évoquent le porto. Est-elle meilleure pour autant ? La réponse pétille sur la langue de celui ou celle qui la déguste. Une chose est toutefois certaine : il ne s'agit plus de la même bière. Dans le cadre des épousailles bières et fromages, ces produits méritent une place de choix. Cela peut toutefois signifier que la date de péremption soit dépassée de plusieurs années. Les brasseurs sont tenus d'indiquer une date limite relative à la consommation du produit. Leur réflexe naturel est d'estimer largement le délai dans lequel la bière maintient ses caractéristiques originelles. Dans ce contexte, la métamorphose-madérisation constitue alors une sorte de défaut. L'important pour le consommateur est de gérer ses inventaires en fonction de ses préférences. Il importe de souligner que, une fois la date de péremption atteinte, une bière ne devient pas automatiquement impropre à la consommation.

LE SERVICE

La température optimum de service de la bière varie en fonction de son style et des préférences individuelles. Nonobstant cette variable, les grandes règles nous indiquent que la plupart des bières sont à leur meilleur lorsque nous les consommons à titre de boisson désaltérante, donc servies froides (entre 5 °C et 9 °C). Les quadruples et le lambic d'origine représentent les principales exceptions à cette généralisation. Ces bières sont à leur meilleur chambrées (entre 10 °C et 14 °C). Lorsque nous invitons ces boissons à titre d'accompagnatrices d'un repas, de nouvelles règles s'appliquent. La température de service de la majorité des styles, à l'exception des bières de fermentation basse titrant moins de 7 % alc./vol., peut facilement s'accroître de 5 °C ! Dans la situation spécifique des épousailles, cette augmentation thermique se généralise à toutes les bières. Nous en expliquons les raisons dans la section « L'abc des accords ».

Le verre de service choisi est d'une importance capitale. Il est en effet conseillé de servir les bières dans un verre plutôt que de boire à même le goulot de la bouteille ou à même l'ouverture dans la canette, surtout à l'occasion des accords avec le fromage. Le transvasement permet d'alléger la bière par l'expulsion d'une quantité importante de gaz carbonique, tout en lui permettant de développer une belle mousse onctueuse, si appétissante. Il existe essentiellement quatre formes de base : les coupes, les chopes (ou godets), les flûtes et les tulipes. En règle générale, pour une bière pétillante ou très mousseuse, la coupe (ample) ou la tulipe (ample) sont recommandées. Les chopes et les flûtes conviennent mieux pour les boissons moins pétillantes ou moins mousseuses. Sauf pour le godet, la plupart des verres disposent d'une partie permettant de les tenir à un endroit où notre main n'est pas en contact avec la portion du verre contenant le liquide, gardant immaculée l'image de la bière et, surtout, protégeant la bière d'un réchauffement par notre peau.

La propreté du verre exerce une influence sur la tenue de la mousse. Toute trace de graisse tue cette dernière. Il en est ainsi des savons antimoussants des lave-vaisselle, qui forment une pellicule à l'intérieur du verre. Voilà pourquoi il est préférable de laver ses vases à boire à la main, en utilisant un minimum de savon et en s'assurant de parfaitement rincer. Malgré toutes ces précautions, dès la première bouchée de fromage, des traces de graisse risquent fort d'être laissées sur la paroi du verre et donc d'affaisser la mousse. Il importe donc de prévoir l'utilisation d'un verre impeccable pour chaque nouvelle marque de bière offerte en cours de dégustation.

La dégustation

Comme pour tout aliment, la dégustation des bières est d'une simplicité inouïe. Accessible à toutes et à tous, elle est constituée de trois étapes essentielles : l'analyse visuelle, l'analyse gustative et l'analyse olfactive. Nous avons volontairement situé le gustatif avant l'olfactif malgré la logique linéaire qui nous présente les odeurs bien avant les saveurs. La raison est bien simple : la détermination des saveurs se fait sur une base tactile et comporte peu de variables très faciles à identifier. Une fois cette étape franchie, il est beaucoup plus facile d'utiliser les repères ainsi inventoriés pour nous guider dans l'identification des odeurs. De plus, le réchauffement du liquide alors qu'il est en bouche favorise la libération des odeurs, qui stimulent nos cils olfactifs par les voies rétronasales.

Repères visuels

La couleur : de jaune pâle à noir ébène en passant par toutes les nuances de rouge et de brun. La couleur est une caractéristique qui ne comporte aucune valeur objective. Il est impossible d'utiliser la couleur comme indice de qualité d'une bière.

La luminosité : de scintillante lumineuse à voilée en passant par les particules solides (habituellement des levures). Toute trace de flocons dans une bière filtrée est un indice de péremption, la bière est alors trop vieille. Nous avons expliqué précédemment la relative portée de cette variable de l'âge. Le voile opalescent que l'on peut observer dans des bières originant de petites brasseries indique tout simplement la présence de protéines. Il ne s'agit pas d'un défaut. Les bières refermentées en bouteille offrent une lie qui est tout simplement constituée de levure, une source importante de vitamine B, qui goûte souvent le pain et constitue de ce fait un excellent entremetteur entre la bière et le fromage.

La mousse : on observe sa consistance, de fugace à riche et onctueuse. De tous les indicateurs visuels, il s'agit de celui qui nous informe le mieux de la qualité des ingrédients composant la bière. Elle doit être riche et onctueuse, mais pas nécessairement épaisse. Elle doit également laisser une empreinte solide sur les parois du verre au fil des gorgées.

Sur le plan gustatif, la mousse renferme les résines amères du houblon, qui facilitent sa tenue et donnent à la boisson un goût amer. Trempez votre doigt dans le faux-col de bière : c'est une façon facile de s'initier aux caractéristiques du houblon.

Repères de saveurs

Lorsque le liquide est en bouche, nous pouvons percevoir quatre saveurs de base ainsi que quatre sensations. Ces saveurs sont le sucré, le salé, l'acide et l'amer, tandis que les perceptions sont l'épaisseur, la salivation, l'astringence et l'alcool.

Chaque personne possède son propre degré de perception. Certaines sont plus sensibles aux saveurs sucrées que d'autres. Par exemple, les gens qui boivent leur café sans sucre détectent plus facilement les goûts sucrés que les autres, non seulement dans leur infusion matinale mais également dans toute leur alimentation, y compris la bière. Il en est ainsi pour toutes les saveurs de base. En règle générale, les perceptions sucrées se manifestent par une sensation physique sur le devant de la langue; les perceptions salées titillent les deux côtés de la langue près du bout; l'acidité stimule les papilles situées tout le long des côtés de la langue; l'amertume quant à elle se manifeste surtout sur le dessus, vers l'arrière de la langue.

L'épaisseur de la bière varie de mince (comme de l'eau) à épaisse (comme un sirop). Habituellement, plus une bière est sucrée ou liquoreuse, plus elle est épaisse. La salivation se produit en dessous de la langue et est généralement stimulée par des produits aigres. L'astringence est une sensation de sécheresse des muqueuses de la bouche. Ce phénomène est plutôt rare dans le monde brassicole. On le retrouve à l'occasion parmi les bières de la famille des lambics d'origine. L'alcool est quant à lui d'abord une sensation de « vapeur qui monte au nez ».

Repères des odeurs

Notre nez est si performant qu'il est facilement en mesure d'identifier de façon précise plus de 10 000 odeurs ! Le défi, dans le cadre de la dégustation de la bière, est d'associer les odeurs qui jaillissent de ce liquide à un produit autre. Par exemple, on ne s'attend pas à retrouver des bananes dans les ingrédients qui composent le nectar doré d'une bière. Souvent, nous sommes facilement en mesure de reconnaître la nature fruitée de l'odeur, mais sans toutefois pouvoir la nommer. Par contre, dès que nous l'identifions de façon précise, l'image de ce fruit se construit dans notre reconnaissance. Le mécanisme d'identification des odeurs est relié à notre capacité de mémorisation jumelée à notre pouvoir d'association. La principale difficulté est d'ordre psychologique et non physique. La meilleure façon d'améliorer notre potentiel à cet égard est, d'une part, la pratique, et, d'autre part, de faire appel aux nez qui nous entourent. En demandant l'opinion des partenaires de dégustation ou même des personnes qui ne dégustent pas, on accroît d'autant le nombre de radars à la poursuite de l'origine des parfums. Les principaux repères olfactifs de la bière sont le caramel, les céréales, le chocolat, le cuir, les fleurs, les fruits, les légumes, la levure, le malt, la mouffette, le pain, le rôti.

Le fromage

L'homme et sa compagne sont les seuls mammifères de la planète à consommer du lait longtemps après leur enfance ! Fontaine de notre alimentation depuis nos premiers gazouillements, cette boisson nous offre la source originelle du plaisir, que nous souhaitons naturellement prolonger. Retardons-nous pour autant notre sevrage ? Examinons la définition du mot sevrer, elle nous enseigne qu'il s'agit de « cesser progressivement d'allaiter, d'alimenter en lait, un enfant, pour donner une nourriture plus solide ». Nous pouvons affirmer que les besoins inhérents au sevrage justifient la nécessité du fromage. Le fromage, c'est le sevrage !

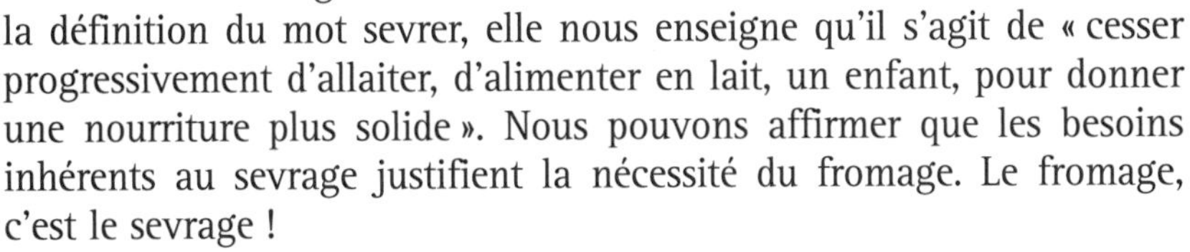

D'abord le lait

Le lait est cette substance liquide blanchâtre, riche en gras et en vitamines, qui jaillit des mamelles des mammifères. Dans l'industrie laitière, on ne parle plus de l'animal mais de sa fonction de producteur de lait. De nos jours, la principale source de lait destinée à la fabrication du fromage nous est offerte par la vache, mais de plus en plus de chèvres et de brebis sont mises à contribution. Dans certains pays, la jument, le chameau et d'autres animaux se joignent au troupeau.

Les caractéristiques du lait dépendent non seulement du type d'animal l'ayant fourni, mais également de sa race et surtout de son alimentation. La nature des pâturages et de l'animal font du lait un produit d'une grande complexité. Il est principalement composé de protéines, surtout de la caséine (la matière qui coagule), de minéraux, de beaucoup de calcium, de sucre (lactose) et de gras. Le gras est au fromage ce que l'alcool est à la bière. Il joue un rôle majeur dans sa texture et dans le développement de ses flaveurs.

Terroir versus territoire

Dans le monde de la bière, il est relativement facile de transporter les céréales d'un bout à l'autre de la planète, permettant ainsi aux brasseurs de copier assez aisément la majorité des styles. Ce moyen serait passablement coûteux pour l'alimentation du bétail. La bête rumine dans son champ ou dans son étable. On peut regrouper les sources alimentaires en trois grandes familles : le terroir, le territoire et l'alimentation contrôlée industriellement.

Le terroir èvoque un écosystème composé de variables précises : le climat, la nature du sol et sa végétation. Ces particularités sont quant à elles assujetties aux variations climatiques et aux périodes de l'année. Par exemple, le fromager Luc Mailloux a développé le Lechevalier Mailloux ainsi que le Sarah Bizou en alimentant son troupeau de plantes qui poussent à l'état sauvage dans la région de Saint-Basile-de-Portneuf. En fabriquant ses fromages au lait cru, il assure de plus l'authenticité de ce terroir. La signature unique des fromages ainsi créés, leurs qualités et leurs complexités en font des produits originaux.

Le territoire quant à lui comporte un ensemble de terres ayant une certaine uniformité. On renvoie ici à une région qui englobe plusieurs terroirs différents.

L'alimentation contrôlée industriellement se compose de plusieurs sources : le foin, la moulée et les additifs alimentaires (vitamines, suppléments, etc.). Plus le lait est destiné à un grand producteur, plus les contingences de fabrication forcent les éleveurs à uniformiser l'alimentation du bétail. À l'inverse, plus le fromager est petit, plus il a intérêt à se distinguer par son terroir, non seulement pour des raisons de marketing mais également parce qu'il y a son avantage. Le même raisonnement s'applique pour les producteurs intermédiaires, qui peuvent promouvoir une région particulière.

Rappelons-nous que l'animal est un être vivant doté de sentiments et d'états d'âmes conditionnés par son environnement. Ces particularités peuvent exercer une influence sur sa production et, par voie de conséquence, sur les caractéristiques de son lait. Voilà entre autres pourquoi la traite du matin est habituellement moins grasse que celle du soir. Par cette simple variation dans la récolte du précieux liquide qu'est le lait, le fromager peut, avec le même animal, produire trois fromages différents (le matin, le soir et en mélangeant les deux). Si on ajoute à cela les méthodes de transformation et d'affinage, les possibilités sont illimitées.

La dénaturation du lait

Avant d'être versé dans les bacs de transformation, le lait peut subir certains traitements : la pasteurisation, la thermisation, l'écrémage, l'enrichissement en crème, etc. Un lait n'ayant subi aucune transformation est considéré comme cru. Toutefois, la nuance entre la définition selon la loi et la définition rigoureuse ne donne pas l'heure juste aux consommateurs, surtout au Québec.

La pasteurisation du fromage est un sujet qui soulève d'intenses passions. Les grands connaisseurs affirment qu'il n'est de bon fromage que celui fait à partir de lait cru. Un débat similaire se déroule dans le monde de la bière, où certains brasseurs affirment que la pasteurisation la tue. Des nuances s'imposent et il importe de souligner les enjeux dont il est question. Les méthodes de fabrication et les contingences inhérentes à la fabrication à grande échelle conviennent parfaitement au lait pasteurisé. Il ne faut pas oublier enfin que le lait utilisé dans la fabrication de ces fromages provient d'un grand nombre de producteurs.

La mondialisation des marchés et la possibilité pour les commerçants d'offrir le fruit de leur travail un peu partout sur la planète sèment des risques réels tant pour la santé du consommateur que sur le plan commercial. Il ne faut pas oublier que, entre le producteur et nos papilles, une ribambelle d'intermédiaires interviennent, dont la mission est justement intermédiaire. Il n'y a qu'aux extrêmes de cette chaîne de distribution que nous sommes assurés d'un souci de qualité élevée. Voilà pourquoi la majorité des pays du monde imposent des normes rigoureuses à respecter à tous les paliers. Si au départ l'intention est indiscutablement bonne, son application par des bureaucrates peut conduire à des abus. La marche purificatrice de certains d'entre eux exerce des pressions énormes contre plusieurs fromages faits de lait cru.

Qu'en est-il sur nos papilles ? Eh bien ! tous les goûts sont dans la nature. Pour connaître la différence, il faut goûter à deux exemplaires d'un même fromage fabriqués avec les mêmes méthodes, mais pour l'un en utilisant du lait cru, et pour l'autre du lait pasteurisé (ce qui est quand même plutôt rare). Le lait cru en soi n'assure pas la production d'un fromage plus agréable sur les papilles.

Lait cru

Il s'agit du lait fraîchement trait, n'ayant subi aucun réchauffement (la limite a été fixée à 39 °C). Le lait cru peut être conservé à une température de 4 °C. La présence des bactéries naturellement présentes dans le lait donne au fromage une signature et une complexité d'une grande finesse. Contrairement aux méthodes anciennes, rarement laisse-t-on le soin exclusif à cette soupe bactérienne de transformer le fromage. L'utilisation de présure et de ferments développés en laboratoire est désormais généralisée. Les fromages au lait cru doivent nécessairement vieillir un certain temps (au Canada, la loi exige au moins 60 jours) avant de pouvoir être consommé ou mis en vente.

Lait pasteurisé

La pasteurisation a pour objectif de détruire la flore bactérienne qu'il renferme. Le processus implique l'action de deux variables : 1) l'augmentation de la température, 2) pendant une période de temps. Il est possible de pasteuriser un lait à une température relativement basse, ce qui requiert une longue période de temps. À l'inverse, il est possible de pasteuriser en un temps record à de très hautes températures (UHT, pour ultra haute température, ou encore flash pasteurisation). Le lait est chauffé à des températures variant entre 62,8 °C et 72,8 °C. La durée du chauffage dépend de la température et des séquences. À 62,8 °C, le liquide doit être chauffé pendant une demi-heure, à 72,8 °C, 16 suffisent, etc. Naturellement, plus la durée est longue, plus le résultat est considéré de qualité supérieure.

LAIT THERMISÉ

La thermisation consiste à traiter par la chaleur sans toutefois pasteuriser. Le lait subit un traitement variant de 59 °C à 65 °C pour une durée de 15 s à 20 s. Il s'agit donc d'une procédure intermédiaire entre le lait cru et la pasteurisation. Au Canada, la mentalité manichéenne du législateur ne distingue qu'en fonction de la pasteurisation. Le lait thermisé est légalement considéré comme du lait cru, ce qu'il n'est pas sous un angle technique. Comment s'y retrouver ? Il suffit de demander conseil à son fromager.

LA FABRICATION DU FROMAGE

À l'instar du brassage, la fabrication du fromage est constituée d'une suite d'opérations naturelles, dictées par des phénomènes encore une fois naturels et gérées par des humains. Le procédé peut se résumer à ceci : on extrait les composantes solides du lait, on les presse dans un moule et on attend avant de consommer.

En général, 10 l de lait sont requis pour fabriquer 1 kg de fromage.

La fabrication du fromage comporte cinq étapes essentielles :

- le caillage
- l'égouttage
- le salage
- le moulage
- l'affinage

Certains procédés inhérents à des types spécifiques de fromage peuvent s'ajouter à l'une ou l'autre de ces étapes, tels : l'enrichissement du lait avec de la crème, l'écrémation, la coloration du lait, le filage, la cuisson, la cheddarisation, l'aération, etc. Les quatre premières étapes se déroulent le même jour. La durée de la cinquième varie de quelques heures à plusieurs années. Les étapes déterminantes dans le façonnement de la personnalité d'un fromage sont la première et la dernière : soit le caillage et l'affinage.

COLORATION DU LAIT

Sauf pour les pâtes persillées, la coloration du corps fromage se fait en utilisant des substances exogènes tel le roucou. La coloration de la croûte quant à elle fait appel à du roucou ou encore aux produits E153, E160, E172, ou E180, comme par exemple pour le saint-nectaire ou encore à des bactéries particulières.

Le caillage

La caséine, une protéine contenue dans le lait, a la propriété de coaguler sans l'intervention de l'homme. À cause de la vitesse lente à laquelle elle fonctionne, la nature expose la soupe à des risques de contamination. Le fromager souhaite accélérer cette fonction naturelle par l'utilisation de produits naturels, tout en exerçant un contrôle sur la nature fondamentale de la coagulation. Les groupes d'accélérants utilisés se divisent en deux familles : la présure et les ferments. Il existe une ribambelle de types de présures et de ferments et rien n'empêche les fromagers de faire appel à un procédé mixte. Ils le font presque tous, afin de maintenir un secret qui leur soit unique, ce qui est tout à fait légitime. La potion magique pour les pâtes dures est principalement composée d'enzymes (présure), tandis que la soupe des pâtes molles renferme surtout des ferments (lactiques). La pâte obtenue, nommée « caillé », sera par voie de conséquence qualifiée de présure ou de lactique. La flore microbienne de présure et de ferments est généralement préparée dans des laboratoires spécialisés. Il n'existe qu'une dizaine de fournisseurs de cultures bactériennes dans le monde ! Cette limitation occasionne inévitablement une standardisation des grands styles de fromage.

La présure est un produit originant de la caillette de veau ou du chevreau. Elle se présente sous forme liquide ou de poudre. L'emprésurage se fait dans un lait réchauffé entre 25 °C et 36 °C. Il en résulte une sorte de soupe grumeleuse composée de morceaux solides et d'un liquide nommé le « petit-lait ». Ce procédé peut parfois se faire en une demi-heure, mais peut aussi nécessiter une journée complète. Ces enzymes agissent en absence d'oxygène, bref en anaérobie.

La fermentation lactique fait intervenir des bactéries qui décomposent le lactose du lait, produisant ainsi de l'acide lactique qui à son tour solidifie la caséine. Ces ferments respirent et travaillent donc de façon aérobique.

On accélère habituellement le processus en ajoutant des ferments lactiques naturels dont les caractéristiques favorisent le développement de celles que le fromager veut favoriser dans son fromage.

Le fromager retire ensuite le petit-lait et voilà, le fromage existe déjà ! La pâte obtenue se nomme maintenant caillé ou même fromage frais, s'il est destiné à la consommation immédiate.

La cuisson de la pâte

Dans certains cas, la pâte est cuite à l'étape du caillage. Le lait est chauffé à 30 °C-35 °C, ce qui accélère la fermentation lactique. La coagulation prend alors moins d'une demi-heure. Le caillé est ensuite défaits en petits grains qui sont à leur tour chauffés à 50 °C-55 °C. On élimine le plus de petit-lait possible et la pâte est mise en toile. Une fois refroidie, on lui fait subir une presse qui peut durer jusqu'à une journée complète. On retourne le fromage régulièrement afin d'en maximiser l'égouttage. Dans les premières semaines de l'affinage, la masse est trempée dans un bain de saumure afin de favoriser le travail des ferments dans la pâte ainsi que le durcissement de la croûte. Si la fermentation est chaude, les gaz forment des trous plus ou moins gros dans la pâte. Plus la fermentation se déroule au froid, moins les trous sont présents. Cette opération contribue alors au développement d'une pâte plus élastique.

L'ÉGOUTTAGE

On retire le petit-lait par gravité naturelle ou de façon mécanique. Encore une fois, la méthode varie d'un type de fromage à l'autre : à l'aide de toiles (synthétiques ou naturelles, de lin, etc.), par pression ou par gravité.

LE SALAGE

Le salage a de multiples fonctions : il s'agit d'abord d'une façon de protéger le caillé contre les moisissures indésirables. Le sel contribue également à relever les saveurs. Finalement, il contribue à la formation de la croûte de plusieurs fromages.

LA CHEDDARISATION

La cheddarisation se déroule juste avant le moulage. La pâte est alors découpée en blocs. Ceux-ci sont ensuite empilés, broyés et enfin mis en moule pendant une journée.

LE MOULAGE

La forme et le volume du fromage lui sont tout simplement donnés par un moule. Les formes et les volumes varient considérablement. La force appliquée pour compresser la pâte dans la forme du moule détermine la consistance du corps du fromage : mou, semi-ferme, semi-dur ou dur.

L'AFFINAGE

Le fromage est entreposé et l'affinage s'amorce. On le laisse tout simplement vieillir afin qu'il mûrisse. Les bactéries et/ou les enzymes digèrent alors la masse, surtout ses protéines. Cela modifie la texture du fromage et lui confère des flaveurs particulières. La surface du fromage se transforme également : il s'y forme une croûte ou une pellicule.

L'affinage peut varier d'une dizaine de jours à plusieurs années. On distingue deux principaux types d'affinage. L'affinage anaérobie (à l'abri de l'oxygène), aussi identifié comme affinage dans la masse, est le propre des pâtes dures. Les modifications prennent alors place de façon uniforme dans toute la pâte. L'affinage aérobie, alors que le fromage respire, est typique des pâtes molles ou semi-fermes. On dit également le fromage « affiné en surface ». Les modifications se dirigent alors de la surface vers l'intérieur. Les conditions atmosphériques (la température et le pourcentage d'humidité) dans lesquelles il vieillit sont ici d'une importance fondamentale.

On peut distinguer les principaux environnements d'affinage : à sec, à froid/humide, à froid/sec, dans un microenvironnement exclusif telle une grotte. Certains fromages seront affinés dans plus d'une condition.

On retrouve parallèlement trois principaux types d'affinage : dans la masse, à croûte fleurie, à croûte lavée. Le persillage ou encore le bleuissement est une technique pouvant être appliquée à tous les types d'affinage. Plusieurs grands fromages sont affinés par des maisons spécialisées. Ils offrent alors des conditions spécifiques de mûrissement.

Plus le fromage vieillit, plus ces caractéristiques sont amplifiées, ce qui ne signifie pas nécessairement que son goût sera plus fort ou meilleur. Notons que plus une meule est petite, plus elle s'affine rapidement.

Les saisons du fromage

La plupart des fromages de terroir ainsi qu'un certain nombre de territoires sont marqués par les saisons, car les laitières s'alimentent dans une zone géographique délimitée et pendant une période spécifique. Les fromages ainsi produits portent alors l'empreinte de la région. Dans certains cas, lorsque le troupeau est exclusif au fromager, nous identifions des fromages rares et habituellement d'une grande qualité à cause des soins particuliers dont ils font l'objet. Ceux qui portent la mention « alpages » en sont un exemple. Les grands fromages de brebis et de chèvre, qui ont une période de gestation moulée aux saisons, sont particulièrement sensibles à ce rythme. Certaines techniques permettent de contourner la difficulté que représente la production saisonnière, telle la congélation des pâtes avant leur affinage.

Différents types de fromageries

Fromagerie fermière

Les ateliers de fabrication du fromage sont situés sur la ferme et n'utilisent que du lait produit par celle-ci. Les méthodes de fabrication du fromage sont manuelles.

Fromagerie artisanale

Il s'agit habituellement d'une fromagerie située à l'extérieur de la ferme, mais utilisant les mêmes matières premières et méthodes de fabrication que le fermier.

Fromagerie semi-industrielle

Il s'agit d'une petite fromagerie utilisant des méthodes de transformation inspirées de l'équipement industriel, mais d'un volume considérablement plus petit, et dont les opérations comportent un travail manuel important.

Fromagerie industrielle

La fromagerie industrielle produit des quantités considérables de fromage en utilisant de l'équipement hautement mécanisé. L'intervention manuelle est plutôt du ressort du consommateur. La standardisation des méthodes de fabrication comporte souvent l'accélération du processus d'affinage. L'uniformisation du goût par la base permet d'offrir des produits susceptibles d'être appréciés par un grand nombre de consommateurs.

On retrouve des fromages industriels dans la majorité des types de fromages. Les fromages de table les plus populaires sont sans aucun doute les versions du cheddar (brick, etc.) ainsi que les pâtes molles à croûte fleurie.

Les AOC (appellations d'origine contrôlées)

L'appellation d'origine contrôlée est une référence certifiant l'origine d'un fromage. Elle est octroyée par des instances officielles à certains types spécifiques de fromages respectant des critères observables et uniques. Elle assure le respect des traditions fromagères spécifiques à certaines régions incluant l'aire géographique, les méthodes de récolte du lait, la dénaturation du lait (s'il y a lieu), l'affinage, les qualités gustatives, etc.

La qualification biologique

Le qualificatif biologique est attribué à des fromages (peu importe le type) dont la fabrication implique l'utilisation exclusive de matières premières de nature biologique, sans utilisation de quelque artifice que ce soit : aucun pesticide ou insecticide dans le contrôle des fourrages, aucun fertilisant artificiel, animaux nourris et soignés de façon naturelle...

La classification

Nonobstant les considérations pratiques relatives à leur fabrication, nous pouvons classer les fromages en deux grandes familles, en fonction de leur utilisation alimentaire : ceux qui excellent dans la préparation des plats (fromages de cuisine) et ceux que l'on déguste tels quels (fromages de table). Cette distinction se base sur des pratiques empiriques et non sur des bases scientifiques. Tous les fromages de dégustation peuvent aussi être utilisés dans la préparation des plats, et vice-versa.

Comme pour la bière, à l'exception des grandes productions industrielles, nous pouvons affirmer qu'il existe autant de types de fromages qu'il existe de marques. À l'instar de la bière, le fromage est d'abord classé selon des repères techniques, sans véritablement tenir compte de ses saveurs. Au sein d'un style particulier, on regroupe par type d'affinage ou par âge, ce qui donne un aperçu diffus des saveurs qu'on peut y retrouver. Naturellement, ce sont surtout les experts qui s'y retrouvent. Il est en effet particulièrement difficile de catégoriser des produits en se basant sur un critère aussi incertain que celui des perceptions sensorielles. Comme le fromage demeure un produit près de la terre, on retrouve de multiples versions de recettes semblables partout dans le monde, portant autant de noms différents et contribuant à l'élaboration du gigantesque labyrinthe qu'est l'univers du fromage. D'après mon expérience, il existe une affinité beaucoup plus grande entre un brie de Meaux et un pont-l'évêque ou même un époisses de Bourgogne qu'entre un brie de Meaux et un brie industriel. Le cheddar britannique est le frère historique du cantal français, mais il est difficile de les jumeler dans un seul et même style !

Une description des grandes familles de fromage est offerte dans la section « Épousailles fromages-bières ».

Fromages à pâte fraîche (lait de vache ou lait de chèvre) ou encore fromages frais

Le fromage ne connaît ici aucun affinage. La majorité des fromages de cette catégorie sont destinés à la cuisine (ricotta, mozzarella, fromage en crème, etc.).

Fromages à pâte fraîche aux herbes (au poivre, etc.)

Il s'agit de fromages frais enrichis d'herbes, d'épices, etc. Ils ont été développés pour être tartinés et conviennent très bien aux épousailles sans prétention, celles que nous organisons en fin de repas surtout.

Fromages à croûte fleurie (lait de vache ou lait de chèvre)

Règle générale, il s'agit de pâte molle. Pendant l'affinage, on laisse une fleur se développer sur la surface du fromage. Il s'agit en fait de champignons propres à la consommation.

Fromages à croûte lavée (habituellement lait de vache) pâte molle ou mi-ferme

On brosse et lave la meule. Pendant l'affinage, le fromage bleuit par la formation d'un duvet de moisissures sur sa surface. Ce duvet est éliminé par lavage avec un linge, par brossage dans la saumure ou encore en utilisant une mixture particulière composée d'alcool, de bière, de cidre, ou d'un mélange secret. La croûte se colore et la pâte se ramollit. Le fromage est retourné régulièrement et est ensuite entreposé tel quel de deux à quatre mois. Les Cantonnier de Warwick, Migneron de Charlevoix, OKA sont autant d'exemples de ce type de traitement.

Fromages à pâte persillée (les bleus)

La présence des veines bleues se retrouve dans plusieurs types de pâtes. Les bleus deviennent en quelque sorte des sous-catégories de plusieurs types. Les plus célèbres sont sans aucun doute le roquefort et le stilton. Ces veines bleues sont des moisissures, habituellement du *Penicillium roqueforti* ou du *Penicillium glaucum* (pour les stiltons). Dans la majorité des cas, ces êtres microscopiques sont ensemencés dans le lait avant sa coagulation. Pendant l'affinage, on perce la pâte à l'aide de petites aiguilles afin d'en aérer le cœur et de permettre au *Penicillium* de se développer. Dans certains cas, par exemple le roquefort, aucune inoculation n'a lieu pendant la préparation de la pâte. L'affinage se déroule dans des caves naturelles où résident des spores de cette famille qui se rendent par leurs propres moyens dans le cœur du fromage. La maturation des bleus est souvent mixte : de l'intérieur vers l'extérieur et inversement. Les bleus proprement dits se présentent avec une croûte grisâtre (stilton), sans croûte (gratté, bleu danois) ou légèrement visqueuse (bleu des Causses).

Fromages à pâte demi-ferme, semi-molle ou demi-dure ?

Entre le mou et le dur, toutes les consistances existent. Quelle différence existe-t-il entre le fromage demi-ferme et le semi-mou ? Voilà la grave question existentielle que nous devons jauger dans l'établissement des catégories. Sous le palais, leurs pâtes sont plus élastiques que les pâtes fermes et plus fermes que les pâtes molles. N'oublions pas que plusieurs fromages sortent du réfrigérateur presque durs et s'effondrent sous l'effet de la chaleur. Ils passent d'un statut de pâte demi-ferme à pâte molle, en passant par la semi-molle ! Lorsque la crème s'écoule finalement, à la merci de notre gourmandise, plus rien ne compte que leur goût !

Fromages sans croûte, affinés dans la masse (pâte molle, semi-ferme, ferme, dure)

Les fromages aux pâtes fermes et dures sont toujours affinés dans la masse (gruyère, emmental, parmesan, etc.).

Fromages à pâte ferme

Pendant l'affinage, des « trous » ou yeux peuvent se former dans certaines variétés (ex. gruyère). Ils sont occasionnés par la production de gaz qui dilatent la pâte avant qu'elle ne soit ferme, contribuant également à l'affermir.

Fromages à pâte dure

Notes communes : arômes complexes, robustes, bouquetés. Ils relèvent les plats et sont parfaits pour la cuisson car ils fondent bien (ex.

raclette). De plus, leur taux d'humidité étant très bas, ils se conservent presque indéfiniment.

Les fromages de chèvre ou de brebis

On regroupe souvent les fromages de chèvre ou de brebis dans des catégories distinctes. Leur lait étant différent de celui de la vache, il procure des caractéristiques différentes au fromage. Les fromages de chèvre les plus connus sont sans aucun doute le chèvre frais, suivi du paillot et du crottin. On constate toutefois que l'évolution du marché du fromage nous apporte des fromages de chèvre dans tous les types de préparation de la pâte et d'affinage. Du côté des brebis, la tomme est sans aucun doute la forme la plus connue.

L'ACHAT DES FROMAGES

L'apparence de la croûte d'un fromage est très révélatrice. Toute imperfection est l'indice d'un fromage mal affiné. Règle générale, la couleur de la pâte doit toujours être brillante.

- Les pâtes fraîches doivent présenter une franche couleur blanche.

- Les pâtes fermes et dures s'apprécient à la qualité de leurs croûtes et de leurs pâtes. L'emmental, par exemple, doit avoir des yeux luisants bien répartis dans sa pâte. Le cheddar doit présenter une couleur uniforme, légèrement translucide. La présence d'un trop grand nombre de trous de la taille d'une tête d'épingle indique un défaut de fabrication.

- Les pâtes molles à croûte fleurie se jugent surtout à la qualité de la pâte, qui ne doit pas couler. Le camembert ou le brie, par exemple, doivent présenter une croûte duveteuse de couleur blanche.

Une pâte molle avec une odeur d'ammoniaque indique que le fromage est trop âgé.

CONSERVATION

Les fromages sont des produits vivants et requièrent des soins particuliers afin que leur soit assurée une protection maximale lors de leur entreposage. Chaque type requiert des soins personnalisés. L'humidité favorise le développement des bactéries dans le fromage. En règle générale, plus un fromage a un pourcentage élevé d'humidité, plus sa pâte est molle et plus il est vulnérable à la détérioration. Les petits morceaux de fromage perdent leur finesse rapidement. Il est préférable de ne couper que les morceaux nécessaires pour la consommation.

LE PAPIER D'EMBALLAGE

Chaque type de fromage requiert un papier d'emballage qui réponde adéquatement à ses besoins propres. Souvent dans les fromageries et surtout dans les supermarchés, les coupes préparées répondent à des considérations de mise en marché, c'est-à-dire à la volonté de rendre les fromages alléchants.

Les pellicules de plastique font suer le fromage, favorisant sa déshumidification et le développement d'une substance visqueuse à sa surface. Les fromages affinés dans la masse doivent être protégés par ce type d'emballage afin que soient maintenues leurs qualités. La majorité des fromages affinés en surface nécessitent quant à eux une enveloppe qui leur permette de respirer tout en les protégeant. Le papier ciré leur convient très bien. Il est possible d'ajouter une protection additionnelle en utilisant une pellicule d'aluminium par-dessus le papier ciré.

Toute trace de moisissure sur un fromage frais ou à pâte molle signifie qu'il est impropre à la consommation. Pour les pâtes semi-fermes à dures, il suffit tout simplement d'éliminer la poussière en la grattant et la partie non-attaquée de la pâte peut être consommée sans danger.

Congeler le fromage

Il est possible de congeler certains fromages, surtout les pâtes semi-fermes, fermes et dures. Il importe de savoir que cette procédure en modifie la texture. Le fromage deviendra toutefois plus sec et il s'égrainera plus facilement.

Service

Chaque fois qu'un fromage est libéré de son emballage et réchauffé, il vieillit considérablement. Il est préférable de ne servir que les quantités nécessaires aux fins de la dégustation. Maintenir un inventaire hebdomadaire de six à huit fromages est bien suffisant. Il est préférable d'ajouter de nouveaux fromages en petite quantité chaque semaine afin de pouvoir se familiariser pleinement avec chaque type.

Couteaux

Un grand couteau de cuisine bien aiguisé est idéal pour préparer les pointes. Les couper lorsqu'il est encore froid en s'assurant qu'une partie de la croûte fait partie du morceau : c'est plus joli et décoratif et cela permet de respecter l'intégralité du fromage. Il importe de bien rincer le couteau entre chaque tranche, même s'il s'agit du même fromage. La coupe en sera ainsi plus nette et maintiendra une apparence beaucoup plus alléchante. Il est préférable d'offrir des morceaux plutôt que des portions individuelles : il est beaucoup plus agréable de se servir soi-même. Gardez les plateaux dans le réfrigérateur. Sortez-les entre une heure et deux heures avant de servir, en fonction des types de fromage.

Sur les plateaux, au momen de servirt, il est préférable d'offrir au moins un couteau pour chaque type de fromage afin de ne pas mélanger les saveurs. Il existe certains types spécialisés : les couteaux à bout fourchu, les couteaux à beurre, etc. Les deux petites pointes des couteaux à bout fourchu permettent de piquer le morceau que l'on vient de couper afin de l'apporter dans son assiette ou sur un quignon de pain. Avec ses côtés bien larges et arrondis, le couteau à beurre convient pour les fromages à tartiner (chèvre frais, etc.).

Pour la découpe de fines tranches dans les fromages demi-fermes et fermes, il est possible d'utiliser un coupe-copeaux, un fil à fromage ou une lyre.

La décoration des plats avec des légumes, des noix et des fruits revêt une grande importance. D'une part, elle assure une présentation alléchante favorisant le développement de dispositions favorables. D'autre part, elle facilite la dégustation de plusieurs façons : en offrant des options plus légères entre les bouchées de fromage. Les noix, fruits ou légumes favorisent enfin la création d'épousailles plus jouissives.

Le pain, les craquelins, etc., ont une importance tout aussi grande à ce chapitre. Ils doivent être servis dans des plats ou paniers qui leur sont réservés. N'hésitez jamais à varier les types offerts.

Pendant toute la durée de la dégustation, une quantité suffisante d'eau bien froide et de verres doit être mise à la disposition des convives. L'eau permet d'alléger la consommation tout en effaçant les traces gustatives des échantillons antérieurs.

La dégustation

Le parfum de certains fromages éveille quelquefois des évocations pastorales particulièrement champêtres... Certains diront plutôt qu'ils puent ou même qu'ils évoquent le fumier ! Les fromages à croûte lavée à l'alcool nous interpellent vigoureusement même lorsqu'ils sont à une distance respectable de notre nez ! Il ne faut jamais se laisser impressionner par les effluves gaillardement campagnards exhalés par ces fromages : la majorité du temps, ils offrent une finesse exquise lorsqu'ils expriment la nature fondamentale de leur personnalité sur nos papilles. Comme pour la bière (et tout autre aliment), les perceptions sensorielles des saveurs se regroupent autour des goûts fondamentaux : le sucré, le salé, l'acidité et l'amer. Dans le monde du fromage, une nouvelle perception sensorielle s'ajoute fréquemment : le piquant, qui produit un picotement ou encore un engourdissement de la langue lorsqu'il est très prononcé.

Les principaux repères de flaveurs sont : agressive, amère (et âcre), ammoniaque, beurre, bouquetée, cave humide, champignon, fermentation, lactique (et aigre), mordante, moisie, noix, paille, piquante, poivrée, terreuse, terroir (ferme, caprine, fumier, etc.).

Avec ou sans croûte ?

La croûte fait partie intrinsèque du fromage et, dans la majorité des cas, elle est comestible et de bon goût. On peut aussi la considérer comme une partie exogène du fromage pouvant être retirée. Habituellement plus amère ou plus salée, elle offre une complémentarité naturelle à la bière. On ne consomme pas la croûte du fromage seule, mais accompagnée de la pâte. Le tandem fondu de l'un dans l'autre prédispose à la réception d'une boisson. La pâte située juste sous la croûte, dans laquelle résident souvent des saveurs de noix, et le cœur de fromage offrent autant de nuances gustatives du même morceau de fromage. Doit-on manger la croûte ? C'est une question de goût avant tout mais, en règle générale, voici quelques repères.

Les croûtes fleuries : la croûte fait partie intégrante du fromage, l'enlever serait dénaturer la personnalité profonde du fromage.

Les croûtes lavées : à l'instar des précédents, la peau extérieure fait partie intégrante du fromage. La forte odeur qui se dégage des fromages lavés à l'aide d'une mixture comportant de l'alcool peut en rebuter plus d'un. Le choix est laissé au consommateur en fonction de son attirance-répugnance vis-à-vis du parfum dégagé.

Certains bleus possèdent une croûte très amère : goûtez-y et déterminez votre préférence.

Plusieurs fromages à pâte dure ont une croûte si sèche qu'elle requiert beaucoup d'efforts de mastication pour la faire fondre dans notre bouche : il ne faut pas se compliquer la vie, la dégustation n'est pas un exercice de musculation.

Une fois ces questions résolues, laissons-nous bercer par les différentes sensations offertes par la texture du fromage, dont les principaux repères sont les suivants : collante (au palais) ou non collante; consistance : solide, molle, semi-molle, semi-dure, dure, très dure; coulante; crayeuse; élastique; fine (absence de particules); friable; granuleuse; lourde; poreuse; souple; soyeuse.

N'oublions pas l'incontournable composition du verbe faire dans le cadre des épousailles :

Fait : bien affiné, surtout les pâtes molles. Le mot « fait » s'applique également à la dégustation des bières, par exemple dans l'expression « Je commence à être fait » versus « Le fromage est pas mal fait ». Dans le cas du fromage, le verbe signifie « arrivé à bonification » alors que dans le cas de la consommation d'alcool, il signifie « avoir dépassé la bonification ».

L'art des épousailles

La nature des épousailles bières et fromages ressemble beaucoup plus aux aventures épidermiques qu'aux relations profondes. L'espace de quelques secondes, la vie d'un couple se joue dans notre bouche. Les dispositions particulières des protagonistes, à ce moment précis, déterminent le résultat final. Quelques degrés de chaleur de plus, ou un jour de vieillissement de moins peuvent faire toute la différence entre un accord réussi et un échec !

Sommes-nous les témoins impuissants du drame qui se déroule sur nos papilles ? Pas du tout ! Nous devons juger de la qualité du couple, nous, une tierce partie ayant des intérêts subjectifs. Notre opinion se construit autour de deux concepts précis : leur « mariabilité objective » et notre appréciation du résultat. À la face de certaines papilles, un couple totalement désassorti peut offrir un plaisir exquis ! À l'inverse, il est également possible qu'un tandem parfait nous déplaise. En tant que dégustateur, on assume un rôle de voyeur participant aux ébats. On peut marier n'importe quelle bière à n'importe quel fromage, dans n'importe quel ordre, dans n'importe quelles circonstances, n'importe où... Il suffit d'être la personne qui sanctionnera l'union. Tous les fromages peuvent convoler avec succès avec une bière particulière et vice-versa, il suffit de rassembler les bons joueurs. La plupart du temps, à l'instar de la vie, on rencontre surtout des couples plus ou moins bien assortis, aux émotions plus ou moins intenses, mais d'agréable compagnie.

« Le bonheur, ce n'est pas un but : c'est le chemin ! »

Barbare que je fus, j'ai cueilli cette citation il y a très longtemps sans me soucier de retenir le nom de son auteur. La sagesse de cette pensée n'en éclaire pas moins aujourd'hui la méthode que j'ai développée pour observer le comportement des bières et des fromages qui ont rancard dans le huis clos de mes mâchoires. Notre attitude et nos attentes forment un vase dans lequel nous versons nos découvertes. Se lancer à la recherche de couples idéaux est certes une belle aventure, mais ne perdons jamais de vue que la principale source de plaisir est le voyage lui-même.

Les conditions gagnantes

Dans la préparation des épousailles bières et fromages, certaines conditions générales doivent être prises en considération afin de maximiser les chances de succès. Les voici réunies.

Condition no 1

Il est préférable de consommer le fromage d'abord et la bière ensuite.

Le fromage possède une texture solide et remplit littéralement la bouche en tapissant la langue et le palais. La bière de son côté est liquide. Sa présence est donc plus éphémère. L'écrin de crème que devient notre bouche tapissée par le fromage fait partie des préliminaires classiques des épousailles. Cette étape délicieuse agit à titre de lubrifiant et module le rythme de la relation. L'accord « Boréale Rousse / Victor et Berthold » en constitue le plus bel exemple. La mise en scène préparée par le fromage sur nos papilles amplifie l'harmonie spontanée du couple tout en mettant en relief la douceur de la bière.

La texture crémeuse emprisonne les flaveurs dans son corps et les libère plus ou moins rapidement dans notre bouche. Elle efface également toute trace antérieure à son passage, incluant la plus récente gorgée de bière. La prochaine gorgée s'incrustera dans le voile ainsi formé sur notre épithélium. L'eau de la bière entraîne avec elle l'humidité résiduelle du fromage dans notre bouche. Elle laisse alors des saveurs pures, souvent amplifiées, d'à peu près tout ce qui s'y trouve. L'aventure débute à ce moment précis. En vertu de ce principe, comme à l'église, le mâle se rend le premier à l'autel. La bière fait son entrée en dernier et défile gracieusement au centre de la cathédrale.

Prenez donc une bouchée de fromage, mastiquez-la bien et avalez. Prenez ensuite une ou deux petites gorgées de bière. Observez alors le développement des saveurs jusqu'à la disparition complète des perceptions sensorielles. Cela peut durer plus de 10 secondes !

Notons que le pourcentage d'humidité du fromage ainsi que sa longueur en bouche déterminent, dans une certaine mesure, le moment où il faut prendre une gorgée de bière. Le contenu en eau des pâtes molles accélère la fonte de leur corps sous notre palais : l'eau s'associe facilement à notre salive. Les pâtes dures requièrent l'intervention de notre humidité intime ainsi que la chaleur de notre cavité buccale afin de s'exprimer. En d'autres mots, il faut les mastiquer un peu plus longtemps avant de prendre une gorgée.

Plus longtemps les saveurs du fromage s'étalent, plus on peut attendre avant de prendre une gorgée de bière. Il faut laisser le fromage exprimer toute sa personnalité. Sa présence est souvent perceptible à l'occasion de la deuxième gorgée de bière. Le nombre de gorgées pouvant être prises sur une seule lancée de fromage peut ainsi être élevé. Certains fromages requièrent même deux gorgées de bière avant de se laisser aller. Cette procédure fait partie du protocole de la relation « stilton-Belle Gueule ».

Généralement, à l'arrivée du liquide dans la bouche, la perception du fromage est momentanément noyée. Dans plusieurs relations neutres, la bière fait son spectacle et disparaît avant que le fromage ne revienne faire des siennes. Cette situation ne constitue pas un mariage, mais peut donner l'occasion de voir sous un nouvel angle les personnalités présentes. Le retour du fromage peut alors indiquer le moment où il faut prendre une deuxième petite gorgée de bière. Dans mes notes, j'ai placé la marque « 0 » (ou neutre) pour ce type de relation. Cela ne signifie toutefois pas que la dégustation soit désagréable.

Condition no 2

Les épousailles se construisent principalement sur les saveurs, et non sur les odeurs.

Il importe de distinguer entre odeur et saveur. L'odeur est strictement volatile et peut être perçue à différentes étapes de la dégustation (avant, pendant, et même après) par les voies rétronasales. La saveur est une perception de nature tactile, facilement interprétée par les papilles, situées principalement sur la langue mais également un peu partout dans notre bouche. Voisine des saveurs, la texture est une sensation d'épaisseur ressentie par l'épithélium. Elle renferme des odeurs et des saveurs qui se libèrent plus ou moins rapidement. Les sensations physiques du goût s'incrustent dans notre chair et procurent une sensation tactile. La rencontre physique se déroule dans les interstices microscopiques de nos bourgeons, sans tenir compte du bouquet formé par les odeurs entremêlées dans nos voûtes nasales. La compatibilité de la relation y est déterminée. À compter du moment où elle est établie, sa qualité peut se construire.

Une association négative implique une incompatibilité de saveurs. Une compatibilité de saveurs n'implique pas nécessairement des épousailles réussies : elle peut être neutre, faible, moyenne ou excellente. C'est dans le nez que l'intensité du couple se détermine. Bref, les saveurs sont aux épousailles ce que l'être est aux relations humaines. Plus superficielles, les odeurs symbolisent de leur côté le paraître.

Condition no 3

Le plaisir est dans le nez.

Même si le couple se construit sur les saveurs de base, la nature fondamentale de la jouissance gustative se retrouve dans la richesse illimitée des bouquets qui se forment sous notre nez. Pour vous en convaincre, faites deux fois la même dégustation en vous assurant, au cours de l'une d'entre elles, d'avoir le nez bouché. Le cas échéant, portez attention à l'accord qui se produit réellement sur vos papilles. Il n'entraîne aucun plaisir.

Le nez est très important dans les dégustations, notamment en nous disposant positivement ou négativement à l'égard de l'aliment que nous invitons dans notre bouche. Les odeurs s'entremêlent ensuite dans un bouquet plus ou moins agréable. Elles versent la qualité et l'agrément dans la dégustation, dans la mesure où la base (saveurs) est solide. Un conflit de saveurs ne constitue pas un bon terreau pour faire pousser un bouquet d'arômes agréables.

Condition no 4

Les fromages affinés en surface sont à leur meilleur bien chambrés (minimum une heure) alors que les fromages affinés dans la masse le sont légèrement chambrés (une demi-heure tout au plus).

Nous avons en effet remarqué que la chaleur amplifie souvent les saveurs âcres des fromages affinés dans la masse, les rendant moins disponibles aux échanges nuptiaux.

Condition no 5

Il vaut mieux servir la bière légèrement chambrée ou même à la température ambiante plutôt que trop froide.

La plus importante influence objective sur les accords bières et fromages est souvent la température de service de la bière. Plus la température des deux est semblable, plus ils développent des sensations agréables. La température pertinente favorise donc des accords de plus haute qualité. À l'inverse, plus la température est froide, plus nombreux sont les obstacles à l'échange de vœux. Le froid amplifie les perceptions sensorielles de l'amertume et de l'acidité. Ces saveurs peuvent alors facilement devenir âcres ou aigres au contact des fromages. Nous constatons souvent que certains mariages ratés se réconcilient alors que la bière a eu le temps de se réchauffer dans le verre pendant la séance de dégustation.

Condition no 6

Plus les produits sont jeunes, plus il est facile de prévoir les résultats et de les répéter. Plus ils vieillissent, plus les écarts s'accroissent dans des directions imprévisibles.

Le fromage vieillit considérablement plus vite que la bière : ses conditions d'entreposage (chez le détaillant et chez soi) affectent abondamment ses saveurs. Il est plus sensible et plus vulnérable aux conditions imposées par son environnement. Trop ou trop peu d'humidité n'affecte pas de la même façon l'évolution de ses saveurs. Deux meules d'un fromage spécifique, du même âge et de la même récolte mais affinées dans des conditions différentes, peuvent ainsi engendrer des mariages désastreux ou même des réussites merveilleuses.

Dans la même veine, plus un fromage renferme d'humidité, plus il est vulnérable pendant son vieillissement. Les moisissures et les bactéries adorent les milieux humides.

Le fournisseur (l'entremetteur) joue un rôle déterminant à ce chapitre : nous n'avons pas le choix, il faut le remercier du plus profond de notre chope. Avoir la possibilité d'acheter de l'ossau-iraty au Québec est un grand privilège. Sauf que... Malgré toutes les bonnes intentions, certains font face à des défis insurmontables dont nous avons déjà payé la facture... Il reste qu'un ossau-irraty surfait vaut mieux qu'un brie industriel juste à point !

Condition no 7

Sauf pour les fromages bleus aux saveurs prononcées de sel et de roqueforti, *l'ordre du service des fromages et des bières, dans le cadre des épousailles, est secondaire.*

Dans quel ordre doit-on consommer ou établir les épousailles ?

La règle classique de tous les grands événements gastronomiques est de commencer avec les saveurs les plus douces et de chorégraphier un crescendo de saveurs de plus en plus fortes. Elle repose sur la saturation progressive des papilles car ces dernières s'habituent à une certaine intensité de saveurs et requièrent subséquemment son augmentation afin d'être en mesure de percevoir encore les goûts. Les règles sont beaucoup plus souples dans le monde des bières et des fromages. En passant, que signifie exactement le mot force lorsqu'il qualifie une bière ou un fromage ? Dans l'acception populaire, une bière forte est une bière qui « goûte fort » sauf s'il s'agit du sucré. La Guinness par exemple a la réputation d'être une bière forte. Avec ses 4,1 % alc./vol., il s'agit pourtant techniquement d'une bière légère ! La combinaison couleur noire/amertume incite les gens à l'étiqueter « forte ». Du côté du fromage, la force fait habituellement référence à son nez et est souvent synonyme de « puant », peu importe ce qu'il goûte ! À l'occasion, il s'agit de son goût piquant prononcé. Bref, la force est une notion aléatoire lorsque nous faisons référence aux produits qui nous concernent dans ce livre.

On ne dit pas aux gars de deux mètres de ne marier que des grandes filles n'est-ce pas ? Il en est ainsi des accords bières-fromages. Certaines bières douces accompagnent admirablement bien des fromages forts, et des bières fortes accompagnent admirablement bien des fromages doux. Tout est donc possible dans un ordre dicté par notre seule imagination. Le videur de place doit toutefois absolument être un bleu salé. Toute dégustation qui suivra celle impliquant un tel type de fromage nous procurera une étrange sensation de vide.

En règle générale, la seule variable devant être considérée dans l'ordre de service est l'intensité du *roqueforti* dans le fromage. Plus il est présent dans un fromage, plus ce dernier doit être servi en finale. Par exemple, un bleubry peut très bien être servi au milieu d'une dégustation sans trop influencer les perceptions ultérieures. La chose est

La méthode de dégustation

1 L'ingurgitation

a - prendre une petite bouchée de fromage;

b - le mastiquer au complet en s'assurant que toutes les parties intérieures de notre bouche sont couvertes de crème;

c - avaler le fromage ;

d - apprécier ses caractéristiques propres;

e - prendre une gorgée de bière, faire rouler dans notre bouche puis avaler;

f - tenter d'apprécier ses caractéristiques propres. La chose est un peu plus difficile ici parce que la présence du fromage influence déjà les perceptions sensorielles;

g - des deux saveurs distinctes naît une troisième saveur. L'observation commence.

2 L'observation

le développement de l'accord se déroule en sept étapes :

1 - disparition momentanée du fromage, sauf exception;

2 - première réaction spontanée : tout peut arriver;

3 - réactions subséquentes, de très simples à très complexes;

4 - le pivot de saveurs au moment d'avaler : à l'instant précis où nous avalons, une saveur ou un groupe de saveurs spécifiques sont perçus;

5 - étalement ou arrière-goût : avec souvent un retour du fromage et surtout de sa crème;

6 - postgoût, les saveurs flottantes peuvent être perçues plus de 10 s après avoir avalé;

7 - le rot : lorsqu'il survient, il fait partie intrinsèque de la dégustation. Il transporte dans sa bulle de gaz un nouveau type d'accord.

3 Le jugement

beaucoup plus ardue avec un roquefort ou un stilton qui doivent plutôt figurer dans les derniers services. Encore une fois, l'intervalle entre les bouchées doit être considéré. S'il s'écoule plus de cinq minutes après que l'on a mastiqué du roquefort, les papilles se rechargent dans une certaine mesure et pourront apprécier le brie qui suivra. Dans le cadre des épousailles, il est facile de servir un échantillon de bière titrant 10 % alc./vol., suivi d'une autre titrant 4,1 % alc./vol., sans nuire sérieusement aux perceptions sensorielles. S'il s'agit toutefois d'un événement où des bouteilles complètes doivent être consommées par chaque convive, eh bien ! on ne parle plus de dégustation mais de consommation justement, ce qui n'est pas l'objet du présent ouvrage. Toutes les nuances s'intercalent entre les gorgées des échantillons de bière à haut degré d'alcool. Plus la quantité est élevée ou plus la consommation est rapide, plus on perd la capacité de goûter.

Il est beaucoup plus important d'avoir une homogénéité par plateau de fromages que de servir les plus doux au début et les plus forts à la fin. Un bleu dans la même assiette qu'un brie, c'est photogénique mais de mauvaise compagnie. Asseoir un lait cru à côté d'un cheddar industriel, c'est manquer de respect envers un artisan dont l'âme respire dans son produit... Par ailleurs, sous un angle pratique, certains fromages doivent être chambrés pour une période de temps un peu plus longue que d'autres. Lorsque l'on considère la nature de l'affinage des fromages, il est beaucoup plus logique de respecter leurs origines lorsqu'on les dispose sur un plateau. Un fromage peut y être présenté seul s'il le faut ! Du côté des bières, à l'exception de celles qui titrent plus de 8 % alc./vol., l'homogénéité est secondaire.

Condition no 8

L'univers est en perpétuel mouvement, les saveurs de la bière et du fromage également !

Pendant la séance de dégustation même, les goûts du fromage ainsi que ceux de la bière sont en évolution, permutant ainsi irrémédiablement les conditions (déjà assez floues) des épousailles. Deux variables ici se donnent la main afin de brouiller votre jugement : la température des aliments et la saturation de vos papilles.

Moins on goûte, plus c'est bon (c'est le triste principe existentiel appliqué par les grandes brasseries dans le brassage des bières désinvoltes). Nos papilles se fatiguent, notre volonté de juger également, et l'on en vient souvent à se laisser aller au simple plaisir de la dégustation pour son volet pratique : nous mangeons pour vivre.

Condition no 9

Le succès des épousailles est déterminé par la sensation finale offerte par le couple, car c'est elle qui nous donne le goût ou non, au sens propre et au sens figuré, de récidiver.

L'aboutissement des perceptions sensorielles est le moment le plus important de la relation, car il déterminera la réussite ou l'échec de la rencontre. Plusieurs types de relations peuvent se produire pendant la rencontre buccale. Les épousailles peuvent ainsi être composées de plusieurs petits flirts plus ou moins réussis, le dernier déterminant la qualité attribuée à l'union. Plus une relation est longue, plus elle traverse des étapes, et plus elle est assujettie à plusieurs articulations. Le migneron de Charlevoix et l'Exaltée par exemple semblent s'ignorer mutuellement au moment des présentations d'usage. Ils pavanent d'abord leurs grandes personnalités, à la frontière du snobisme, s'observant réciproquement, lorsque tout à coup paf ! une union solennelle se produit. En vertu de ce principe, un certain nombre de coups de foudre se terminent en enfer, ou inversement, et des conflits se concluent à l'occasion par une noce voluptueuse. N'oublions pas les finales ambivalentes, qui se concluent par un non-lieu ou un détachement total. Contrairement à la vie, c'est la dernière impression qui compte! Nonobstant la première, c'est celle qui subsiste sur nos papilles en finale qui détermine notre désir de réinviter le couple à s'ébattre sous notre baldaquin buccal.

L'ÉVALUATION

L'une des dimensions les plus intéressantes de l'univers de la dégustation des boissons alcoolisées est le préjugé positif que nous leur accordons. Porter un jugement sur la valeur d'une boisson est très difficile. Notre éducation empreinte de valeurs religieuses fait jouer l'écho du célèbre « Tu ne jugeras point... » et rarement accordons-nous une note négative. Ainsi, la plupart des auteurs qui se mouillent dans les évaluations accordent à l'objet de leurs observations une valeur positive ou neutre. Le plus terrible malheur qui peut survenir est d'obtenir, exceptionnellement, la note zéro. Au pire, elle n'est pas mauvaise. La critique la plus cruelle qu'un produit puisse se voir infliger est : « Trop cher pour la qualité offerte ». Les choses sont passablement plus intéressantes dans le monde des accords bières-fromages, où certains mariages sont vraiment désastreux. Nous pouvons libérer nos instincts primaires sans arrière-pensée. Il est possible de marier deux grandes personnalités et de constater qu'elles sont incompatibles tout en consacrant leurs valeurs individuelles. On peut rejeter la faute sur les circonstances tout en protégeant les parties : « Ils sont une grande bière et un grand fromage, mais ils ne sont pas compatibles. » Sous un autre angle, l'approche nous permet de valoriser certains produits plutôt quelconques alors que la présence de l'autre fait ressortir des qualités insoupçonnées. Les bières désinvoltes, par exemple, se retrouvent souvent avantagées en compagnie d'un fromage.

Nous devons ainsi *primo* observer ce qui se passe dans notre bouche et *secundo* exprimer un jugement sur la nature profonde de la relation qui s'établit ou ne s'établit pas. La première observation est qualitative-descriptive : nous considérons ce qui se passe sous notre nez, dans notre bouche et dans notre gorge. Nous tentons tout simplement de décrire l'évolution de notre perception des saveurs. Nous laissons alors le couple nous parler. C'est difficile. Notre réflexe spontané est de porter immédiatement un jugement sur la valeur des produits en polarisant notre position : « C'est bon » ou « C'est mauvais ». Il nous faut oublier ce réflexe profondément ancré dans notre système de valeurs. Nous avons tendance à conclure rapidement en nous laissant bercer par les pôles de la dégustation : le début et la fin, le b.a.-ba de notre société de consommation. Il suffit pourtant de porter attention aux nombreuses variables qui interviennent dans notre bouche pour constater que la dégustation est composée d'une richesse inouïe de sensations. Certaines bières ont l'heur de mettre en valeur la nature fondamentale de certains fromages. D'autres savent en souligner la douceur insoupçonnée. Quel est le meilleur couple et lequel mérite la plus haute distinction ? Dans le premier cas, si nous sommes des amateurs de ce fromage spécifique, la relation est extraordinaire et les épousailles méritent trois étoiles. À l'inverse, si nous ne sommes pas en mesure de soutenir l'idée d'inviter ce fromage sous notre palais, la relation est sans aucun doute un double négatif ! Par contre, avec la deuxième bière, nous découvrons une agréable face cachée. Nous aurons alors tendance à surévaluer la relation. La note est un repère important. Les motifs sur la base desquels elle est déterminée le sont tout autant.

La deuxième observation est une évaluation du plaisir, ou du déplaisir, que l'union nous procure. Le couple peut être parfait, mais provoquer un déplaisir intense. Il faut donc faire une nuance entre ces deux angles de jugement : une bière peut être un très bon complément à un fromage et nous procurer de mauvaises sensations : pensez à ce couple de voisins détestables mais parfaitement assortis.

Les facteurs qui favorisent l'établissement d'une relation réussie sont nombreux, souvent complexes et imprégnés de nuances gustatives. Les facteurs d'échec sont beaucoup plus précis : le développement d'une âcreté ou d'un acerbité trop forte. L'âcreté est une amertume si prononcée qu'elle semble râper l'arrière de la langue et laisse une impression désagréable. Il ne faut pas confondre avec l'amertume, qui est plutôt une saveur fondamentale qu'on peut aimer ou non, selon ses goûts personnels.

Dans certains cas, l'amplification de caractéristiques intrinsèques de chacune des parties doit être considérée comme des épousailles réussies, ce qui ne signifie pas que la sensation dans notre bouche nous sera agréable. Imaginons une bière amère dont la perception de l'amertume est quintuplée par la présence d'un fromage aigre qui, de son côté amplifie sa propre aigreur dans un jeu espiègle de complicité enfantine...

Le principe d'évaluation appliqué dans ce livre est fort simple : il s'agit de la polarisation « faible-fort ». « Faible » caractérise une relation gentille, amicale, par laquelle l'union produit des sensations agréables. « Fort » offre une fusion provoquant un plaisir d'une grande intensité qui nous fait dire sans hésitation : « WOW ! » Entre ces deux extrêmes, c'est « moyen », sans complications. Traduit en chiffres, cela devient une étoile (faible), deux (moyen) ou trois (fort). La même logique s'applique du côté négatif. Le symbole « - » accompagne une relation quelque peu déplaisante, tandis que « – » accompagne un sentiment de rejet intense. Le tout pivote autour de l'axe de la neutralité, soit le 0. Dans cette situation, on reconnaît facilement les caractéristiques du fromage ou de la bière, sans plus. Aucune saveur nouvelle n'est produite, aucune mise en valeur de la bière ou du fromage n'a lieu.

Bref, l'échelle évaluative varie de (–) à (***) :

(–) = la relation provoque des saveurs très désagréables;

(-) = la relation provoque des saveurs désagréables;

(0) = la relation ne s'établit pas;

(*) = la relation provoque le développement de saveurs agréables;

(**) = la relation provoque le développement de saveurs très agréables et un mariage sans effusion de passion s'établit;

(***) = une relation effervescente qui provoque le développement de saveurs des plus agréables, délectables, donnant l'impression d'un orgasme sur la langue. Un mariage de passion se produit.

Il importe de le répéter, la dégustation n'est pas une science, mais un art irrémédiablement imprégné de nos préférences individuelles. Un rejet intense de (–) dû au développement d'une saveur âcre peut très bien être perçu comme un mariage extraordinaire par une personne qui affectionne ce goût. Je ne calcule plus le nombre de fois où j'ai vu des amateurs de bière s'écrier : « Wow ! c'est amer, c'est bon », tandis qu'au même moment, pour le même produit, j'entendais murmurer par d'autres : « Hum ! C'est amer, c'est mauvais... ».

Notre capacité de juger est également évolutive à plusieurs niveaux. Plus nous acquérons de l'expérience, plus il nous est facile d'identifier les composantes du goût et de quantifier notre satisfaction. Au fil de l'éducation de nos papilles, nous développons une plus grande facilité à percevoir les nuances et conséquemment à leur donner une note de plus en plus positive. Nos fromages préférés, nos bières préférées seront évalués en intégrant un effet de levier dans notre jugement. Si c'est le moindrement bon, nous aurons tendance à amplifier cet aspect tandis que si un doute s'installe dans notre esprit notre jugement risque d'être dévastateur. Nous évoluons pendant la séance de dégustation elle-même : l'ordre des consommations, la fatigue (on débranche les papilles), la température qui s'élève, la tendance à revenir vers un couple parfait, les odeurs, les copains, l'éclairage, le décor, la qualité du service, etc., sans oublier l'ivresse de l'âme procurée par l'ambiance et celle du corps, qui facilitent toutes deux l'appréciation d'un plus grand nombre d'épousailles.

Attitudes à adopter

« Grand caseus, permets-moi de ne pas juger mon frère crémeux avant d'avoir goûté pendant quelques bouchées son corps fromageux. » * Plus on connaît un fromage ou une bière, plus il est facile de déterminer ses compléments au bon moment. La connaissance vient avec l'expérience. Maintenez une certaine stabilité dans vos séances d'épousailles en invitant sur une base régulière certaines marques de bière et de fromage. La pratique et le développement de ses aptitudes sont déterminants. La qualité des épousailles est partiellement déterminée par notre propre capacité d'observer tous les éléments qui interviennent au cours de la rencontre.

Ce n'est pas parce que j'aime ça aujourd'hui que ce sera bon demain.

Les deux produits vieillissent considérablement et le goûteur également. La possibilité d'une harmonie réussie repose sur la compatibilité de caractéristiques qui sont à leur apogée à un moment précis dans le temps. Un défaut inhérent à l'une des parties peut servir de base à la construction d'un accord époustouflant. Le brie de Meaux, par exemple, qui vieillit considérablement vite et fait alors jaillir son ammoniaque, constitue pour certaines bières un attrait irrésistible.

Parallèlement à ce phénomène, nos perceptions sensorielles sont en constante évolution, sur une base permanente ainsi qu'à différents moments dans la journée, notamment en fonction des consommations antérieures.

La remise à neuf des papilles

Lorsque nous sommes dans une situation de dégustation formelle, alors que nous allons porter un jugement sur plusieurs couples, il importe d'effacer toute trace résiduelle de saveurs antérieures. En règle générale, l'intérêt des épousailles est purement hédoniste, pour ne pas dire une recherche solitaire du plaisir. Le moyen le plus simple et efficace d'effacer les traces de particules gustatives sur les papilles gustatives est la gorgée d'eau. Souvent, la simple tranche de pain blanc permet d'absorber suffisamment de saveurs pour permettre à la rencontre subséquente de bien s'exprimer.

La nécessité et la quantité de produits neutralisants dépendent de la vitesse d'ingurgitation et de la consommation : plus longue est la période entre les bouchées, moins il est nécessaire de se rincer la bouche. Cette procédure accroît l'objectivité, mais nous savons tous que la dégustation reste un exercice profondément subjectif. Il faut toutefois porter une attention particulière à deux incontrôlables : les postgoûts et les rots. Les postgoûts sont des saveurs résiduelles profondément

* « Grand manitou, permets-moi de ne pas juger mon frère avant d'avoir porté pendant une lune ses mocassins. » Proverbe amérindien.

imprégnées dans nos percepteurs sensoriels qui résistent aux lavages. Ils n'originent pas nécessairement des aliments les plus forts. Les gaz stomacaux, quant à eux, transportent dans la bouche des saveurs spécifiques facilement perceptibles.

Les grandes règles des relations bières-fromages

Les règles générales de l'établissement des épousailles bières et fromages s'articulent autour de deux principes fondamentalement contradictoires : « Les contraires s'attirent » et « Qui se ressemble s'assemble »... Entre les deux, tout est possible ! Le contraire également, et surtout, que Dieu soit loué, toutes les options intermédiaires. On observe des agencements d'une finesse exquise, d'autres de très mauvais goût. Certains sont empreints d'un respect mutuel à ne pas confondre avec l'amitié ou l'indifférence. Des relations passionnelles peuvent nous transporter au paradis ambrosien, réquisitionnant pour elles seules notre organe de la parole, et nous laisser muet.

Une fois de plus, à l'image des relations hommes-femmes, malgré les nombreuses connaissances que nous pouvons développer, il est particulièrement difficile de prévoir le succès d'une relation en se basant strictement sur la rationalisation de comportements émotifs.

Règle no 1 : l'horoscope

Associer les bières aux fromages en les classant par types équivaudrait à se fier à l'horoscope pour choisir son ou sa partenaire.

Il est impossible d'établir des règles absolues en se basant sur les types de bières ou de fromages. On ne peut pas déterminer par exemple que les bries se marient toujours bien avec les lagers. Il est possible d'avancer que, dans la majorité des cas, le type brie se marie bien avec les lagers d'origine. Il existe toutefois un grand nombre de situations uniques, faisant en sorte que, souvent, il vaut mieux bien connaître les caractéristiques de chacun afin de les combiner au bon moment, à la bonne température.

Si on prend deux bières de la même catégorie et qu'on les marie à une série de fromages, les relations qui s'établissent sont semblables et se ressemblent à quelques nuances près mais, dans certains cas, une seule nuance de flaveur peut faire basculer la relation du côté du cauchemar ou du paradis. Conclusion ? Lorsque l'on constate toutes les variables en jeu, mieux vaut prendre une nouvelle bouchée et une nouvelle gorgée.

Règle no 2 : l'irrésistible douceur

Plus la douceur est présente d'un côté ou de l'autre, plus grandes sont les probabilités d'épousailles.

La facilité de la relation est déterminée par l'indice de douceur de l'un ou l'autre des partenaires. Pour le fromage, il s'agit habituellement de sa crème. Pour la bière, il s'agit de son degré de sucré.

La crème du brie industriel est souvent un bonificateur des bières de type désinvolte. On parle pourtant ici de deux produits grand public. Par exemple, l'accord Sleeman Cream Ale (pas trop froide) et brie industriel (jeune et bien chambré) produit un couple de très agréable compagnie. Il nous donne l'impression d'avoir invité deux vedettes.

Le sucre et ses semblables constituent un formidable liant de saveurs en accroissant l'ascendant agréable de la majorité des aliments. Par contre, lorsqu'une bière sucrée rencontre un fromage sucré, il y a de fortes chances que les sucrés s'annulent, laissant ainsi les autres composantes s'en donner à cœur joie. Il faut alors porter attention aux croûtes et aux veines *roqueforti*, qui risquent alors d'offrir des perceptions amplifiées de leurs caractéristiques fondamentales.

L'alcool n'est ni plus ni moins qu'un dérivé du sucre. Nous pouvons en fait considérer l'alcool comme l'âme du sucre. La seule source d'alcool dans les épousailles est la bière. Plus une bière est alcoolisée, plus il est facile de la marier.

Il faut toutefois porter attention à l'acidité du fromage. Plusieurs bières fortement alcoolisées sont aussi sucrées. Le sucre domine alors l'alcool. Le cas échéant, le sucre doit être considéré en priorité dans l'établissement de la relation.

Règle no 3 : les subtilités de l'acidité

Les accords « acide-acide » sont habituellement agréables, mais nerveux.

L'acidité est un puissant désaltérant et sa caractéristique fondamentale est d'être tranchante sur les papilles. L'acidité se retrouve dans certains types de bières ainsi que dans certains fromages. La nature fondamentale de cette saveur varie considérablement en fonction des types de bières et de fromages. En règle générale, les accords « bière aigrelette - fromage aigrelet » produisent des résultats agréables. Il faut toutefois se rappeler que les relations de cette nature sont particulièrement nerveuses et peuvent occasionnellement produire des saveurs désagréables sans nous prévenir.

Règle no 4 : le rôle du sel

Plus un fromage est salé, plus il est facile à marier.

Les aliments salés représentent traditionnellement et spontanément un complément de choix pour la bière. Les fromages salés ont d'ailleurs longtemps été désignés comme les biscuits des ivrognes parce qu'ils provoquaient la soif et faisaient trouver bon tout vin médiocre (Grimold de La Reynière, *Guide des fromages de France et d'Europe*). D'ailleurs, tout aliment salé (pensez aux bretzels, aux croustilles ou aux arachides), s'harmonise généralement bien avec la majorité des bières. Les croûtes naturelles et lavées renferment habituellement une concentration plus élevée de sel, facilitant d'autant leurs épousailles avec des bières. En petite quantité, le sel contribue à l'adoucissement des aliments. En quantité plus importante, il contribue à donner une saveur spécifique. La source des saveurs salées est habituellement le fromage : tous les fromages en général, mais surtout les bleus, les croûtes de plusieurs « croûtes lavées ».

Le sel peut aussi à l'occasion neutraliser l'ensemble de la relation. C'est ce qui arrive entre la feta commerciale et la Grolsh, alors que le sel du fromage aspire la bière au complet, nous laissant avec une impression de sécheresse dans la bouche. Un phénomène semblable produit une sensation agréable lorsqu'un stilton rencontre une Boddington. Le sel du fromage est subitement dissous dans l'eau de la bière et immédiatement évacué lors de la gorgée. L'onctuosité crémeuse, légèrement *roqueforti*, du fromage s'associe alors avec le malt de la bière, procurant ici une sensation agréable.

Le sel présent dans le fromage peut faire exploser l'alcool des bières qui en renferment plus de 7 %. On observe fréquemment ce phénomène dans le stilton.

Le salé du *roqueforti* de certains fromages peut également, à l'occasion, pousser des épousailles au sein même du fromage alors que les veines bleues se marient à la crème, à l'arrivée de la bière ! La Heineken suscite ce phénomène dans le bleu des Causses. L'arrivée de la bière dans la relation chaste bleu-pâte la transforme en épousailles.

Règle no 5 : le rôle de l'amertume

De tous les participants aux agapes, l'amertume du houblon et celle des croûtes fleuries âgées sont les plus réfractaires aux épousailles.

Plus une bière est amère de houblon, plus elle est difficile à associer. Le service à une température plus élevée favorisera l'élimination des saveurs de houblon. Plus un fromage à croûte fleurie est âgé, plus il est difficile à marier. Le développement des flaveurs d'ammoniaque et l'âcreté plus prononcée des champignons de la croûte le rendent repoussant aux bulles d'un grand nombre de bières. Il est alors préférable de ne consommer que la crème du fromage.

Règle no 6 : la domination originelle

Il est préférable d'associer une bière forte à un fromage faible plutôt qu'une bière faible à un fromage fort.

L'adage populaire enseigne que les contraires s'attirent. Comment cette vérité se traduit-elle dans le monde qui nous préoccupe ? Plus un fromage domine la bière, plus cette dernière devient fade ou même insipide. La formation d'un couple devient virtuellement impossible. La jouissance ressentie est alors unidimensionnelle : elle provient généralement du fromage. À l'inverse, si la bière domine le fromage, ce dernier devient rarement insipide. Il restera toujours un peu de crème pour nous oindre l'épithélium et nous procurer un plaisir. Le principe est le même que la leçon du célèbre adage : « Derrière tout grand homme, il y a une femme ». Nous pouvons y ajouter cette nuance : « Mais derrière toute grande femme il n'y a pas nécessairement un homme ».

Règle no 7 : l'attirance des semblables

Plus les parties impliquées se ressemblent, plus la relation se compose de nuances délicates pouvant faire basculer la relation d'un côté ou de l'autre.

Certaines saveurs de fromage sont ni plus ni moins que des calques des saveurs de bière. Par exemple, la Scotch de Silly semble être la version solide du cheddar extra-fort Perron. Il se produit entre ces deux-là un mariage naturel et intense. Dans ce type de relation, les conditions extérieures, notamment la température et l'âge des aliments, exercent une influence déterminante sur le résultat de l'accord.

Tout ici est une question de nuance et toute la diversité des épousailles y prend place. Il faut tenir compte des ascendants qui peuvent bouleverser les relations. Les conditions extérieures, dont la température de service et l'âge des produits, jouent un rôle déterminant.

Règle no 8 : les grandes personnalités

Plus les parties impliquées ont des personnalités complexes, plus la relation est imprévisible et variable d'un rendez-vous à l'autre.

Les grands crus de bière et de fromage offrent une complexité ou une finesse si exceptionnelles qu'ils surpassent les autres d'au moins une bouchée (ou une gorgée, selon). Ils offrent tellement à apprécier : la richesse des arômes, de la texture, des saveurs, l'étalement des goûts, etc. Ils procurent généralement des accords très aristocratiques et habituellement agréables pouvant varier de façon importante d'une rencontre à l'autre avec le même partenaire. À l'occasion, ces amoureux nous procurent des séances orgasmoleptiques mémorables. Comme dans la règle précédente, la nature de leurs relations est particulièrement vulnérable aux conditions extérieures : la température et l'âge des aliments.

Le mariage est une chose, mais le plaisir de déguster en est une autre. La rencontre d'une grande bière et d'un grand fromage dans notre intimité constitue toujours une belle expérience, peu importe le résultat.

Règle no 9 : l'intervention du troisième type

La présence d'éléments exogènes au fromage, tels les herbes, les épices, les noix et naturellement le pain, facilite les accords.

L'intervention d'une tierce partie peut métamorphoser les relations, comme nous le prouvent les fromages disponibles en plusieurs versions. Avec des versions aux herbes et au poivre, les fromages frais de chèvre excellent en la matière. Il s'agit fondamentalement du même fromage, mais celui qui est accompagné d'herbes ou de poivre est beaucoup plus facile à marier à un grand nombre de bières.

Le poivre et les herbes créent une distraction agréable et permettent une union plus facile. En d'autres mots, rien ne nous empêche de créer des occasions semblables en ajoutant des épices à nos fromages à l'occasion des dégustations. Il en est ainsi des bières, auxquelles nous pouvons ajouter du sirop (de maïs, par exemple) dans le but de faciliter la dégustation. Mais tel n'est pas le but de la dégustation. De telles astuces nous distraient de notre passion.

L'utilisation du pain, de biscottes ou de tout autre support pour les épousailles transforme la relation bière-fromage, tout en la facilitant. Nous savons tous que le pain, c'est de la bière solide. Voilà donc un élément naturel qui a tout intérêt à porter assistance. La classique baguette française excelle à ce chapitre, car elle sait se faire efficace tout en étant d'une discrétion aristocratique. Sa présence favorise l'union en apaisant les antagonismes. Il ne faut toutefois pas oublier que le pain nourrit. Il apporte des calories superflues et crée une sensation de plénitude qui réduit le nombre d'épousailles possibles dans une séance.

Il existe par ailleurs des variétés de pain, convenant toutes aux épousailles. Le pain aux noix est un choix exquis, car les noix facilitent l'établissement de liens avec la crème du fromage. Il en est ainsi des biscottes, notamment aux épices ou aux herbes. Elles contribuent à la formation de relations exogènes.

Qui n'a jamais avalé une tonne d'arachides en savourant sa bière ? Inutile de vanter les arguments qui militent en faveur de l'intégration de toutes sortes de noix dans l'agrémentation des épousailles. Le même principe s'applique aux légumes et aux fruits. Le gras du fromage permet de lier agréablement toutes ses matières solides à la bière. La présence de ces éléments dans les plateaux de fromage permet également un plaisir esthétique favorisant le développement de dispositions positives à l'égard des bouchées à venir.

Règle no 10 : l'exception à la règle

Comme dans la vie, une foule d'exceptions confirment les règles floues.

Les couples ne sont pas éternels et subissent à l'occasion des épreuves qui menacent la qualité de leurs relations. À cause des nombreuses variables qui ennuagent le ciel des épousailles, certaines associations peuvent un jour ou l'autre apparaître moyennes ou même mauvaises alors qu'habituellement elles sont extraordinaires. Et vice-versa ! Il faut se garder de porter un jugement définitif le soir des premières épousailles. Il faut également faire preuve de tolérance et de patience.

Gardons toujours l'esprit ouvert, car les exceptions confirmant les règles sont si nombreuses qu'elles deviennent souvent la règle elle-même.

L'INDICE DE MARIABILITÉ

Lors des dégustations, nous avons accordé une marque variant de -2 à +3 en fonction du protocole expliqué à la page 50. En utilisant cette indication, nous avons effectué quelques petits calculs statistiques afin de développer un indice de la facilité, ou difficulté générale, d'associer chaque produit avec une bière ou un fromage. Nous avons ainsi créé quatre références : l'indice de mariabilité, l'indice orgastique, l'indice d'amitié et l'indice conflictuel. Il ne s'agit pas d'une certitude scientifique, mais d'une modeste référence imprégnée de la subjectivité de l'auteur, qui en assume l'imperfection. Il faut donc interpréter ces résultats avec un gros grain de sel.

L'indice de mariabilité indique le pourcentage de fromages, tous fromages confondus, qu'il sera vraisemblable de trouver pour associer avec cette bière. Il additionne tout simplement l'indice orgastique et l'indice d'amitié. Il est constitué des accords ayant remporté les notes de 0,1, 2 et 3 aux tests gustatifs. Par exemple, un indice de mariabilité de 70 % signifie que cette bière s'accordera bien avec environ 70 % des fromages qu'il rencontrera (et vice-versa pour les fromages).

L'indice orgastique indique le pourcentage de fromages, tous fromages confondus, qu'il sera vraisemblable de trouver pour former une association parfaite. Il est constitué des accords ayant remporté la note +3 aux tests gustatifs. Par exemple, un indice orgastique de 10 % signifie que cette bière formera un couple divin avec 10 % des fromages qu'il rencontrera (et vice-versa pour les fromages).

L'indice d'amitié indique le pourcentage de fromages, tous fromages confondus, qu'il sera vraisemblable de trouver pour former une association agréable au palais. L'indice d'amitié est constitué des accords ayant remporté les notes de 0,1 et 2 aux tests gustatifs. Par exemple, un indice d'amitié de 60 % signifie que cette bière formera un couple intéressant avec 60 % des fromages qu'il rencontrera (et vice-versa pour les fromages).

L'indice conflictuel indique le pourcentage de fromages, tous fromages confondus, qu'il sera vraisemblable de trouver pour former une association désagréable au palais. L'indice conflictuel est constitué des accords ayant remporté les notes de -1 et -2 aux tests gustatifs. Par exemple, un indice conflictuel de 30 % signifie que cette bière formera un couple de mauvais goût avec 30 % des fromages qu'elle rencontrera (et vice-versa pour les fromages).

Tous les indices ont été arrondis au 5 % le plus près.

Il importe de considérer chaque indice afin d'avoir un aperçu des forces de cette bière spécifique. Par exemple, la Douglas Scotch Ale n'obtient un indice de mariabilité que de 75 %, mais nous croyons en son pouvoir d'attraction à l'égard des fromages... L'Eau bénite récolte 85 %, ce qui signifie qu'elle s'associe facilement à un grand nombre de fromages. Toutefois, sur le plan orgastique, peu de fromages lui donnent l'occasion de provoquer un orgasme de nos papilles !

Qu'en est-il de mes impressions après avoir ingurgité toutes ces calories ? En tenant compte des nuances établies ci-dessus, la référence a une véritable utilité en ce sens qu'elle nous souligne la facilité ou les dangers reliés au choix de ce type de produit dans des épousailles. Plus le degré de mariabilité est élevé, moins on a besoin de s'en faire dans l'organisation des dégustations. Mais soyez prévenu, aucun fromage, ou bière, n'est parfait aux yeux de l'autre.

Dans cette section, nous présentons d'abord le style de bière ainsi qu'un tableau synthèse des indices de mariabilité avec les grands styles de fromages. Nous dégustons ensuite quelques bières qui peuvent être catégorisées dans le style en question et présentons les descriptions de dégustations. Les textes sont présentés par degré d'intensité d'accord, en débutant par des exemples des meilleurs accords.

Les accords avec la bière

Bières d'abbaye blondes

Ce type de bière est aussi connu sous le nom de bière « belge blonde ». L'utilisation du qualificatif belge pour décrire le style de cette bière ne signifie pas qu'elle est brassée exclusivement en Belgique, mais plutôt que son inspiration provient des bières traditionnellement brassées dans ce pays.

La mention « bière d'abbaye » sur une étiquette stimule la soif des pauvres buveurs que nous sommes et aide à exorciser les démons de l'alcool qui nous guettent au bout d'un abus. Les moines entretiennent une relation privilégiée avec la bière, et le fromage devons-nous souligner, depuis le Moyen Âge. Ils ont alors fortement contribué au développement des techniques brassicoles et fromagères. Les bières d'origine monastique jouissent d'une excellente réputation partout dans le monde. Pour cette raison, plusieurs brasseries laïques belges utilisent la désignation « d'abbaye » dans leur mise en marché. Il existe quelques brasseries véritablement monastiques en Allemagne, en Autriche et en Belgique.

Description

La bière d'abbaye blonde est habituellement refermentée en bouteille et sa teneur en alcool varie de 5 % à 8 % par volume. Sa robe dorée aux reflets ambrés se voile souvent de la levure présente ou de ses protéines. Elle offre une saturation variant de moyenne à forte. Elle est coiffée d'une mousse épaisse, onctueuse et persistante qui adhère parfaitement au verre. Ses flaveurs sont nettement dominées par la douceur : un bouquet complexe de malts, d'épices et de levure. On reconnaît souvent, en deuxième nez, des notes d'esters ou de diacétyle, notamment lorsque la bière est jeune. Plus la bière prend de l'âge, plus la levure signale sa présence. Certaines marques offrent des empreintes d'alcool. L'étalement est généralement dominé par la douceur fissurée de veines de caramel, d'alcool et de levure. Ronde en bouche, elle est dominée par des saveurs douces et sucrées, quelquefois accentuées de caramel. Lorsqu'un voile d'amertume s'y dessine, il puise habituellement sa source dans la levure et l'alcool. Ses saveurs de houblon sont plutôt modestes, voire absentes. Après plusieurs mois de conservation, on remarque souvent le développement de saveurs aigres. L'utilisation grandissante de plusieurs épices offre une amplitude de saveurs illimitée d'une marque à l'autre.

Des exemples : Abbaye d'Aulne 6° blonde, Abbaye de Bonne Espérance, Affligem Blonde, Chimay Blanche, Corsendonck Agnus, Floreffe Blonde, Gauloise Blonde, Leffe Blonde, St-Benoît Blonde, St-Idesbald Blonde, St-Feuillien Blonde, Rochefort 8, Binchoise, Blonde de Bruges, Campus Gold, La Gaillarde, L'Eau Bénite, Seigneuriale Blonde.

La température de service influence peu sa capacité d'unir sa destinée à un fromage. C'est plutôt son âge et ses conditions d'entreposage qui exercent une influence déterminante. Ce type de bière a tendance à s'acidifier et à développer un goût de levures de plus en plus âcre avec le temps. L'entreposage à haute température accélère ce processus. Les modèles plus âgés sont particulièrement réfractaires aux fromages à pâte ferme ou semi-ferme. Bref, plus la bière est jeune et servie à la température ambiante, plus les facilités d'épousailles sont grandes.

LA GAILLARDE (5 % ALC./VOL.)

Indice de mariabilité : 70 %
Indice d'amitié : 60 %
Indice orgastique : 10 %
Indice conflictuel : 30 %

Épousailles probables

- Bleu, pâte molle, croûte fleurie
- Croûte lavée, pâte semi-ferme, pas trop odorante
- Stilton

Amitiés probables

- Bûchette de chèvre
- Cheddar artisanal/fermier fort
- Cheddar de chèvre
- Croûte mixte, brossée et lavée, pas trop odorante
- Croûte fleurie, pâte molle, industrielle
- Croûte lavée, pâte molle, odorante de terroir
- Croûte lavée à l'alcool, pâte semi-ferme, odeur moyenne
- Croûte lavée, pâte semi-ferme, pas trop odorante

Conflits éventuels

- Cheddar fermier (lorsque réchauffé)
- Croûtes lavées « odorantes-terroirs »
- Croûte fleurie, pâte molle, lait de chèvre
- Emmental

Dégustations

ROUY (croûte lavée, pâte molle, pas trop odorante)
Rencontre animée et intense de deux assoiffés de gestes amples et envahissants. Le couple se promène partout sur notre langue en exhibant la volupté de leurs caresses intenses. Finale dominée par un filet onctueux de crème. (***)

STILTON (stilton)
Mariage gracieux et spontané de deux êtres qui affectionnent sans détour les plaisirs charnels. On se donne l'un à l'autre avec un naturel spontané riche de saveurs. En finale, le bonheur du bleu ronronne d'une euphorie assouvie. (***)

Bresse bleu (bleu, pâte molle, croûte fleurie)
Une relation complexe s'établit entre eux. Dans un premier temps, la douceur des deux soupirants domine, puis l'aigreur de la bière se met en évidence. Les veines du bleu suivent, emboîtées par le jaillissement de la crème du fromage. En finale, la douceur de la bière fait un retour soyeux. C'est bon. (***)

Fleur de bière (croûte lavée à l'alcool, pâte molle, très odorante)
La bière s'enroule autour du fromage. Elle trouve la façon pour que ce dernier explose de tendresse onctueuse et douce. En épilogue, on reconnaît les origines viriles de cette fleur particulière nous soufflant un geste de tendresse. (**)

Nuit-d'Or-Saint-Georges (croûte lavée, pâte molle, pas trop odorante)
Mariage de raison et leurs cœurs tendres sont amplifiés par leurs émotions instinctives. Après la consommation de l'union, un filet désaltérant de salive jaillit au moment même où le fromage étend un voile de crème onctueuse partout dans la bouche. (**)

Sieur Corbeau (croûte mixte, brossée et lavée, pas trop odorante)
La bière s'agenouille devant l'onctuosité de ce fromage ailé qui en profite pour s'envoler dans toute sa douceur puis planer ensuite longtemps sur nos papilles. Sa voltige nous fait oublier que la bière nous a quitté depuis un certain temps... (**)

Brie Caron français (croûte fleurie, pâte molle, industrielle)
Rencontre polie et respectueuse qui possède le potentiel de grandir. Elle se heurte toutefois à l'indifférence des partenaires. Le fromage réussit néanmoins à émettre quelques saveurs onctueuses. (*)

Chèvre noir, 2 ans (cheddar de chèvre)
Ils sont irrémédiablement attirés l'un par l'autre. Leur union produit un vide partiel dans notre bouche alors qu'un voile de fraîcheur l'enveloppe. En finale, le fromage déroule une étoffe crémeuse. (*)

Le Fêtard (croûte lavée à l'alcool, pâte semi-ferme, odeur moyenne)
On se donne spontanément l'un à l'autre. Au moment où tout semble basculer de l'autre côté de la passion, on se retient. On constate qu'il ne faut pas bousculer les choses. Malheureusement, à ce moment, on ne goûte plus rien... (*)

Schoune Blonde

Indice de mariabilité : 70 %
Indice d'amitié : 60 %
Indice orgastique : 10 %
Indice conflictuel : 30 %

Épousailles probables
- Croûte lavée, odorante de terroir

Amitiés probables
- Bleu salé traditionnel
- Cheddar industriel
- Croûte lavée, pâte semi-ferme, pas trop odorante
- Gruyère

Conflits éventuels
- Bleu, pâte molle, croûte fleurie

- Croûte fleurie, pâte molle, industrielle
- Feta
- Pâte semi-ferme, peu ou pas affinée (dans la masse)

Dégustations

CANTONNIER DE WARWICK (croûte lavée, pâte semi-ferme, pas trop odorante)
WOW ! quelle belle union intense au jaillissement d'éclats crémeux et maltés que ce couple jouissif. En finale, l'ombre de saveurs âcres fait pâlir l'intensité de notre plaisir. (**)

CHEDDAR BLACK DIAMOND MI-FORT (cheddar industriel)
Belle amitié intense construite sur la charpente de leur douceur mutuelle. On voudrait qu'ils se marient, mais le couple sait très bien qu'une telle ressemblance doit être utilisée pour construire une solide amitié. (**)

GRUYÈRE (gruyère)
Relation très agréable et très onctueuse, presque voluptueuse. On préfère toutefois se retenir. (**)

BLEU DANOIS (bleu salé traditionnel)
Agréable rencontre où les saveurs présentes se tiennent la main, faisant un cercle autour de chacune de nos papilles. (*)

SAINT-PAULIN (pâte semi-ferme, peu ou pas affinée (dans la masse))
On ne s'aime pas du tout. Le rejet est spontané et illuminé d'âcreté et d'aigreur. (-)

SCHOUNE FORTE (7,5 % ALC./VOL.)

Indice de mariabilité : 60 %
Indice d'amitié : 50 %
Indice orgastique : 10 %
Indice conflictuel : 40 %

Dégustations

PAILLOT (bûchette de chèvre)
C'est bon, ça glisse, ça fond. C'est agréable partout où ça passe. Finale très onctueuse. On en veut encore. (***)

ROUY (croûte lavée, pâte molle, pas trop odorante)
Très bon. Tout se déroule dans le respect des qualités de chacun. (**)

CŒUR DE BLEU (bleu, pâte molle, croûte fleurie)
On prend tout son temps pour profiter le plus longtemps de la présence de l'autre. Soudain, le temps manque pour passer aux actes. Finale désaltérante. (*)

SEIGNEURIALE BLONDE

Indice de mariabilité : 70 %
Indice d'amitié : 40 %
Indice orgastique : 30 %
Indice conflictuel : 30 %

Épousailles probables

- Croûte lavée, pâte semi-ferme, pas trop odorante
- Bûchette de chèvre

Amitiés probables

- Cheddar artisanal/fermier extra-fort
- Cheddar de chèvre
- Croûte lavée, odorante de terroir
- Croûte mixte, brossée et lavée, pas trop odorante

Conflits éventuels

- Bleu salé traditionnel
- Croûte lavée, pâte molle, odorante de terroir

Dégustations

MIRANDA (croûte lavée, pâte semi-ferme, pas trop odorante)
Rencontre agréable entre deux épicuriens qui passent vite aux actes. Alors que la bière sombre rapidement dans un confortable sommeil postcoïtal, le fromage en profite pour nous titiller les papilles, comme s'il voulait aussi s'envoyer en l'air avec nous. (***)

PAILLOT (bûchette de chèvre)
La bière connaît tellement ce fromage qu'elle l'enlace sans retenue. Dans son geste, nous reconnaissons toutes ses qualités savoureuses. Lorsque l'étreinte se desserre, on sent le bonheur du fromage se déverser partout sur notre langue. La finale est exquise. (***)

VICTOR ET BERTHOLD (croûte lavée, pâte semi-ferme, pas trop odorante)
Rencontre intense entre deux passionnés qui s'envoient vite en l'air sur le lit de nos papilles. Ils s'endorment rapidement. On tente de les réveiller, mais en vain. Il faut absolument prendre une autre bouchée-gorgée. (***)

CHEDDAR EXTRA-FORT PERRON (cheddar artisanal/fermier)
La bière nous fait d'abord oublier le fromage, le temps d'aller l'embrasser derrière nos papilles. Mais ne cache pas un Perron qui veut ! Le fromage revient lentement, déterminé. Il nous fait la cour à son tour, réussit à nous faire oublier la bière. Aucun mariage ne s'est produit, mais une belle démonstration du savoir-faire de chacun a eu lieu pour notre seul plaisir. (**)

CHÈVRE NOIR, 2 ANS (cheddar de chèvre)
Une relation conflictuelle s'établit dès la rencontre. Le chèvre s'adoucit afin d'amadouer la bière. Cette dernière semble sensible aux arguments, mais se lasse rapidement et disparaît dans un filet aqueux. Le chèvre en profite alors pour nous séduire en amplifiant ses qualités. Aucun mariage n'a été célébré, mais quelle belle compensation de la part de l'animal. (**)

LE FÊTARD (croûte lavée à l'alcool, pâte semi-ferme, odeur moyenne)
La bière se fait particulièrement aigre devant ce fromage un peu trop « flyé ». Le fromage n'insiste pas et disparaît. La bière fait son tour de piste et le Fêtard réapparaît sur la pointe des pieds pour nous offrir une agréable bise. (*)

SIEUR CORBEAU (croûte mixte, brossée et lavée, pas trop odorante)
La bière décharge ses munitions avec trop de force, effrayant ainsi le fromage qui s'envole subitement. Enfin seule avec nous, la bière se donne tout entière. (0)

Seigneuriale classique (7,5 % alc./vol.)

Indice de mariabilité : 70 %
Indice d'amitié : 60 %
Indice orgastique : 10 %
Indice conflictuel : 30 %

Épousailles probables

- Croûte fleurie, pâte molle, industrielle
- Stilton

Amitiés probables

- Bleu onctueux
- Bleu salé traditionnel
- Bleu, pâte molle, croûte fleurie
- Bûchette de chèvre
- Cheddar de chèvre
- Croûte mixte, brossée et lavée, pas trop odorante
- Croûte lavée, pâte semi-ferme, pas trop odorante
- Gruyère

Conflits éventuels

- Cheddar fermier/artisanal fort
- Croûte lavée, odorante de terroir

Dégustations

Stilton (stilton)
Dès la rencontre, les tourtereaux s'élèvent vers les cieux lascifs du plaisir sans ombrage. La complicité est totale et inconditionnelle. Elle se poursuit longtemps sur des notes de tendresse. (***)

Saint-Morgon (croûte mixte, brossée et lavée, pas trop odorante)
Belle complémentarité spontanée par laquelle le morgon souligne l'orange qui sommeille dans la bière. Ragaillardie, la bière accepte joyeusement de s'envoyer en l'air avec lui. On s'endort paisiblement dans les bras de l'autre puis on remarque que le fromage se berce paisiblement de bonheur. (***)

Bresse bleu (bleu, pâte molle, croûte fleurie)
Coup de foudre sans lendemain qui procure d'agréables sensations. La bière retourne chez elle tandis que le fromage trône en roi, à l'affût d'une nouvelle aventure. (**)

Chaumes (croûte lavée, pâte semi-ferme, pas trop odorante)
Coup de foudre qui s'évanouit dès que les regards se croisent dans l'intimité de notre bouche. Chacun retourne alors immédiatement dans sa cour. À ce moment, une certaine aigreur se fait sentir de chaque côté. Puis, éloignés l'un de l'autre, les remords les envahissent et leurs bras se tendent l'un vers l'autre, sans qu'ils se touchent toutefois. (**)

Chèvre noir, 2 ans (cheddar de chèvre)
Une belle complicité s'établit dès la première poignée de main. Les échanges de tendresse se déroulent dans la générosité, avec en arrière-plan un voile d'acidité d'une belle complémentarité. Le couple en devient presque désaltérant! (**)

BRIE DOUBLE CRÈME ANCO (croûte fleurie, pâte molle, double crème, industrielle)
Malgré toutes les tentatives de séduction de la bière, qui sait comment se mettre en valeur pour la grande conquête, le fromage reste indifférent et s'enfuit subitement. Il revient un peu plus tard, timidement, lorsqu'il a l'assurance que la bière n'y est plus. (*)

LE MIGNERON DE CHARLEVOIX (croûte lavée, pâte semi-ferme, pas trop odorante)
Le fromage sait comment parler à cette bière au tempérament un peu pointu. Il lui tend la main, l'apprivoise. Elle le guide ensuite vers les profondeurs de notre corps pour s'unir à elle dans une étreinte paisible et tranquille, sans autre éclat. (*)

BLEU DE LA MOUTONNIÈRE (bleu salé traditionnel)
Malgré les belles tentatives de séduction du fromage, qui nous offre ses câlins en début de bouche, la bière résiste et disparaît rapidement. Le mouton s'en donne ensuite à cœur joie sur nos papilles. (0)

CHEDDAR EXTRA-FORT PERRON (cheddar artisanal/fermier)
Les premiers échanges se transportent rapidement vers l'arrière de notre langue, sur le terrain de l'amertume âcre. On se chamaille jusqu'au moment où, lasses, nos papilles se détachent de ce triste spectacle. (-)

MORBIER (croûte lavée, pâte semi-ferme, pas trop odorante)
Dès que la bière entre dans la cour du fromage, celui-ci la repousse énergiquement en poussant des cris d'aigreur et d'âcreté. La bière s'enfuit sans demander son reste. (-)

STAFFE HENDRICK BLONDE (6 % ALC./VOL.)

Indice de mariabilité : 70 %
Indice d'amitié : 60 %
Indice orgastique : 10 %
Indice conflictuel : 30 %

Épousailles probables
- Cheddar moyen L.C.
- Gruyère

Amitiés probables
- Bûchette de chèvre
- Croûte fleurie, pâte molle, industrielle
- Croûte lavée, pâte semi-ferme, pas trop odorante

Conflits éventuels
- Bleu salé traditionnel
- Bleu, pâte molle, croûte fleurie
- Feta
- Pâte semi-ferme, peu ou pas affinée (dans la masse)

Dégustations

VIEUX CHEDDAR MI-FORT L.C. CHARLEVOIX (cheddar artisanal/fermier)
La relation se construit sur une trame protocolaire plutôt aristocratique. Puis, soudainement, on se donne l'un à l'autre inconditionnellement, sans aucune inhibition. La jouissance est intense et efficace. (***)

Gruyère suisse (gruyère)
D'abord timide, la relation s'amplifie par la fusion lente et langoureuse de la crème, du malt et de la levure jusqu'à l'obtention d'une intense sensation vibrante de volupté. L'orgasme devient inéluctable. On entend ensuite le ronronnement crémeux du fromage qui fait vibrer la fibre de notre contentement. (***)

Brie (croûte fleurie, pâte molle, industrielle)
L'union est constituée d'une alternance de l'excitateur et de l'excitatrice. Le fromage souligne d'abord l'onctuosité de la bière avec beaucoup de finesse. Au deuxième acte, cette dernière rend la pareille en faisant fondre le beurre crémeux du fromage. (**)

Cantonnier de Warwick (croûte lavée, pâte semi-ferme, pas trop odorante)
On se plaît, on hésite. On se plaît, on s'embrasse, et on se taquine la libido. On ne se rend toutefois pas jusqu'au bout de ce chemin lascif. De part et d'autre, on sait que le plaisir durable réside dans les attouchements préliminaires. (**)

Morbier (croûte lavée, pâte semi-ferme, pas trop odorante)
La complémentarité naturelle et très distinguée de ce couple se complaît dans les ornements protocolaires. La relation procure des sensations agréables, mais le temps manque pour les pirouettes immatérielles. (**)

Paillot de chèvre (bûchette de chèvre)
Une brise de fraîcheur rafraîchissante jaillit dès que leurs peaux se touchent. La douceur timide du fromage vient ensuite s'exprimer et nous quitte avec beaucoup de regrets, insistant pour rester plus longtemps. (*)

Édam (pâte semi-ferme, peu ou pas affinée (dans la masse))
La rencontre de l'un et de l'autre nous fait découvrir toute l'amplitude de notre bouche alors que les deux présences sont entières sans jamais qu'une quelconque union se produise. (0)

Victor et Berthold (croûte lavée, pâte semi-ferme, pas trop odorante)
Un timide rapprochement semble se produire mais il ne s'agit que d'une illusion alors que la bière croise le fromage puis quitte promptement. Nous sommes quittes pour une délicate bise de crème. (0)

Saint-Paulin (pâte semi-ferme, peu ou pas affinée (dans la masse))
Au contact de la bière, l'éruption du fromage fait jaillir l'âcreté insoutenable qui réside dans le creux de son corps. Très désagréable sensation. (-)

Feta (feta)
En apercevant la pellicule du fromage qui transpire de nos parois internes, la bière éprouve une réaction allergène incontrôlable et devient agressive avec une amertume et une âcreté insoupçonnées. (-)

St-Feuillien Blonde (7,5 % alc./vol.)

Indice de mariabilité : 90 %
Indice d'amitié : 45 %
Indice orgastique : 45 %
Indice conflictuel : 10 %

Épousailles probables
- Cheddar de chèvre
- Chèvre frais
- Chèvre frais aux herbes
- Croûte lavée, pâte semi-ferme, pas trop odorante
- Vieux cheddar, lait pasteurisé ou lait cru

Amitiés probables
- Bleu salé traditionnel
- Bleu onctueux
- Brie de chèvre
- Croûte fleurie, pâte molle, industrielle
- Emmental de chèvre

Conflits éventuels
- N'en ai pas trouvé

Dégustations

CHÈVRE DES ALPES AUX HERBES (chèvre frais aux herbes)
Toutes les parties impliquées s'entendent pour mettre en valeur la richesse aromatique des herbes pour le plus grand plaisir de nos papilles. (***)

LE BIQUET (chèvre frais)
La bière enveloppe le fromage de ses bras onctueux de malt mielleux. Ce dernier en ressort avec toute la tendresse qu'il renferme et inverse le rapport de la relation pour, à son tour, offrir toute sa tendresse à la bière. (***)

CHÈVRE NOIR, 2 ANS (cheddar de chèvre)
Dès que leurs peaux se touchent, il se développe un jardin de nuances subtiles et délicieuses qui bourgeonne à cœur joie pour le plaisir de nos papilles. (***)

PORT-SALUT (croûte lavée, pâte semi-ferme, pas trop odorante)
Superbe hommage aux papilles. Relation qui explose de fraîcheur réjouissante. Sa bénédiction est parsemée de quelques notes de noisettes et de citron-menthe. Finale maltée de bière. (***)

VIEUX CHEDDAR X-FORT CHARLEVOIX L.C. (cheddar artisanal/fermier)
Relation intense et d'une belle complémentarité entre deux jouissifs. (***)

BRESSE BLEU (bleu, pâte molle, croûte fleurie)
Belle explosion de tendresse onctueuse et crémeuse jaillissante de douceur qui se termine par le ronronnement étouffé du bleu. (**)

CAPRICE DES DIEUX (croûte fleurie, pâte molle, double crème, industrielle)
Relation intense de douceur crémeuse presque mielleuse qui se termine sur les notes d'agrumes de la bière. (**)

EMMENTAL DE CHÈVRE (emmental)
Étreinte intense et délicate dont jaillissent les saveurs typiques des noisettes enrobées de la crème du fromage. (**)

CABRIE (croûte fleurie, pâte molle, lait de chèvre)
Toute l'onctuosité de chacun des partenaires s'en donne à cœur joie dans une étreinte intense. (*)

Bleu de chèvre (bleu salé traditionnel)
Dès leur contact, la bière est dénuée de toute son âme et vire aqueuse. Elle nous quitte alors subitement pour laisser le fromage s'exprimer dans toute sa force, presque brûlante de sel. Pour les fanatiques des goûts salés, c'est le paradis. (*)

Camembert Roitelet (croûte fleurie, pâte molle, industrielle)
Domination de la bière au début, puis une onctuosité crémeuse s'écoule. Finale qui met en valeur la profondeur crémeuse aux notes de beurre du fromage. (*)

Barbu (crottin de chèvre)
Le fromage ensevelit la bière et la fait rapidement disparaître de notre palais pour se mettre pleinement en valeur. La sensation demeure agréable, mais elle ne provient que du fromage. (0)

Abbaye brune (ou rousse) ale belge brune

L'utilisation du qualificatif belge ne signifie pas que cette bière soit exclusivement brassée en Belgique, mais plutôt que l'inspiration provient des bières traditionnellement brassées là-bas. Nonobstant la couleur, les mots rousse et ambré, très vendeurs, remplacent de plus en plus le mot brune pour désigner ces styles.

L'utilisation de malts caramélisés ou rôtis confère habituellement à ces bières des notes plus caramélisées ou, à l'occasion, de torréfaction. Sa robe brun-roux (ou l'inverse, en fonction de l'accent), aux reflets rubis, dissimule son voile de levure. Elle se coiffe d'une mousse épaisse, onctueuse et persistante, soutenue par une saturation variant de moyenne à forte, qui adhère parfaitement au verre. La douceur de malt et de chocolat domine nettement ses flaveurs, mais on peut souvent observer, en note secondaire, des pointes d'alcool. Au nez, ce sont plutôt le malt, le caramel ou le chocolat qui s'affirment, accompagnés de nuances d'alcool. Sa bouche se caractérise par des saveurs sucrées chocolatées. Titrant de 6 % à 7 % alc./vol. sa corpulence est ronde, sucrée, agrémentée de saveurs de chocolat et de caramel. Sa rare amertume se retrouve dans les bières périmées. Son arrière-goût est dominé par la douceur et ses soupçons de caramel, avec quelques pointes d'alcool. À l'instar de celui de sa sœur blonde, voici un style qui doit être interprété de façon généreuse. L'utilisation d'une importante variété d'épices offre une amplitude infinie de saveurs.

Des exemples : Chimay rouge, Leffe Brune, Maredsous 6, Rochefort 6, St-Bernardus 6, St-Feuillien Brune, Campus Ambrée, Seigneuriale Grand Cru.

Artevelde Grand Cru (7,3 % alc./vol.)

Bière qui est assise sur une frontière floue entre les doubles et les abbayes brunes.

Indice de mariabilité : 90 %
Indice d'amitié : 80 %
Indice orgastique : 10 %
Indice conflictuel : 10 %

Épousailles probables

- Bleu, pâte molle, croûte fleurie
- Croûte lavée, pâte semi-ferme, pas trop odorante

Amitiés probables

- Croûte lavée à l'alcool, pâte semi-ferme, odeur moyenne
- Croûte lavée, odorante de terroir
- Gruyère
- Croûte fleurie, pâte molle, industrielle
- Croûte lavée, pâte molle, odorante de terroir
- Tomme de brebis

Conflits éventuels

- Pas trouvé

Dégustations

Bresse bleu (bleu, pâte molle, croûte fleurie)
Belle amitié profonde par laquelle les qualités de chacun sont agréablement mises en valeur. Elle se transforme en relation passionnelle intense où tout s'unifie dans une harmonie savoureuse. Une jouissance intense et agréable offre à nos papilles une émotion vive. (***)

Port-Salut (croûte lavée, pâte semi-ferme, pas trop odorante)
Étreinte inconditionnelle et intense qui fait jaillir la délicatesse onctueuse du couple. Elle imprègne nos papilles d'une émulsion exquise. (***)

Époisses de Bourgogne (croûte lavée à l'alcool, pâte molle, très odorante)
Devant cette bière, le fromage fait tomber son masque à l'exhalaison piquante pour dévoiler la finesse capiteuse de sa personnalité. De son côté, l'Artevelde se fait douce et onctueuse. (**)

Gruyère des grottes (gruyère)
On se lance dans les bras de l'autre sans retenue. La proximité souligne certains détails compromettants. On réalise alors qu'il vaut mieux établir une amitié respectueuse, empreinte de douceur crémeuse, aux notes de noisette. (*)

Vigneron suisse (gruyère)
Malgré une attirance manifeste, la bière hésite à se livrer. La caresse noisette du fromage est plutôt agréable dans les instants qui suivent la rencontre. (*)

Saint-Nectaire (croûte lavée, pâte molle, odorante de terroir)
La rencontre s'amorce sur la méfiance. On s'observe et on émet quelques grognements qui aboutissent au néant. (0)

LIMBURGER (croûte lavée, pâte molle, odorante de terroir)
Relation tout en douceur d'où émergent des saveurs sucrées de part et d'autre. (**)

OSSAU-IRATY (tomme de brebis, très douce et onctueuse)
Le fromage devient plutôt timide devant cette bière qui se pavane avec beaucoup d'éclat. (**)

TILSIT SUISSE (gruyère)
On se fréquente en respectant la très belle personnalité de l'autre. (*)

CHIMAY PREMIÈRE (7 % ALC./VOL.)

Indice de mariabilité : 85 %
Indice d'amitié : 45 %
Indice orgastique : 40 %
Indice conflictuel : 15 %

Épousailles probables

- Cheddar de chèvre
- Croûte mixte, brossée et lavée, pas trop odorante
- Croûte lavée, pâte semi-ferme, pas trop odorante
- Croûte lavée à l'alcool
- Gruyère

Amitiés probables

- Bleu salé traditionnel
- Bûchette de chèvre
- Cheddar artisanal/fermier extra-fort
- Croûte fleurie, pâte molle, industrielle
- Croûte fleurie, pâte molle, industrielle en conserve
- Croûte lavée, pâte semi-ferme, pas trop odorante
- Croûte lavée, pâte molle, odorante de terroir
- Stilton

Conflits éventuels

- Bleu, pâte molle, croûte fleurie

Dégustations

LE MIGNERON DE CHARLEVOIX (croûte lavée, pâte semi-ferme, pas trop odorante)
Le fils de Baie-Saint-Paul sait ce qu'il faut faire pour mettre en valeur les talents de cette bière : il se transforme en René Angelil. Talentueuse, cette dernière donne tout un spectacle qui met en valeur sa douceur et son unique levure. Impossible de résister à ses charmes. On ne peut s'empêcher de remarquer le rôle déterminant du migneron, confortablement assis dans la première rangée. (***)

MIRANDA (croûte lavée, pâte semi-ferme, pas trop odorante)
L'étreinte est si forte que nous avons l'impression d'être des étrangers, des voyeurs. L'union produit une implosion dense et puissante qui fait éclater l'aigreur du fromage et le fruité de la levure. La finale est imprégnée du fromage qui soupire de bonheur. On en redemande. (***)

SIEUR CORBEAU (croûte mixte, brossée et lavée, pas trop odorante)
L'oiseau sait comment se sacrifier pour laisser toute la gloire à cette bière qui suscite en lui un respect profond. Alors que la Chimay s'amuse sur nos papilles, on aperçoit l'oiseau qui vole ici et là au-dessus d'elles. Les deux s'envolent aile dessus aile dessous, dans l'intimité de notre existence. (***)

CHAUMES (croûte lavée, pâte semi-ferme, pas trop odorante)
L'amitié s'établit rapidement entre ces deux troubadours issus d'un terroir similaire. L'union produit une franche amitié, plaisante, sans effusion de passion ni exubérance mais solide et durable. (**)

PAILLOT (bûchette de chèvre)
Quelle belle explosion de douceur et quelles belles caresses offertes au palais alors que ces deux-là unissent leurs destinées. Une fois le mariage consommé, nous remarquons que le fromage prend le contrôle de la relation, retenant son aigreur toujours présente en arrière-plan. (**)

STILTON (stilton)
L'effusion de sel est rapidement transformée en explosion de douceur au contact de la bière. Alors que les deux se taquinent à qui mieux mieux, le *roqueforti* vient nous taquiner les papilles de façon très agréable. Le sel revient ensuite, très tendre cette fois, comme s'il s'agissait maintenant de son propre écho. Il se marie alors aux veines bleutées pour raconter d'agréables histoires alors qu'ils franchissent les portes de notre étalement. (**)

CHEDDAR EXTRA-FORT PERRON (cheddar artisanal/fermier)
La force du fromage soulève la bière à des sommets de douceur insoupçonnés. Prise de vertige, la Chimay s'effondre. Elle nous donne l'impression de s'évaporer, disparaît subitement. Le fromage continue d'affirmer sa force et sa toute-puissance, indifférente au sort de la gentille fille des pères trappistes. (*)

MORBIER (croûte lavée, pâte semi-ferme, pas trop odorante)
La bière se gonfle et semble être prête à offrir une explosion d'onctuosité. Elle reste ample puis s'évanouit lentement. Elle croise alors le fromage, qui lui fait une accolade au passage. La présence de ce dernier s'accentue alors, mais avec beaucoup de retenue. (*)

SAINT-MORGON (croûte mixte, brossée et lavée, pas trop odorante)
Le fromage réussit timidement à faire lever les saveurs sucrées de la bière, qui accepte de son côté, pour un instant, de danser avec lui. Plus le temps passe, plus le fromage prend de l'ampleur, en maintenant toutefois une certaine retenue. (*)

BRIE DOUBLE CRÈME ANCO (croûte fleurie, pâte molle, double crème, industriel)
La bière s'affadit devant le fromage, qui de son côté dévoile tout son moelleux dénué de crème. (0)

BRESSE BLEU (bleu, pâte molle, croûte fleurie)
Le fromage donne beaucoup de valeur à cette bière, mais elle ne réussit toutefois pas à trouver les mots qui conviennent pour attendrir son si tendre cœur bleu. Le *roqueforti* prend alors le contrôle des papilles et amplifie sa prestance au fil des secondes qui s'égouttent, pendant longtemps. (-)

Schoune ambrée

Indice de mariabilité : 75 %
Indice orgastique : 10 %
Indice d'amitié : 75 %
Indice conflictuel : 15 %

Épousailles probables

- Croûte fleurie, pâte molle, industrielle

Amitiés probables

- Crottin de chèvre
- Croûte lavée, pâte semi-ferme, pas trop odorante
- Bleu onctueux
- Bleu, pâte molle, croûte fleurie
- Bûchette de chèvre
- Pâte semi-ferme, peu ou pas affinée (dans la masse)

Conflits éventuels

- Croûte lavée, pâte semi-ferme, pas trop odorante

Dégustations

Brie (croûte fleurie, pâte molle, industrielle)
Une p'tite vite sur un fond mielleux qui met en valeur le meilleur des deux. (***)

Crottin (crottin de chèvre)
Belles caresses de douceurs qui giclent de partout. (**)

Rouy (croûte lavée, pâte molle, pas trop odorante)
On s'éprend et on s'amuse follement avec l'autre. Un filet de crème s'écoule lentement. (**)

L'Écume des jours

Indice de mariabilité : 75 %
Indice orgastique : 10 %
Indice d'amitié : 65 %
Indice conflictuel : 25 %

Épousailles probables

- Cheddar artisanal/fermier
- Croûte lavée à l'alcool, pâte semi-ferme

Amitiés probables

- Bûchette de chèvre
- Cheddar artisanal/fermier fort
- Cheddar de chèvre
- Croûte lavée, odorante de terroir
- Croûte lavée, pâte semi-ferme, pas trop odorante

Conflits éventuels

- Croûte lavée, pâte molle, pas trop odorante
- Croûte lavée à l'alcool, pâte semi-ferme, odeur moyenne

Dégustations

CHEDDAR FERMIER ANGLAIS (cheddar artisanal/fermier)
C'était écrit dans le ciel ! Un fromage fort, corsé et fruité se voit naturellement suivre à genoux par une bière douce, ronde et sucrée. Les effets sont peut-être même trop prévisibles, comme dans un film américain, pour bousculer notre vécu. On s'abandonne néanmoins volontiers à ce plaisir facile. (***)

CHIMAY (croûte lavée à l'alcool, pâte semi-ferme, odeur moyenne)
Une union audacieuse naît de cette rencontre entre le fromage aux personnalités multiples et la bière pleine de rondeur et de fruité. Personne ne fait de compromis et le mariage s'exprime avec éclat ! (***)

LE MIGNERON DE CHARLEVOIX (croûte lavée, pâte semi-ferme, pas trop odorante)
Le mélange de deux goûts foncièrement différents enfante une troisième entité tout aussi distincte. Le Migneron, subtilement acidulé, rencontre une bière sucrée, ce qui engendre en bouche un goût étonnamment robuste, presque viandeux. (**)

NUIT-D'OR-SAINT-GEORGES (croûte lavée, pâte molle, pas trop odorante)
Tout se passe sur un fond de douceur. Le fromage doux, agréablement amer dans sa croûte, tapisse le chemin sur lequel s'étend la bière. Elle s'y prélasse paresseusement sans donner l'impression de vouloir quitter ce confort. (*)

SAINT-BASILE (croûte mixte, brossée et lavée, très odorante)
Un courant électrique se produit en bouche suite au coup de foudre de la bière pour le fromage (et vice-versa, nous devinons). Malheureusement, cet instant magique ne dure pas. Le Saint-Basile revient en force, fortifié par cette aventure. Il flirte alors avec l'insolence. (*)

CHÈVRE NOIR, 2 ANS (cheddar de chèvre)
Un torrent de sucré jaillit de cette rencontre. L'éruption provoque un choc en bouche. Il ne s'agit ni d'un conflit ni d'une amitié. La relation s'inscrit difficilement dans les petites catégories prévues par l'auteur... (0)

Quadruple ou ABT

Le mot quadruple est d'utilisation relativement récente pour désigner ces bières très fortes (plus de 9 % alc./vol.). Les brasseries optent habituellement pour un chiffre (10, 11 ou 12), qui ne désigne pas spécifiquement le % d'alcool ou encore par le mot ABT (que l'on prononce comme tel et non les lettres individuellement), alors qu'on évoque une inspiration monastique. Leur taux élevé d'alcool et leurs nettes dominances sucrées en font des bières faciles à marier avec un grand nombre de fromages. Cette bière titre de 9 à 14 % alc./vol. et offre une coloration foncée qui dissimule un voile occasionnel de levure et de protéines. Son pétillement plus ou moins fort soutient une mousse épaisse et onctueuse mais souvent fugace en raison de la trop forte présence d'alcool. Légèrement aigre, elle est très désaltérante malgré son degré élevé d'alcool. La complexité de ses flaveurs est tissée d'esters, souvent agrémentés de notes de caramel chocolaté. Les arômes évoquent le malt, le caramel et le chocolat. Le tout s'enrobe de nuances d'alcool. Sous le palais, elle est naturellement liquoreuse, sucrée-chocolatée. Sa corpulence ronde et sucrée, accompagnée de saveurs de chocolat et de caramel, dissimule sa faible amertume et toute trace de houblon. Lorsqu'elle disparaît au plus profond de notre existence, sa douceur et ses nuances de chocolat et de caramel dominent. Nous pouvons percevoir, au fil des gorgées, quelques soupirs d'alcool.

On retrouve certains grands crus de bière parmi les dénominations d'origine trappiste, dont la Westvleteren capsule jaune et la Rochefort 10, des incontournables.

Des exemples : Abbaye d'Aulne Superbe, Abbaye des Rocs, Binchoise de Noël, Grimbergen Optimo Bruno, Het Kapitel ABT, La Montagnarde, La Trappe Quadruple, Leffe Radieuse, Trois-Pistoles, St-Bernardus ABT 12.

Abbaye des Rocs (9 % alc./vol.)

Voici une bière d'une grande complexité, délicatement épicée, relevée de pointes d'acidité.

Indice de mariabilité : 80 %
Indice d'amitié : 65 %
Indice orgastique : 15 %
Indice conflictuel : 20 %

Épousailles probables

- Croûte fleurie, pâte molle, industrielle
- Emmental

Amitiés probables

- Bleu, pâte molle, croûte fleurie
- Bleu salé traditionnel
- Cheddar industriel
- Chèvre frais
- Crottin de chèvre
- Croûte lavée, pâte semi-ferme, pas trop odorante
- Croûte lavée, odorante de terroir
- Gruyère
- Tomme de brebis

Conflits éventuels

- N'en ai pas trouvé

Dégustations

Caprice des Dieux (croûte fleurie, pâte molle, double crème, industrielle)
L'union spontanée de deux êtres qui fondent l'un dans l'autre dans un élan inconditionnel. La fusion de l'alcool et de la crème nous entraîne dans un paradis somptueux. (***)

Emmental de chèvre (emmental)
Les belles caresses intenses et attentionnées de la bière font fondre le fromage de douceur. Un filet de crème s'écoule de cette union. (***)

Pied-de-vent (croûte lavée, pâte molle, odorante de terroir)
Belle harmonie de saveurs épicées grâce à la croûte légèrement piquante du fromage qui s'harmonise bien avec les épices de la bière. (**)

Saint-Nectaire (croûte lavée, pâte molle, odorante de terroir)
La timidité s'empare du couple, mais les deux amoureux se complètent merveilleusement bien, lovés dans un écrin de douceur discrète. (**)

Cheddar moyen Black Diamond (cheddar industriel)
La bière domine totalement la relation, mais accepte volontiers de faire la bise au fromage en finale. (*)

Fleur de bière (croûte lavée à l'alcool, pâte molle, très odorante)
Bel attendrissement du fromage pour cette bière, mais sa force naturelle transcende celle du breuvage. (*)

Port-salut (croûte lavée, pâte semi-ferme, pas trop odorante)
La bière s'empare de l'espace buccal et accomplit sa mission de mise en valeur de ses saveurs. Pendant ce temps, le port-salut nous quitte sur la pointe des pieds sans se faire remarquer. (0)

Tilsit suisse (gruyère)
Un conflit latent mijote et abreuve en sourdine une certaine nervosité de part et d'autre. Le conflit n'éclate heureusement jamais. Un goût intense de menthe se développe en finale. (0)

Rochefort 10 (11,3 % alc./vol.)

Voici un grand cru de bière.

Indice de mariabilité : 85 %
Indice d'amitié : 60 %
Indice orgastique : 25 %
Indice conflictuel : 15 %

Épousailles probables

- Bleu salé traditionnel
- Bûchette de chèvre
- Croûte lavée, pâte semi-ferme pas trop odorante
- Stilton

Amitiés probables

- Bleu, pâte molle, croûte fleurie
- Cheddar artisanal/fermier extra-fort
- Cheddar de chèvre
- Croûte lavée, pâte molle, odorante de terroir
- Croûte lavée, pâte semi-ferme, pas trop odorante
- Croûte fleurie, pâte molle, industrielle
- Croûte fleurie, pâte molle, industrielle en conserve
- Croûte lavée, odorante de terroir

Conflits éventuels

- Croûte mixte, brossée et lavée, pas trop odorante

Dégustations

BLEU DE LA MOUTONNIÈRE (bleu salé traditionnel)
Le fromage s'enveloppe d'un velouté onctueux délicatement voilé d'une fine pellicule de caramel. En finale, le *roqueforti* doucereux ronronne son contentement en nous caressant voluptueusement. (***)

CHAUMES (croûte lavée, pâte semi-ferme, pas trop odorante)
Silence, on baise. (***)

STILTON (stilton)
Rencontre de titans qui procure une jouissance intense et pénétrante dans la profondeur de chacune de nos papilles. (***)

BRESSE BLEU (bleu, pâte molle, croûte fleurie)
Communion solennelle dès la rencontre qui se transforme en solide amitié pendant les caresses postcoïtales. (**)

BRIE ANCO (croûte fleurie, pâte molle, industrielle)
Contre toute attente, l'élégance de ce fromage sans prétention se découvre devant cette bière. (**)

PETIT MUNSTER (croûte lavée, pâte molle, odorante de terroir)
D'abord des hésitations, puis des balbutiements, mais lentement une solide amitié se développe. (**)

SAINT-MORGON (croûte mixte, brossée et lavée, pas trop odorante)
Autant le fromage étend ses saveurs partout dans notre bouche, autant la bière sautille de bonheur là où le fromage est passé... (**)

CHEDDAR EXTRA-FORT PERRON (cheddar artisanal/fermier)
La bière bombe le torse, fière de rencontrer cette force du Lac-Saint-Jean. Elle se dégonfle toutefois subitement lorsqu'elle est en mesure de sentir intimement la prestance de son vis-à-vis. (0)

CHÈVRE NOIR, 2 ANS (cheddar de chèvre)
La bière ensevelit totalement le fromage, son alcool submergeant le sucre du chèvre. Sa crème vient flotter sur le souvenir à la toute fin de nos perceptions sensorielles. (0)

SIEUR CORBEAU (croûte mixte, brossée et lavée, pas trop odorante)
L'alcool de la bière est tellement amplifié par la rencontre qu'il en devient âcre-aigre d'inconfort. (-)

TROIS PISTOLES (9 % ALC./VOL.)

Indice de mariabilité : 85 % — Indice d'amitié : 50 %
Indice orgastique : 35 % — Indice conflictuel : 15 %

Épousailles probables

- Croûte lavée, odorante de terroir
- Croûte lavée, pâte molle, odorante de terroir

- Croûte lavée à l'alcool
- Croûte lavée, pâte semi-ferme, pas trop odorante
- Croûte mixte, brossée et lavée, pas trop odorante
- Mimolette
- Pâte semi-ferme, peu ou pas affinée (dans la masse)
- Stilton

Amitiés probables

- Bleu, pâte molle, croûte fleurie
- Boursin à l'ail et aux fines herbes
- Bûchette de chèvre
- Cheddar de chèvre
- Cheddar artisanal/fermier
- Comté français
- Croûte fleurie, pâte molle, industrielle
- Emmental
- Gruyère

Conflits éventuels

- Cheddar de chèvre

Dégustations

LE FÊTARD (croûte lavée à l'alcool, pâte semi-ferme, odeur moyenne)
Malgré les éclats aigres que les amoureux émettent, la relation est intense et inconditionnelle. Voici un couple solide dont les partenaires sont cimentés l'un à l'autre. Les notes acerbes restent agréables et acceptables, reflets de leur étreinte intense. (***)

MAMIROLLE (croûte lavée à l'alcool, pâte semi-ferme, odeur moyenne)
Malgré une amertume continuellement présente, l'attraction entre les deux est si puissante qu'elle devient irrésistible. Nos papilles en jouissent. (***)

MIMOLETTE (mimolette)
Belle rencontre entre deux personnalités intenses qui se donnent l'un à l'autre comme si elles se connaissaient depuis la nuit des temps. Le torrent de douceur crémeuse s'écoule longtemps, jusque dans le trépas de notre étalement. (***)

NUIT-D'OR-SAINT-GEORGES (croûte lavée, pâte molle, pas trop odorante)
La relation se construit sur les saveurs sucrées de la bière, qui explosent de part et d'autre de la crème du fromage. Lorsque le sucré s'amenuise, les évanescences onctueuses et crémeuses du fromage prennent le relais pour nous bercer de tendresses tout au long de l'étalement. (***)

SIEUR CORBEAU (croûte mixte, brossée et lavée, pas trop odorante)
Coup de foudre dès que leurs peaux s'effleurent sur notre langue. Un ruisseau crémeux s'écoule ensuite sur nos papilles pendant que l'alcool s'évapore par notre nez. En finale, la crème de l'oiseau ruisselle lentement, paisiblement. (***)

BRIE FRANÇAIS CARON (croûte fleurie, pâte molle, industrielle)
La bière se gonfle de douceur intense et se fait irrésistible devant ce fromage qui ne lui résiste pas. L'union provoque une vague de chaleur qui reste présente sur nos papilles longtemps après que le couple en a quitté le lit. (**)

Camembert français Caron (croûte fleurie, pâte molle, industrielle)
Union paisible mais intense et d'une grande douceur. Le cœur de la relation est enrobé d'une crème onctueuse protégée par la chaleur réconfortante de l'alcool. (**)

Cheddar fermier anglais (cheddar artisanal/fermier)
Relation très agréable dans laquelle, de part et d'autre, on sait comment mettre en valeur les qualités du partenaire. Belles sensations de douceur de crème et agréable enrobage de l'alcool-caramel de la bière. (**)

Fleur de bière (croûte lavée à l'alcool, pâte molle, très odorante)
Union intense qui nous éclabousse d'une explosion de douceur onctueuse issue du cœur du fromage. L'alcool de la bière laisse s'échapper des notes de chocolat. La finale légèrement âcre jette toutefois un peu d'ombre sur le beau feu d'artifice initial. (**)

Cheddar extra-fort Perron (cheddar artisanal/fermier)
La bière est très émue de rencontrer ce si gentil garçon du Lac-Saint-Jean. Elle se fait doucereuse et aguichante, camouflant son alcool afin de mettre en valeur son caramel. Le fromage se fait tout doux. On reconnaît néanmoins son piquant tout au long de la relation. (*)

Chèvre noir, 2 ans (cheddar de chèvre)
L'attraction est manifeste mais, dès que leurs peaux se touchent, un mouvement de recul instinctif leur rappelle que l'amitié serait préférable compte tenu de leurs caractères respectifs. En finale, le fromage tire un voile de caresses onctueuses sur nos papilles. (*)

Comté français (gruyère)
Malgré l'absence d'union entre les deux, leurs courtisaneries nous procurent d'agréables sensations qui durent longtemps. (*)

Chimay (croûte lavée à l'alcool, pâte semi-ferme, odeur moyenne)
La bière se fait un peu trop prétentieuse pour ce fromage trop facilement intimidé. Dès que la Trois Pistoles gonfle la poitrine, le fromage disparaît à tout jamais. (0)

Paillot de chèvre (bûchette de chèvre)
Le chèvre est intimidé lorsque la bière se pointe sur le bout de nos lèvres. Constatant l'absence de partenaire éventuel, la bière glisse rapidement dans nos profondeurs. Le fromage sort alors de derrière le paravent et en finale épand un filet de crème douce. (0)

Saint-Loup (croûte fleurie, pâte molle, lait de chèvre)
La bière s'aigrit en présence de ce fromage et quitte les lieux sur une note d'amertume. Lorsque le fromage revient tenter de nous séduire, il ne peut pas s'empêcher de dévoiler le côté aigre de sa personnalité. (-)

Victor et Berthold (croûte lavée, pâte semi-ferme, pas trop odorante)
La rencontre produit un torrent d'amertume plutôt désagréable. (-)

Maredsous 10 (10 % alc./vol.)

Indice de mariabilité : 70 % | Indice d'amitié : 55 %
Indice orgastique : 15 % | Indice conflictuel : 30 %

Épousailles probables

- Bleu, pâte molle, croûte fleurie
- Croûte lavée, pâte semi-ferme, pas trop odorante

Amitiés probables

- Bleu salé traditionnel
- Cheddar industriel
- Crottin de chèvre
- Croûte fleurie, pâte molle, double crème, industrielle
- Croûte fleurie, pâte molle, industrielle
- Croûte lavée, pâte semi-ferme, pas trop odorante
- Gouda
- Gruyère

Conflits éventuels

- Bleu salé traditionnel
- Chèvre frais
- Feta
- Pâte semi-ferme, peu ou pas affinée (dans la masse)

Dégustations

Bresse bleu (bleu, pâte molle, croûte fleurie)
Relation parfaite entre deux fortes personnalités. Le *roqueforti* du fromage ronronne de bonheur sans se lasser, longtemps. (***)

Port-Salut (croûte lavée, pâte semi-ferme, pas trop odorante)
Belle fusion d'une complémentarité parfaite qui étend sa crème partout, longtemps. (***)

Camembert Roitelet (croûte fleurie, pâte molle, industrielle)
Relation intense ponctuée d'effluves d'alcool et de crème qui dansent une belle valse. (**)

Cantonnier de Warwick (croûte lavée, pâte semi-ferme, pas trop odorante)
Tout se déroule de façon respectueuse dans cette relation intense et crémeuse. (**)

Caprice des Dieux (croûte fleurie, pâte molle, double crème, industrielle)
On se donne l'un à l'autre avec beaucoup de tendresse jusqu'aux portes de l'implosion, mais sans toutefois les franchir. (**)

Barbu (crottin de chèvre)
Belle étreinte de douceur de la part de la bière. Le fromage reste toutefois indifférent à ses avances. (*)

Bleu danois (bleu salé traditionnel)
Avenir qui semble d'abord rempli de promesses mais qui ne produit, en finale, qu'un filet de *roqueforti*. (*)

Cheddar Black Diamond (cheddar industriel)
Beaucoup d'hésitations caractérisent la rencontre. Finale timidement âcre. (*)

Brie (croûte fleurie, pâte molle, industrielle)
La rencontre dégage une âcreté insoutenable. (-)

Feta (feta)
Irrémédiablement acide, trop acide. (-)

Saint-Paulin (pâte semi-ferme, peu ou pas affinée (dans la masse))
Dès la rencontre, un conflit intense d'âcreté surgit et dure longtemps. (-)

Les bières de blé : blanches et Weizen

Le blé constitue un ingrédient de première importance pour cinq types de bière : les Berliner Weisse, les Weizen, les blanches et le lambic. Les douces saveurs acidulées offertes par le froment séduisent spontanément un grand nombre de consommateurs dès que leurs mandibules effleurent le nectar laiteux. Dans ce raz-de-marée, on peut distinguer deux crêtes correspondant aux deux plus importantes influences historiques : les blanches, d'origine belge, et les Weizen, d'origine bavaroise.

Blanches

Des exemples : Blanche de Bruges, Blanche de Bruxelles, Blanche de Chambly, Blanche de Hoegaarden, Blanche des Honelles, Blanche de Namur, Celis White.

Titrant de 4,5 à 5,5 % alc./vol., elles offrent une robe très pâle, laiteuse et voilée à cause des levures et des protéines du blé. Le pétillement champagnisé, habituellement refermenté en bouteille soulève une mousse moyenne-forte qui colle bien aux parois du verre. Son bouquet de flaveurs dominantes souligne le blé. En règle générale, le nez d'une grande douceur exhale des épices et des agrumes. Saveur de base : douce-fruitée aux notes d'agrumes, surtout le citron. D'une rondeur moyenne en bouche, cette bière est généralement dénuée d'amertume, sauf pour quelques interprétations libres de l'ouest des États-Unis dans lesquelles on retrouve plusieurs marques plutôt amères. Étalement long et onctueux dominé par la douceur et les agrumes.

Weizen ou Weissbier

Des exemples : Ayinger Hefe Weizen, Erdinger Hefe Weizen, Pyramid Wheaten Ale, Red Hook Hefe Weizen, Schneider Hefe Weizen, Sudwerk Privatbrauerie Hübsch Hefe Weizen, Tucher Hefe Weizen.

Bière royale de la Bavière, elle nous est offerte « sur lie », mais elle est rarement refermentée en bouteille. Tout simplement, on la filtre de façon à laisser passer une certaine quantité de levure dans la bouteille. Ces bières titrent de 4,5 à 5,5 % alc./vol. Très pâles, laiteuses, leurs grandes effervescences soutiennent une mousse moyenne-forte qui colle bien aux parois du verre. Elles portent une signature classique : les flaveurs de banane et de clou de girofle qui coiffent, en arrière-plan, la levure et le pain. Saveur de base douce-fruitée, rondeur moyenne. Elles sont dénuées d'amertume, sauf pour quelques interprétations libres de l'ouest des États-Unis dans lesquelles on retrouve plusieurs marques plutôt amères. Étalement long et onctueux dominé par la douceur.

VARIATIONS

Dunkel Hefe Weizen : Weisse comportant des malts rôtis qui offrent des saveurs de caramel. Modèle : Löwenbräu Dunkel Weizen.

Cristal Weizen : Weizen filtrée qui ne porte pas la mention Hefe.

WeizenBock : Weissen rousse plus forte en alcool (env. 8 % alc./vol.). Modèles : Aventinus, Pikantus.

Note : La blanche est probablement un être indépendant qui ne se laisse pas faire la cour par n'importe qui. Elle accepte toutefois volontiers de se lier d'amitié avec un grand nombre de styles de fromages et n'est que rarement cause de conflits.

1837 (7 % ALC./VOL.)

Indice de mariabilité : 95 %
Indice d'amitié : 70 %
Indice orgastique : 25 %
Indice conflictuel : 5 %

Épousailles probables

- Croûte fleurie, pâte molle, industrielle
- Croûte lavée, odorante de terroir
- Croûte lavée, pâte semi-ferme, pas trop odorante
- Croûte lavée à l'alcool

Amitiés probables

- Bûchette de chèvre
- Cheddar de chèvre
- Cheddar artisanal/fermier extra-fort
- Croûte fleurie, pâte molle, lait de chèvre
- Croûte mixte, brossée et lavée, pas trop odorante
- Croûte lavée à l'alcool, pâte semi-ferme, odeur moyenne
- Emmental
- Gruyère
- Mimolette

Conflits éventuels

- N'en ai pas trouvé

Dégustations

CAMEMBERT FRANÇAIS CARON (croûte fleurie, pâte molle, industrielle)
La bière enveloppe le fromage d'une épaisse couche fruitée d'agrumes et de douceurs sucrées. On sent alors la crème du fromage fondre doucement dans notre bouche. Relation solide et réussie sans être exubérante. (***)

NUIT-D'OR-SAINT-GEORGES (croûte lavée, pâte molle, pas trop odorante)
Dès la proximité de la peau de l'autre, le frisson nous entraîne dans une implosion jouissive intense. Le roucoulement crémeux des douceurs qui s'écoulent après le coït est divin. (***)

ROUY (croûte lavée, pâte molle, pas trop odorante)
Les présentations conduisent à un mariage voluptueux tout en douceur dans une explosion aromatique d'agrumes. (***)

LE FÊTARD (croûte lavée à l'alcool, pâte semi-ferme, odeur moyenne)
Relation intense et passionnée. La fraîcheur des échanges se termine par l'expression du terroir du fromage, qui s'écoule doucement dans l'étalement. (**)

MAMIROLLE (croûte lavée à l'alcool, pâte semi-ferme, odeur moyenne)
La bière se fond dans les bras du fromage et en fait jaillir toute la douceur fruitée pour le plus grand plaisir de notre palais. En finale, le terroir du fromage se profile à l'horizon. (**)

LE MIGNERON DE CHARLEVOIX (croûte lavée, pâte semi-ferme, pas trop odorante)
Le fromage absorbe tout le sucré de la bière, qui devient aigrelette et désaltérante. Le couple s'embrasse ensuite dans une étreinte très crémeuse. (**)

CHIMAY (croûte lavée à l'alcool, pâte semi-ferme, odeur moyenne)
Le fromage absorbe tout le sucré de la bière. Celle-ci devient alors plutôt aigre et désaltérante. La bière s'endort ensuite et, une fois seul, le fromage en profite pour nous faire la cour de ses saveurs crémeuses, pendant longtemps. (*)

JARLSBERG (emmental)
La bière perd toute trace de son sucré à l'occasion de la rencontre. Le fromage, lui, verse sa crème en crescendo. (*)

MIMOLETTE (mimolette)
Ce fromage est trop fier pour chercher à s'unir à cette bière. Celle-ci ne se laisse pas décourager et se fait agréablement séductrice. La caresse qui s'ensuit est douce et onctueuse. (*)

CHEDDAR FERMIER ANGLAIS (cheddar artisanal/fermier)
Indifférence mutuelle. Finale aux notes de menthe. (0)

BLANCHE DE BRUXELLES (4,5 % ALC./VOL.)

Il est à noter qu'il s'agissait de blanches importées qui, ayant passablement vieilli, étaient devenues plus sèches, moins sucrées.

Indice de mariabilité : 65 % | Indice d'amitié : 55 %
Indice orgastique : 10 % | Indice conflictuel : 35 %

Épousailles probables
- Croûte lavée à l'alcool, pâte semi-ferme, odeur moyenne

Amitiés probables
- Bûchette de chèvre
- Cheddar artisanal/fermier
- Croûte lavée à l'alcool
- Croûte lavée, odorante de terroir

Conflits éventuels
- Croûte lavée, pâte semi-ferme, pas trop odorante

Dégustations

CHIMAY (croûte lavée à l'alcool, pâte semi-ferme, odeur moyenne)
La bière complémente agréablement le fromage à la texture sèche et au goût de foin et de carvi. Devant ce moine sérieux, elle laisse de côté sa personnalité fofolle et met en valeur le volet acide de sa personnalité. (***)

LE FÊTARD (croûte lavée à l'alcool, pâte semi-ferme, odeur moyenne)
L'acidité du fromage retrouve joyeusement celle de la bière. Voilà leur principal point de rencontre. Quand la bière quitte le palais, elle croise le fromage sur son propre retour. Les agréables échanges qui se déroulent alors attristent la blanche : elle constate l'impossibilité d'approfondir la relation. (**)

PAILLOT DE CHÈVRE (bûchette de chèvre)
La texture de ce chèvre a le double avantage d'accentuer sa douceur et de camoufler ses muscles secs. Elle s'associe donc en douceur avec une bière crémeuse, qui y dépose son empreinte sucrée. (*)

CHEDDAR FERMIER ANGLAIS (cheddar artisanal/fermier)
Pas d'épousailles possibles entre un fromage fruité qui tend vers les pommes ou les cerises et une bière qui évoque les agrumes. Incompatibilité, tout simplement. Reste que, sur un tel fond de douceur, les explications produisent une musique agréable. (0)

SIR LAURIER D'ARTHABASKA (croûte lavée, pâte molle, pas trop odorante)
Généreux et doux, docile et invitant, sir Laurier d'Arthabaska se laisse naïvement et bêtement dépasser par la bière. Comme insulté par cette indifférence, il provoque la blanche en duel. Celle-ci laisse alors s'échapper un goût âcre en bouche. (-)

BLANCHE DE CHAMBLY (5 % ALC./VOL.)

Indice de mariabilité : 70 % | Indice d'amitié : 60 %
Indice orgastique : 10 % | Indice conflictuel : 30 %

Épousailles probables
- Bûchette de chèvre

Amitiés probables
- Bleu, pâte molle, croûte fleurie

- Bleu onctueux
- Cheddar de chèvre
- Cheddar artisanal/fermier extra-fort
- Croûte lavée, pâte molle, odorante de terroir
- Croûte lavée, pâte semi-ferme, pas trop odorante
- Croûte lavée, odorante de terroir
- Croûte lavée à l'alcool, pâte semi-ferme, odeur moyenne
- Croûte fleurie, pâte molle, industrielle en conserve
- Gruyère
- Mimolette

Conflits éventuels

- Croûte fleurie, pâte molle, industrielle
- Croûte fleurie, pâte molle, artisanale
- Parmigiano
- Stilton
- Croûte mixte, brossée et lavée, pas trop odorante

Dégustations

PAILLOT DE CHÈVRE (bûchette de chèvre)
Une explosion sucrée se produit dans la rencontre initiale, qui procure une émotion intense sur nos papilles. L'ombre d'une saveur aigre plane sur le couple, mais grâce à la douceur de la bière qui enveloppe le fromage dans ses bras très amples, le mariage réussit. (***)

COMTÉ FRANÇAIS (gruyère)
Le fromage sait comment mettre en valeur cette bière en amplifiant, avec beaucoup de savoir-faire, son aigreur désaltérante équilibrée d'une note légèrement sucrée. En finale, le fromage nous mordille la langue d'une timide amertume. (***)

LE MIGNERON DE CHARLEVOIX (croûte lavée, pâte semi-ferme, pas trop odorante)
Rencontre timide et discrète qui s'amorce avec un chuchotement sur nos papilles. Le plaisir de la rencontre libère une crème onctueuse et très savoureuse, légèrement sucrée, sur nos bourgeons du goût. (**)

VICTOR ET BERTHOLD (croûte lavée, pâte semi-ferme, pas trop odorante)
Le fromage s'évanouit, ému, devant cette bière. La blanche se fait alors d'une douceur enchanteresse et la bise qu'elle applique sur son compagnon sort ce dernier de son sommeil. Il se fait alors si doux et si tendre... (**)

BRESSE BLEU (bleu, pâte molle, croûte fleurie)
Le fromage semble d'abord intimidé à l'arrivée de cette bière. Elle se fait donc attendrissante et les veines bleues de son compagnon déversent alors une douceur onctueuse. (*)

BRIE DE MEAUX (croûte fleurie, pâte molle, artisanale)
Belles conversations animées au fil desquelles les deux partenaires savent se mettre en valeur. (*)

BEAUFORT L.C. (gruyère)
Indifférence mutuelle. On ne remarque même pas la présence de l'autre. (0)

Brie danois (croûte fleurie, pâte molle, industrielle en conserve)
La bière reste tout à fait indifférente à ce drôle de fromage. Dès que ce dernier a quitté nos papilles, la bière nous caresse de sa douceur fruitée. Lorsqu'elle s'endort, le déserteur revient la chercher... mais elle a disparu. (0)

Sieur Corbeau (croûte mixte, brossée et lavée, pas trop odorante)
La bière s'aigrit devant l'oiseau et s'agrippe à nos papilles, espérant que le croasseur s'envole. De son côté, ce dernier devient un peu âcre et sur nos papilles reste perché. (-)

Riva Blanche (5 % alc./vol.)

Indice de mariabilité : 80 %
Indice d'amitié : 60 %
Indice orgastique : 20 %
Indice conflictuel : 20 %

Épousailles probables

- Cheddar de chèvre

Amitiés probables

- Cheddar industriel
- Croûte lavée, pâte semi-ferme, pas trop odorante
- Croûte fleurie, pâte molle, industrielle
- Croûte lavée, pâte semi-ferme, pas trop odorante
- Gruyère

Conflits éventuels

- N'en ai pas trouvé

Dégustations

Chèvre noir, 2 ans (cheddar de chèvre)
La relation est immédiate et inconditionnelle. Que voici une union très distinguée. Le fromage met d'abord en valeur la bière. Cette dernière lui rend la pareille, et ainsi de suite jusqu'à l'épuisement des énergies de ces deux galants. (***)

Cantonnier de Warwick (croûte lavée, pâte semi-ferme, pas trop odorante)
Très agréable rencontre par laquelle la crème noisette du fromage s'épanouit, délicatement soulignée par l'onctuosité du blé. (**)

Brie (croûte fleurie, pâte molle, industrielle)
Relation sur la pointe des pieds par laquelle le blé se fait doucereux autour de la crème. En finale, des effluves de beurre étreignent langoureusement notre langue. (*)

Gruyère (gruyère)
Timide relation dans laquelle le blé enrobe le fromage d'un voile onctueux. Confortablement enveloppé, le fils de la Suisse fait rouler ses muscles. (*)

Morbier (croûte lavée, pâte semi-ferme, pas trop odorante)
Relation qui s'annonce intense et qui donne de beaux échanges. On s'essouffle toutefois avant d'atteindre le nirvana. En finale, le cendré du fromage nous raconte de belles histoires. (*)

Cheddar Black Diamond (cheddar industriel)
La bière chasse le fromage et met en valeur son côté désaltérant et aigrelet. (0)

Schneider Weisse (5 % alc./vol.)

Indice de mariabilité : 90 %
Indice d'amitié : 80 %
Indice orgastique : 10 %
Indice conflictuel : 10 %

Épousailles probables

- Cheddar artisanal/fermier extra-fort
- Cheddar de chèvre

Amitiés probables

- Bleu, pâte molle, croûte fleurie
- Bleu salé traditionnel
- Bûchette de chèvre
- Croûte fleurie, pâte molle, industrielle en conserve
- Croûte lavée, pâte molle, odorante de terroir
- Croûte lavée, pâte semi-ferme, pas trop odorante
- Croûte lavée, odorante de terroir
- Croûte lavée à l'alcool
- Gruyère
- Stilton

Conflits éventuels

- N'en ai pas trouvé

Dégustations

Cheddar extra-fort Perron (cheddar artisanal/fermier)
La bière baisse d'abord les yeux devant les muscles du fromage puis accepte la bise qu'il lui offre. Une timide exclamation de joie précède la danse plus virile du cheddar, qui sait alors impressionner la Munichoise. Cette dernière accepte finalement de se donner à lui. Pendant qu'elle s'endort, le fromage continue de caresser nos papilles afin de les mettre en joie une nouvelle fois... (***)

Chèvre noir, 2 ans (cheddar de chèvre)
Le chèvre est spontanément intimidé par l'Allemande et s'enfuit dès qu'il l'aperçoit. La bière le cherche partout et, dès qu'elle distingue le peureux tapi dans un recoin de notre bouche, elle l'apprivoise vite fait. S'amorce alors une belle amitié tout en douceur qui se développe solidement. Conquis, monsieur gambade allégrement sur nos papilles. (***)

Bresse bleu (bleu, pâte molle, croûte fleurie)
La fille de Munich offre généreusement son blé au fromage en l'enrobant d'un écrin onctueux au sein duquel la crème de Bresse prend toute son expansion. Une fois la douceur fondue dans notre gorge, le *roqueforti* se superpose à la sensation et, graduellement, impose la sienne comme royale. (**)

STILTON (stilton)
Les grains de sel épandus par le fromage forment autant de points d'appui pour que ce dernier puisse faire des pirouettes sur nos papilles. La bière s'écoule alors lentement et le *roqueforti* vient en finale sautiller sur notre langue. (**)

SIEUR CORBEAU (croûte mixte, brossée et lavée, pas trop odorante)
La bière s'enfuit, laissant l'oiseau de passage faire son spectacle bref et banal. Après qu'il en a fini, la bière revient, plus forte et plus douce que jamais, se croyant seule. Espiègle, le croasseur vient lui faire une douce bise en finale. Aucun mariage ne s'est produit, mais le jeu des taquineries fut agréable. (*)

SAINT-MORGON (croûte mixte, brossée et lavée, pas trop odorante)
La bière s'appuie sur ses saveurs de blé pour affirmer toute sa tendresse devant ce fromage menaçant. De son côté, le saint-morgon semble totalement séduit par la fille de Munich et inhibe ses origines paysannes. Il ne peut toutefois pas s'empêcher de nous raconter l'histoire de son enfance fermière à la toute fin de l'étalement. (*)

MORBIER (croûte lavée, pâte semi-ferme, pas trop odorante)
La bière fait une première tentative de séduction en offrant toute l'onctuosité de son blé mais, devant l'indifférence du fromage, il choisit de ne pas insister. Elle s'écoule ensuite, désintéressée, aqueuse, dans nos profondeurs. (0)

PETIT MUNSTER (croûte lavée, pâte molle, odorante de terroir)
D'abord hésitants, les tourtereaux élèvent la voix, défiant l'autre. À court d'arguments, on se quitte, imprégnant d'une légère amertume, dépourvue d'agrément, l'arrière de la langue. (0)

TUCHER HEFE WEIZEN HELLS (5,2 % AL./VOL.)

Indice de mariabilité : 60 %
Indice d'amitié : 50 %
Indice orgastique : 10 %
Indice conflictuel : 40 %

Il importe de souligner que les échantillons utilisés aux fins des épousailles étaient passablement âgés, la bière étant plus sèche que sa version en fût (beaucoup plus sucrée) que l'on retrouve habituellement dans les débits.

Épousailles probables

- Bûchette de chèvre

Amitiés probables

- Bleu salé traditionnel
- Cheddar de chèvre
- Cheddar industriel
- Chèvre frais
- Croûte lavée, pâte semi-ferme, pas trop odorante
- Croûte lavée, odorante de terroir
- Croûte fleurie, pâte molle, industrielle

Conflits éventuels

- Bleu, pâte molle, croûte fleurie
- Cheddar artisanal/fermier
- Croûte lavée à l'alcool
- Emmental

Dégustations

PAILLOT DE CHÈVRE (bûchette de chèvre)
Le goût de champignon du chèvre se marie extraordinairement bien au blé sucré de cette Weizen. On s'entend dans une harmonie fondée sur une complémentarité exemplaire. (***)

SAINT-BASILE (croûte mixte, brossée et lavée, très odorante)
Fille de la campagne, cette douce Allemande accompagne bien ce robuste fermier québécois. Un beau petit couple qui, sagement, fonde une union belle et durable. (**)

COULOMMIERS ROITELET (croûte fleurie, pâte molle, industrielle)
Belle complémentarité qui rend le couple très désaltérant et d'une présence rafraîchissante en bouche. (**)

CAPRICE DES DIEUX (croûte fleurie, pâte molle, double crème, industrielle)
Caresses intenses continuelles, au bord de l'implosion suprême. (**)

SIR LAURIER D'ARTHABASKA (croûte lavée, pâte molle, pas trop odorante)
La similitude des caractères ne crée pas nécessairement une union réussie. Qui se ressemble ne s'assemble pas toujours. C'est le cas de ces deux douceurs qui s'ignorent jusque dans les profondeurs abyssales de notre postgoût. (0)

BLEU DE CHÈVRE (bleu salé traditionnel)
Le *roqueforti* se retient, mais l'espace buccal est plutôt solitaire. Ces deux individus ne croisent même pas un regard ! (0)

Bock

Titrant à plus de 6,5 % d'alcool elle offre une robe très scintillante d'un rouge-brun, aux reflets de rubis. Certaines versions de la Bock sont de couleur dorée. Un pétillement moyen-fort soutient une mousse plutôt fugace, collant un peu aux parois du verre. Ses flaveurs sont nettement dominées par la douceur de malt mélanoïdine. On reconnaît facilement en deuxième plan son alcool. Nez très malté, de chocolat, de vanille dévoilant quelques pointes d'alcool à l'occasion. Bien houblonnée, mais seulement en bouquet. D'abord douce en bouche (et liquoreuse, notamment celle renfermant plus de 8 % alc./vol.), sa rondeur moyenne-forte est signée de douceur de caramel, de quelques pointes amères rôties et d'une aigreur d'alcool. Acidité perceptible, surtout lorsque la bière a vieilli. Étalement long et onctueux, doux, habituellement soutenu par l'alcool.

Des exemples : Aass Bock, Brick Bock, Canon, Catamount Bock, Kulmbacher Monshshof, Upper Canada Bock, Weltenberger Asam-Bock.

Canon (7,6 % alc./vol.)

Indice de mariabilité : 70 %
Indice d'amitié : 60 %
Indice orgastique : 10 %
Indice conflictuel : 30 %

Épousailles probables

- Croûte fleurie, pâte molle, lait de chèvre
- Stilton

Amitiés probables

- Bleu salé traditionnel
- Bûchette de chèvre
- Cheddar de chèvre
- Croûte fleurie, pâte molle, industrielle
- Croûte lavée, pâte molle, odorante de terroir
- Croûte mixte, brossée et lavée, pas trop odorante
- Croûte lavée, pâte semi-ferme, pas trop odorante
- Croûte lavée à l'alcool
- Gruyère

Conflits éventuels

- Bleu, pâte molle, croûte fleurie
- Croûte lavée, odorante de terroir
- Cheddar industriel
- Cheddar artisanal/fermier extra-fort
- Emmental

Dégustations

Saint-Loup (croûte fleurie, pâte molle, lait de chèvre)
Un grand élan de tendresse s'empare de la bière au moment où elle rencontre le fromage. Ce dernier le lui rend bien alors qu'il nous caresse voluptueusement au fil de son étalement. (***)

Stilton (stilton)
Le fromage sait comment faire exploser l'alcool de la bière, qui s'épanche alors partout. Dans la phase de consolidation de la relation, le *roqueforti* se marie au malt caramel de la bière pour l'établissement d'une solide amitié. (**)

Le Fêtard (croûte lavée à l'alcool, pâte semi-ferme, odeur moyenne)
Domination de la bière qui se fait très soyeuse autour du corps du fromage. L'emprise longue et sensuelle se termine par le doux sommeil des deux tourtereaux. (**)

Le Migneron de Charlevoix (croûte lavée, pâte semi-ferme, pas trop odorante)
Devant la majestuosité du fromage, la bière offre toute l'onctuosité de son malt et de son caramel pour l'envelopper dans un écrin de tendresse généreuse. Il n'en résulte aucune explosion émotive, mais plutôt la solide relation de deux protagonistes qui se respectent profondément. (**)

Paillot (bûchette de chèvre)
La grande générosité, tout en douceur, de la bière enveloppe le fromage d'un

voile onctueux de tendresse. Le couple se dirige ensuite vers nos quartiers intimes en une marche nuptiale. Il s'éclipse toutefois avant la grande implosion immatérielle espérée. (**)

CHAUMES (croûte lavée, pâte semi-ferme, pas trop odorante)
La bière enveloppe le fromage de toute ses attentes et le conduit paisiblement dans les profondeurs satinées du baldaquin avec beaucoup de précautions et d'affection. (*)

SIEUR CORBEAU (croûte mixte, brossée et lavée, pas trop odorante)
La bière présente d'abord une amertume de torréfaction accompagnée d'une aigreur retenue, puis disparaît ensuite rapidement. Le fromage en profite pour nous taquiner avec des relents de douceur contenue. (*)

SAINT-MORGON (croûte mixte, brossée et lavée, pas trop odorante)
Belle fréquentation tout en tendresse qui débouche sur une solide amitié entre deux cœurs tendres. Les fréquentations se poursuivent longuement sur notre balcon buccal. (*)

BRIE DOUBLE CRÈME ANCO (croûte fleurie, pâte molle, double crème, industrielle)
La fille du plateau est beaucoup trop fière pour s'associer à ce fromage. Sa noblesse lui dicte toutefois d'honorer nos papilles avec l'essence de son âme. On note une certaine aigreur de sa part vers la fin de sa présence. (0)

VICTOR ET BERTHOLD (croûte lavée, pâte semi-ferme, pas trop odorante)
La bière survole littéralement le fromage dont on reconnaît toutefois continuellement les caractéristiques. La finale s'étire sur une fine bruine de saveurs âcres. (0)

SAINT-EUZÈBE DE PRINCEVILLE (croûte lavée, pâte semi-ferme, pas trop odorante)
Malgré les tendres offrandes de la bière, le fromage reste totalement indifférent. On sent même une certaine impatience chez ce fermier, car on l'entend grogner quelques notes âcres typiques de son terroir au fil de secondes qui deviennent une éternité. (-)

BRESSE BLEU (bleu, pâte molle, croûte fleurie)
La bière semble insultée de se voir offrir ce fromage et devient très âcre. Elle fait la démonstration de la face cachée de sa personnalité, et nous découvrons qu'elle dissimulait un tempérament d'une amertume désagréable. (-)

FAXE (7,2 % ALC./VOL.)

Indice de mariabilité : 80 %
Indice d'amitié : 70 %
Indice orgastique : 10 %
Indice conflictuel : 20 %

Épousailles probables

- Croûte lavée, pâte semi-ferme, pas trop odorante

Amitiés probables

- Croûte fleurie, pâte molle, industrielle
- Croûte lavée, pâte molle, odorante de terroir

Conflits éventuels

- Bleu, pâte molle, croûte fleurie

Dégustations

CHAUMES (croûte lavée, pâte semi-ferme, pas trop odorante)
Coup de foudre au premier regard. Ils consomment leur union sans se perdre dans des préliminaires jugées inutiles et s'enfoncent rapidement dans l'intimité de notre corps. Ils laissent sur nos papilles le souvenir onctueux d'une grande douceur. (***)

BRIE DOUBLE CRÈME ANCO (croûte fleurie, pâte molle, double crème, industrielle)
Avec un brin de snobisme, la bière s'empare de notre espace buccal en s'étonnant de la présence de ce fromage. Cette Bock, qui a pour animal fétiche le bouc, semble nous dire : « Le protocole veut que j'entre ici le premier. » Lorsque nous le faisons précéder, nous constatons qu'effectivement le fromage dégage une grande douceur délicate. (**)

PETIT MUNSTER (croûte lavée, pâte molle, odorante de terroir)
Deux personnalités exubérantes offrent en spectacle leurs câlins et bécots. Nous nous attendons à être témoins d'une cérémonie nuptiale, les fiancés changent d'idée au moment crucial. Chacun s'en va de son côté voir ailleurs s'il y est. Quant à nous, eh bien nous en sommes quittes pour rester sur notre faim. (**)

SAINT-MORGON (croûte mixte, brossée et lavée, pas trop odorante)
Devant l'espace occupé par le fromage dans le souvenir de nos papilles, la bière fait son entrée sur la pointe des pieds. Après quelques secondes de recueillement, elle se glisse discrètement de l'autre côté de notre intimité. Le fromage revient alors titiller nos papilles dans toute sa tendresse. (*)

BRESSE BLEU (bleu, pâte molle, croûte fleurie)
Devant la prestance du fromage, la bière reste sur ses gardes au moment où elle touche nos papilles. Le bleu profite de ce silence pour envahir avec insistance nos papilles avec toute la force dont il est capable, faisant déborder sur nous son amertume. (-)

Brune/rouge des Flandres

Les méthodes de brassage de ce type de bière, en provenance de la Belgique, dans la région des Flandres, s'inspirent des techniques de la fin du XIXe siècle. Les bactéries et les levures sauvages y jouent un rôle important, notamment au cours de la fermentation de garde dans des fermenteurs en bois. La majorité de ces bières sont assemblées, ce qui implique le mélange de brassins d'âges différents au moment de la mise en bouteille. Comme pour les lambics, les brasseurs ont développé l'art de l'infusion de fruits dans leurs bières afin d'en adoucir les saveurs. Elles sont donc conçues pour être bues dès leur sortie de la brasserie. Elles offrent une acidité très plaisante. Forte acidité enrobée de sucre, sensation de sirop à l'occasion, perception sensorielle pouvant nécessiter un apprentissage, une période d'adaptation.

Versions commerciales : sucrées et dominées par la douceur. Versions traditionnelles : dominées par l'acidité. **Exemples :** Bourgogne des Flandres, Liefmans, Rodenbach Grand Cru.

Bourgogne des Flandres (5 % alc./vol.)

Indice de mariabilité : 75 %
Indice d'amitié : 60 %
Indice orgastique : 15 %
Indice conflictuel : 25 %

Épousailles probables

- Bleu, pâte molle, croûte fleurie
- Croûte fleurie, pâte molle, lait de chèvre
- Bleu salé traditionnel
- Croûte lavée, pâte semi-ferme, pas trop odorante

Amitiés probables

- Cheddar artisanal/fermier extra-fort
- Croûte mixte, brossée et lavée, pas trop odorante
- Croûte fleurie, pâte molle, industrielle
- Croûte lavée, pâte molle, odorante de terroir
- Croûte fleurie, pâte molle, industrielle en conserve
- Emmental
- Stilton

Conflits éventuels

- Cheddar industriel

Dégustations

Bleu de la Moutonnière (bleu salé traditionnel)
Le mouton dévoile toute la douceur qui sommeille dans ses veines bleutées dès qu'il aperçoit cette Belge. La belle en est spontanément séduite mais après une bise très douce elle s'endort. Le bleu s'affirme ensuite, se baladant sur la pointe des pieds partout sur nos papilles. (***)

Rouy (croûte lavée, pâte molle, pas trop odorante)
Union intense et agréable sur des notes aigres-amères. Couple très racé et particulièrement généreux de saveurs vives. On note une acidité rafraîchissante à la toute fin. (***)

Saint-Morgon (croûte mixte, brossée et lavée, pas trop odorante)
La bière épanche sa douceur fruitée sur toute l'amplitude du terroir du fromage, qui en a à revendre. Dans l'étalement, on entend les ronronnements de ce dernier qui réclame une nouvelle gorgée. (**)

Camembert français (croûte fleurie, pâte molle, industrielle)
La bière amplifie toutes ses saveurs devant ce fromage qui, intimidé, disparaît. La fille des Flandres fait son spectacle et nous quitte. C'est alors que nous remarquons que la peau du fromage se décolle de notre épithélium. Quelle belle sensation. (**)

Cheddar extra-fort Perron (cheddar artisanal/fermier)
La bière puise à toutes ses ressources pour convaincre le fromage d'enfin baisser sa garde. Ce dernier fond et se glisse alors dans l'étreinte d'une union plutôt réservée mais pleine de bonne humeur. (*)

JARLSBERG (emmental)
Les deux forces se neutralisent dans les efforts qu'elles déploient pour se donner l'une à l'autre. La somme des parties est nettement inférieure à l'addition des éléments individuels. Il en résulte un attendrissement très agréable malgré l'essoufflement. (*)

BRIE FRANÇAIS (croûte fleurie, pâte molle, industrielle)
On se croise dans une indifférence indolente: la bière fait la démonstration de ses qualités, puis le fromage prend la relève. (0)

CHEDDAR MI-FORT BLACK DIAMOND (cheddar industriel)
Au moment de la rencontre, le fromage devient particulièrement âcre, insulté même de se voir proposer cette bière trop aigre pour lui. (-)

JACOBITE (7 % ALC./VOL.)

Il est à noter que les échantillons de Jacobite dont nous disposions accusaient un âge avancé (2 ans). Le profil de ses saveurs en faisait alors une candidate parfaite pour être classée dans cette catégorie. Il importe de souligner que dans son enfance (moins de 6 mois) cette bière se situe à mi-chemin entre les scotch ale et les doubles. Voici une bière qui se métamorphose en vieillissant.

Indice de mariabilité : 70 %
Indice d'amitié : 60 %
Indice orgastique : 10 %
Indice conflictuel : 30 %

Épousailles probables

- Gruyère

Amitiés probables

- Croûte fleurie, pâte molle, industrielle
- Croûte lavée, pâte semi-ferme, pas trop odorante

Conflits éventuels

- Bleu salé traditionnel
- Bleu, pâte molle, croûte fleurie
- Pâte semi-ferme, peu ou pas affinée (dans la masse)

Dégustations

GRUYÈRE (gruyère)
Le fromage souligne la richesse de la bière, qui lui rend la pareille. L'étreinte se produit sur le tard, longtemps passé minuit, mais elle se développe longtemps. (***)

BRIE (croûte fleurie, pâte molle, industrielle)
Agréable relation très animée qui se développe en quatre phases. L'aigreur de la bière est d'abord mise en valeur. La crème du fromage vient ensuite exprimer sa délicatesse. Le caramel brûlé de la bière nous sucre alors le bec. Finalement, le beurre du fromage fond lentement dans notre gorge. (**)

CANTONNIER DE WARWICK (croûte lavée, pâte semi-ferme, pas trop odorante)
Relation très aristocratique, intense et onctueuse, dans laquelle la porte de l'orgasme s'entrouvre sans toutefois être franchie. Finale aux notes de crème au beurre. (**)

MORBIER (croûte lavée, pâte semi-ferme, pas trop odorante)
Très timide relation sous la nette dominance du fromage. En finale, on goûte le beurre qui s'échappe du fromage. (*)

BLEU DANOIS (bleu salé traditionnel)
Une saveur âcre émerge de l'union et s'affirme de plus en plus. Eurk ! (-)

BORGONZOLA (bleu, pâte molle, croûte fleurie)
Bizarre relation un peu punk conduisant à une finale trop âcre qui s'amplifie. (-)

ÉDAM (pâte semi-ferme, peu ou pas affinée (dans la masse))
EURK ! Explosion âcre, très acrimonieuse. (–)

LIEFMANS FRAMBOSEN (6,5 % ALC./VOL.)

Indice de mariabilité : 60 %
Indice d'amitié : 50 %
Indice orgastique : 10 %
Indice conflictuel : 40 %

Épousailles probables
- Croûte lavée, pâte semi-ferme, pas trop odorante

Amitiés probables
- Cheddar de chèvre
- Croûte mixte, brossée et lavée, pas trop odorante
- Croûte fleurie, pâte molle, industrielle en conserve
- Croûte fleurie, pâte molle, industrielle
- Pâte semi-ferme, peu ou pas affinée (dans la masse)

Conflits éventuels
- Cheddar industriel
- Feta

Dégustations

CANTONNIER DE WARWICK (croûte lavée, pâte semi-ferme, pas trop odorante)
On se laisse glisser dans les sensations procurées par un french kiss suave. Les frissons nous entraînent sur les chemins de l'implosion immatérielle. (***)

BRIE (croûte fleurie, pâte molle, industrielle)
La bière semble complètement indifférente à la présence de ce fromage trop doux pour elle. Elle nous offre alors toutes les beautés de ses saveurs puis quitte brillamment notre bouche. Le fromage, qui l'enviait peut-être, en profite pour se mettre à son tour en valeur. L'expérience est agréable. (**)

SAINT-PAULIN (pâte semi-ferme, peu ou pas affinée (dans la masse))
L'amertume du fromage devient une symphonie pour bouches lorsqu'elle fait la découverte des fruits et de l'acidité de cette bière. (**)

SIEUR CORBEAU (croûte mixte, brossée et lavée, pas trop odorante)
La bière est vite séduite par cet oiseau au cœur tendre. Ce dernier hésite quelques secondes avant de se laisser aller, puis accepte finalement d'offrir toute son onctuosité au profit de la relation. (**)

BRIE DANOIS (croûte fleurie, pâte molle, industrielle en conserve)
Dès la rencontre, la bière montre son acidité. Le fromage rétorque avec l'ombre de sa propre aigreur. À compter de ce moment, les deux protagonistes deviennent plutôt dociles et une timide amitié se développe. (*)

CHÈVRE NOIR (cheddar de chèvre)
Le sucré chasse le sucré. Les tourtereaux se retrouvent dans une relation sensuellement philosophique qui met en question la profondeur de leurs âmes. (*)

ÉDAM (pâte semi-ferme, peu ou pas affinée (dans la masse))
La bière écrase le fromage. C'est comme si le pauvre accomme réflexe de dévoiler son âcreté, mais qu'il en est complètement incapable devant la Flamande. (0)

CHEDDAR BLACK DIAMOND (cheddar industriel)
Le fromage chasse le sucré et rend la Liefmans fade et lourde. (-)

FETA (feta)
Le salé du fromage assaisonne la bière, ce qui rend leur relation inconfortable et suscite un geste d'éloignement de part et d'autre. (-)

LIEFMANS GOUDENBAND (7,5 % ALC./VOL.)

Indice de mariabilité : 90 %
Indice d'amitié : 75 %
Indice orgastique : 15 %
Indice conflictuel : 10 %

Épousailles probables

- Bleu, pâte molle, croûte fleurie
- Croûte fleurie, pâte molle, lait de chèvre

Amitiés probables

- Bleu salé traditionnel
- Cheddar industriel
- Cheddar de chèvre
- Croûte fleurie, pâte molle, artisanale
- Croûte lavée, pâte molle, odorante de terroir
- Croûte lavée, pâte semi-ferme, pas trop odorante
- Feta Tournevent
- Gouda
- Pâte semi-ferme, peu ou pas affinée (dans la masse)

Conflits éventuels

- Feta industrielle

Dégustations

BRESSE BLEU (bleu, pâte molle, croûte fleurie)
Explosion crémeuse de douceur et de fruits au contact initial procurant d'agréables sensations. Après l'implosion, la bière s'endort et le fromage applique la lente caresse de son *roqueforti* partout dans la bouche. (***)

SAINT-LOUP (croûte fleurie, pâte molle, lait de chèvre)
Lentement, avec une passion qui se développe dans la maîtrise des gestes, les regards se croisent. L'attraction est manifeste. Les peaux s'effleurent, le frisson de la caresse se dissipe dans les corps. On se fond ensuite l'un dans l'autre et l'implosion ultime est déclenchée. Les caresses postcoïtales prolongent un velours onctueux et généreux dans notre intimité. (***)

CANTONNIER DE WARWICK (croûte lavée, pâte semi-ferme, pas trop odorante)
L'étreinte est si intense qu'elle fait exploser le fromage, dont la crème jaillit alors. Le velouté soyeux du fromage s'étale ensuite lentement, dans toute sa splendeur, à l'intérieur de notre bouche. (**)

ROUY (croûte lavée, pâte molle, pas trop odorante)
Telle la lave irrépressible d'un volcan, le fromage fait jaillir la douceur chocolatée de la bière, qui coule ensuite sur son acidité. (**)

GOUDA (pâte semi-ferme, peu ou pas affinée (dans la masse))
Très belle complémentarité amplifiant la douceur des deux partenaires. Finale sur une note aigre. (**)

SAINT-PAULIN (pâte semi-ferme, peu ou pas affiné (dans la masse))
L'intense étreinte de l'aigre et du doux fait oublier l'âcreté du fromage. La sensation est très agréable. (**)

BORGONZOLA (bleu, pâte molle, croûte fleurie)
La rencontre fait jaillir les saveurs aigres-fruitées qui sommeillaient sous la surface de cette fille des Flandres. (*)

CHÈVRE NOIR (cheddar de chèvre)
On se fait une belle bise onctueuse qui valse sur des airs complémentaires de douceur et d'aigreur. (*)

BRIE (croûte fleurie, pâte molle, industrielle)
Belle union très vite consacrée par laquelle l'un se fond dans l'autre. Quelques seconde s'écoulent puis il ne reste plus rien. Après un bref silence, l'aigreur de la bière revient en crescendo. (*)

CHÈVRE NOIR, 2 ANS (cheddar de chèvre)
La bière reste indifférente aux charmes du fromage qui fait pourtant de grands efforts sucrés pour amoindrir l'aigreur de celle-ci. (0)

FETA (feta)
On a un point commun, l'acidité, alors on se lance vite dans les bras l'un de l'autre. Mais, plus on s'approche, plus le baiser se remplit d'aigreur et plus rester en couple devient insupportable. (-)

Liefmans Kriek (6,5 % alc./vol.)

Indice de mariabilité : 85 % Indice d'amitié : 70 %
Indice orgastique : 15 % Indice conflictuel : 15 %

Épousailles probables

- Bleu, pâte molle, croûte fleurie
- Cheddar industriel
- Croûte fleurie, pâte molle, industrielle

Amitiés probables

- Cheddar de chèvre
- Croûte lavée, pâte semi-ferme, pas trop odorante
- Pâte semi-ferme, peu ou pas affinée (dans la masse)

Conflits éventuels

- Croûte lavée, pâte molle, odorante de terroir

Dégustations

Borgonzolla (bleu, pâte molle, croûte fleurie)
Wow ! Une p'tite vite intense et réussie. Quelle belle fusion ! (***)

Cheddar Black Diamond (cheddar industriel)
Le fromage construit un plancher mur à mur sur notre langue. Lorsque la bière y glisse les pieds, le fruit qu'elle renferme jaillit subitement et danse ensuite sur nos papilles. (***)

Brie (croûte fleurie, pâte molle, industrielle)
Relation qui s'annonce parfaite jusqu'au moment où les coupables s'essoufflent. On sentait pourtant leur implosion imminente. (***)

Édam (pâte semi-ferme, peu ou pas affinée (dans la masse))
La cerise s'unit avec la crème onctueuse et nous enduit l'épithélium d'un glaçage velouté et fruité. (**)

feta Tournevent (feta)
Enveloppe crémeuse autour de la cerise qui s'étale en fines couches. (**)

Saint-Paulin (pâte semi-ferme, peu ou pas affinée (dans la masse))
Quelle belle complémentarité cerise-crème ! (**)

Cantonnier de Warwick (croûte lavée, pâte semi-ferme, pas trop odorante)
Relation très animée qui met de l'avant les qualités de chacun en alternance : douceur et aigre puis crème onctueuse. (*)

Chèvre noir, 2 ans (cheddar de chèvre)
Bel intérêt mutuel. Les conversations amplifient la saveur de cerise sur nos papilles. (*)

Mamirolle (croûte lavée à l'alcool, pâte semi-ferme, odeur moyenne)
Amplification trop forte de l'amertume. Couple voué à l'échec. (-)

Rouy (croûte lavée, pâte molle, pas trop odorante)
Relation âcre-aigre qui se développe dans un crescendo devenant rapidement insupportable. (-)

Quelque Chose (8 % alc./vol.)

Cette bière est une version libre de la bière des Flandres. Elle comporte plusieurs épices et est élaborée pour être à son meilleur réchauffée aux environs de 70 °C. Dans le cadre des épousailles, elle a été servie chambrée.

Indice de mariabilité : 80 %
Indice d'amitié : 55 %
Indice orgastique : 25 %
Indice conflictuel : 20 %

Épousailles probables

- Bleu salé traditionnel
- Bleu, pâte molle, croûte fleurie
- Cheddar de chèvre
- Croûte lavée, pâte semi-ferme, pas trop odorante
- Croûte fleurie, pâte molle, industrielle
- Gruyère

Amitiés probables

- Bleu salé traditionnel
- Bûchette de chèvre
- Cheddar industriel
- Cheddar artisanal/fermier

Conflits éventuels

- Croûte fleurie, pâte molle, industrielle
- Croûte fleurie, pâte molle, lait de chèvre
- Croûte mixte, brossée et lavée, pas trop odorante
- Croûte fleurie, pâte molle, lait de chèvre
- Croûte lavée, pâte semi-ferme, pas trop odorante
- Croûte lavée, odorante de terroir
- Croûte lavée à l'alcool
- Croûte lavée, pâte semi-ferme, pas trop odorante
- Croûte lavée, pâte molle, odorante de terroir
- Pâte semi-ferme, peu ou pas affinée (dans la masse)
- Feta
- Gouda
- Jarlsberg
- Mimolette

Dégustations

bleu Danois (bleu salé traditionnel)
On est pris d'une amitié intense qui bascule vite dans la passion amoureuse, explosive et jouissive. L'amitié revient. On se taquine qui avec sa crème, qui avec son acidité. Finale sur des notes de *roqueforti* enrobées de crème aigre-douce. (***)

Gorgonzola (bleu onctueux)
Le salé du fromage enrobé de sa crème onctueuse enveloppe le sucré explosif de cette bière qui en oublie presque ses épices. On a l'impression que tout fond voluptueusement dans notre gorge pour le simple plaisir de nous faire jouir. (***)

Victor et Berthold (croûte lavée, pâte semi-ferme, pas trop odorante)
Le fromage fait une génuflexion devant la bière, la prend dans ses bras et la transporte sous le palais nuptial pour consommer l'union. Quand la bière s'endort, le fromage fait étalage de sa crème. (***)

Le Fêtard (croûte lavée à l'alcool, pâte semi-ferme, odeur moyenne)
Toute la relation est tricotée de subtilités qui mettent en valeur la richesse gustative des deux partenaires avec une retenue très protocolaire, mais l'explosion des saveurs n'est pas absente de leur flirt. (**)

Jarlsberg (emmental)
Belle rencontre respectueuse et protocolaire qui, au fil de la discussion, se transforme en passion. Finale d'une douceur exquise alors que le fumé du fromage souligne la délicatesse des cerises de la bière. (**)

Chimay (croûte lavée à l'alcool, pâte semi-ferme, odeur moyenne)
On se jauge du regard, on hésite. Le fromage a chaud et laisse échapper une saveur âcre étouffée. On danse finalement ensemble sur le tapis crème du fromage. (*)

Mimolette (mimolette)
Envahissant tous les recoins de notre bouche, la bière brime l'expression du fromage. En finale toutefois, l'éconduit revient étendre un filet de crème sur les fruits. (*)

Paillot de chèvre (bûchette de chèvre)
Franche indépendance du fromage, qui disparaît dès l'arrivée de la bière. Ce n'est qu'à son retour en finale qu'une amitié se développe entre eux. Le fromage étend un drap onctueux sur lequel un filet de cerises coule. (*)

Gouda (pâte semi-ferme, peu ou pas affiné (dans la masse))
Goujate, la bière envoie promener le fromage en un rien de temps. (0)

Cheddar fermier anglais (cheddar artisanal/fermier)
Ils sont attirés mais, dès que leurs épidermes prennent contact, un grincement de dents aigre les sépare. (-)

Nuit-D'Or-Saint-Georges (croûte lavée, pâte molle, pas trop odorante)
La rencontre provoque une altercation sur le thème de l'acidité et de l'aigreur désagréable. (-)

Saint-Paulin (pâte semi-ferme, peu ou pas affiné (dans la masse))
Malgré l'intérêt manifeste de la bière, l'âcreté du fromage ne peut pas s'empêcher d'éclore. (-)

Staffe Hendrick Rousse (6 % alc./vol.)

Indice de mariabilité : 80 %
Indice d'amitié : 65 %
Indice orgastique : 15 %
Indice conflictuel : 20 %

Épousailles probables

- Bleu, pâte molle, croûte fleurie
- Feta à l'huile d'olive Tournevent
- Stilton

Amitiés probables

- Bleu salé traditionnel
- Cheddar industriel
- Croûte lavée, pâte molle, odorante de terroir
- Croûte fleurie, pâte molle, industrielle
- Croûte lavée, pâte semi-ferme, pas trop odorante
- Gruyère
- Pâte semi-ferme, peu ou pas affinée (dans la masse)

Conflits éventuels

- Pâte semi-ferme, peu ou pas affiné (dans la masse)
- Fêta industrielle

Dégustations

BRESSE BLEU (bleu, pâte molle, croûte fleurie)
Éruption de crème soyeuse relevée de fruits au contact initial. Dans les secondes qui suivent, la bière s'assouplit et s'enfonce paisiblement dans un sommeil bienheureux. Le fromage applique alors la douce caresse de ses veines bleutées partout dans notre bouche. (***)

STILTON (stilton)
L'intense personnalité du fromage séduit manifestement cette Flamande, qui devient très douce et en oublie toute son acidité. On sent même la cerise jaillir de l'étreinte. La force du fromage est continuellement présente, mais inséparablement sertie de cette douceur fruitée de la bière. (***)

BLEU DANOIS (bleu salé traditionnel)
Très agréable et très intense relation de douceur. Finale aigre et postfinale désaltérante. (**)

CANTONNIER DE WARWICK (croûte lavée, pâte semi-ferme, pas trop odorante)
La relation met en évidence de façon délicate et plaisante le malt de la bière, subtilement dissimulé derrière ses saveurs aigres-douces. (**)

CHEDDAR BLACK DIAMOND (cheddar industriel)
Ces deux-là se propulsent volontiers dans les bras de l'autre, ils sont presque trop prompts à nous promettre une explosion voluptueuse. Hélas, une hésitation s'empare de leurs élans et ils finissent par ne s'embrasser que tendrement, respectueusement. (**)

BRIE (croûte fleurie, pâte molle, industrielle)
Une relation charmante et moelleuse s'établit dès la rencontre, puis la bière s'affadit et rompt l'étreinte. Le malt chocolaté revient en finale nous bercer de sa solitude. (*)

ÉDAM (pâte semi-ferme, peu ou pas affinée (dans la masse))
Belles caresses onctueuses qui se terminent par l'écoulement en écho d'un filet de crème soyeuse. (*)

GRUYÈRE (gruyère)
Nous éprouvons d'abord une agréable sensation de douceur crémeuse qui s'éteint lentement. La relation développe ensuite des notes aigrelettes qui s'enrobent de brisures de chocolat en finale. (*)

MORBIER L.C. (croûte lavée, pâte semi-ferme, pas trop odorante)
Belle amitié qui souligne la douceur de chacun. La finale est prise en charge par le fromage, qui nous dévoile alors toute la profondeur de son onctuosité. (*)

PETIT MUNSTER (croûte lavée, pâte molle, odorante de terroir)
Tout se passe en douceur de crème fruitée. Relation affectueuse. (*)

SAINT-PAULIN (pâte semi-ferme, peu ou pas affinée (dans la masse))
Bizarre et inconfortable sensation d'acidité âcre qui se transporte du bout de la langue jusqu'au fond de la gorge. (-)

FETA (feta)
Très désagréable rencontre de saveurs sures qui se multiplient. (–)

De garde

La bière de garde actuelle est inspirée des traditions ancestrales françaises de brassage. Le terme de garde fait référence à la longue période de garde, environ 40 jours, qu'elle doit subir pendant sa fermentation secondaire.

Titrant de 6 à 8 % alc./vol., elle offre une robe blonde ou rousse abritant une effervescence moyenne ou forte et dévoilant une mousse onctueuse qui s'agite facilement aux parois du verre. Son nez est dominé par le malt aux notes de caramel et souvent buriné de vanille, d'alcool ou de réglisse (notamment la rousse). Ronde et onctueuse en bouche, elle s'allonge paresseusement jusque dans les profondeurs de notre arrière-goût.

TROIS-MONTS (8 % ALC./VOL.)

Indice de mariabilité : 80 %
Indice d'amitié : 50 %
Indice orgastique : 30 %
Indice conflictuel : 20 %

Épousailles probables
- Bûchette de chèvre

Amitiés probables
- Bleu, pâte molle, croûte fleurie
- Bleu onctueux
- Cheddar de chèvre
- Cheddar artisanal/fermier extra-fort
- Croûte lavée, pâte molle, odorante de terroir
- Croûte lavée, pâte semi-ferme, pas trop odorante

- Croûte lavée, odorante de terroir
- Croûte lavée à l'alcool, pâte semi-ferme, odeur moyenne
- Croûte fleurie, pâte molle, industrielle en conserve
- Gruyère
- Mimolette

Conflits éventuels

- Croûte fleurie, pâte molle, industrielle
- Croûte fleurie, pâte molle, artisanale
- Stilton
- Conflits éventuels
- Croûte mixte, brossée et lavée, pas trop odorante

Dégustations

BLEU DE CHÈVRE (bleu salé traditionnel)
La bière enrobe de façon agréable le chèvre. Il se gonfle alors de tendresse. (***)

CHEDDAR DE CHÈVRE RUBAN BLEU (cheddar de chèvre)
Relation très intense mais qui se termine sur le précipice d'un conflit âcre qui, heureusement, n'explose pas.

EMMENTAL DE CHÈVRE (emmental)
Relation qui provoque des suintements très rafraîchissants. (***)

PORT-SALUT (croûte lavée, pâte semi-ferme, pas trop odorante)
Belle relation intense et crémeuse. (***)

LE BIQUET (crottin de chèvre)
Le fromage s'endort doucement dans les bras de la bière, mais son souffle domine continuellement la relation. (*)

CAPRICE DES DIEUX (croûte fleurie, pâte molle, double crème, industrielle)
Caresses fines tout au long de la relation. Finale qui dévoile l'alcool de la bière. (*)

CHÈVRE DES ALPES AUX HERBES (chèvre frais aux herbes)
On se bécote et les herbes alpines s'en trouvent mises en valeur. (*)

BRESSE BLEU (bleu, pâte molle, croûte fleurie)
Le *roqueforti* projette un ombrage très âcre sur cette relation. (-)

CAMEMBERT ROITELET (croûte fleurie, pâte molle, industrielle)
Indifférence mutuelle jusqu'au moment de l'étalement, où un filet âcre s'exprime trop bien. (-)

CERVOISE LANCELOT (6 % ALC./VOL.)

Indice de mariabilité : 80 % Indice d'amitié : 50 %
Indice orgastique : 30 % Indice conflictuel : 20 %

Il ne s'agit pas vraiment d'une bière de garde mais ses caractéristiques lui construisent un style voisin. Voici une bière très douce, sans amertume lorsque jeune. Une amertume de levure se développe avec l'âge, plus ou moins rapidement en fonction des conditions d'entreposage. Observez comment, avec trois versions d'un même type de fromage, cette bière développe trois intensités différentes. Cette variation souligne l'importance de deux types de variables dans les épousailles : les nuances gustatives ainsi que la température des aliments. Les notes les plus élevées ont en effet été obtenues en fin de dégustation, alors que la température des produits était plus élevée.

Épousailles probables

- Bleu, pâte molle, croûte fleurie

Amitiés probables

- Croûte lavée, pâte semi-ferme, pas trop odorante
- Croûte fleurie, pâte molle, industrielle

Conflits éventuels

- N'en ai pas trouvé

Dégustations

BRESSE BLEU (bleu, pâte molle, croûte fleurie)
Couple très respectable et d'un parfait accord mutuel dont l'union douceur maltée/douceur de crème met en valeur le *roqueforti* du fromage. Un peu comme si les veines bleutées du fromage étaient les enfants de ces amants. (***)

COULOMMIERS ROITELET (croûte fleurie, pâte molle, industrielle)
Belle complicité sur des notes aigres-douces jaillissant de la bière, enrobées de la crème onctueuse et fondante du fromage. (**)

CAMEMBERT ROITELET (croûte fleurie, pâte molle, industrielle)
Fréquentations caressantes qui, quoique empreintes de la timidité du fromage, sont habilement soulignées par la douceur de la bière. (*)

CAPRICE DES DIEUX (croûte fleurie, pâte molle, double crème, industrielle)
La bière efface toute présence du fromage dès son arrivée en bouche. On reconnaît quelques échos de la crème de ce dernier en étalement. (0)

Désinvolte

Les bières de cette famille sont destinées à un marché le plus grand possible, en fonction des groupes visés par le marketing de la brasserie. Les seuils de perception de ces bières sont considérablement limités, mais réels et déterminants dans les épousailles. Nous pouvons les diviser en deux sous-groupes importants : les bières au caractère « sec » (pas nécessairement synonymes de dry) et les bières douces (légèrement sucrées). Goûtez côte à côte une Labatt 50 et une Molson Export : leur différence vous sautera aux papilles !

Blonde ou rousse, la couleur de cette bière ne veut rien dire. Elle offre un pétillement moyen-faible dont la mousse modeste et fugace adhère peu aux parois du verre. Flaveurs dominantes de malt et souvent de chou et de maïs. Saveur de base : douce à très douce. Rondeur : moyenne à mince. Étalement dominé par des saveurs douces, sans trop d'arrière-goût.

Par leur tendance à être sucrées, les bières de cette catégorie s'associent généralement bien à une grande variété de fromages. Il faut toutefois faire attention aux bouteilles vertes ou translucides, qui permettent une piètre protection des qualités de leur contenu. Les flaveurs de mouffette sont un défaut et constituent généralement un obstacle aux épousailles. Confier à l'être choisi pour se lancer en l'air, quelques secondes avant les ébats, que l'on est atteint d'une MTS, ça ramollit l'objet du désir ça, mon vieux...

Des exemples : Budweiser, Stella Artois, Heineken, Corona, Labatt 50, Molson Export, Kronenbourg, etc.

BORÉALE DORÉE (5 % ALC./VOL.)

Indice de mariabilité : 60 % | Indice d'amitié : 50 %
Indice orgastique : 10 % | Indice conflictuel : 40 %

Épousailles probables

- Croûte lavée, pâte semi-ferme, pas trop odorante

Amitiés probables

- Pâte semi-ferme, peu ou pas affinée (dans la masse)
- Cheddar de chèvre
- Bleu salé traditionnel
- Chèvre frais
- Croûte lavée, pâte molle, odorante de terroir

Conflits éventuels

- Oka régulier

Dégustations

ROUY (croûte lavée, pâte molle, pas trop odorante)
On connaît dès le départ l'aboutissement garanti de son potentiel réciproque. On ne perd donc pas son temps. WOW ! Quelle fiesta intense. (***)

OKA CLASSIQUE (croûte lavée, pâte semi-ferme, pas trop odorante)
Le fromage amplifie la douceur de la bière. Cette dernière devient très racoleuse. (**)

SAINT-PAULIN (pâte semi-ferme, peu ou pas affinée (dans la masse))
Belle complicité de natures semblables. (**)

CHÈVRE NOIR, 2 ANS (cheddar de chèvre)
La bière sait comment se mettre en valeur en s'appuyant sur la finesse du fromage. (*)

Bleu d'Auvergne (bleu salé traditionnel)
Le fromage s'efface trop rapidement devant cette bière. (0)

Chèvre fin Tournevent (bûchette de chèvre)
Le fromage est complètement dominé par la bière. Il ne revient qu'en finale se faire valoir. (0)

Mamirolle (croûte lavée à l'alcool, pâte semi-ferme, odeur moyenne)
Le fromage domine totalement et la bière disparaît derrière lui. (0)

Oka régulier (croûte lavée, pâte semi-ferme, pas trop odorante)
Le fromage soulève toute l'âcreté de la bière. (-)

Corona (5 % alc./vol.)

Indice de mariabilité : 50 % | Indice d'amitié : 40 %
Indice orgastique : 10 % | Indice conflictuel : 50 %

Les échantillons étaient légèrement « mouffette », c'est-à-dire qu'ils avaient développé un goût évoquant cette petite bête dû à une exposition à la lumière. Cette saveur a beau être typique de cette bière, elle n'en constitue pas moins un défaut important. La majorité des consommateurs l'ignorant, ils associent cette caractéristique gustative à une qualité et elle le devient par le fait même !

Épousailles probables

- N'en ai pas trouvé

Amitiés probables

- Bleu onctueux
- Bleu salé traditionnel
- Cheddar industriel
- Croûte lavée, pâte semi-ferme, pas trop odorante
- Pâte semi-ferme, peu ou pas affinée (dans la masse)

Conflits éventuels

- Croûte fleurie, pâte molle, industrielle
- Feta
- Pâte semi-ferme, peu ou pas affinée (dans la masse)

Dégustations

Saint-Paulin (pâte semi-ferme, peu ou pas affinée (dans la masse))
On se reconnaît vite, on fait partie du même club de personnalités spéciales... On s'estime, on s'aime. (***)

Bleu des Causses (bleu salé traditionnel)
Malgré toutes les hésitations du *roqueforti* devant l'inévitable, un mariage est célébré en catimini entre la bière et la crème. Ayant rendu les armes, les veines bleutées chantent la marche nuptiale en finale. (*)

CANTONNIER DE WARWICK (croûte lavée, pâte semi-ferme, pas trop odorante)
Agréable embrassade du fromage qui enrobe la bière de crème onctueuse. (*)

STILTON (stilton)
Effacement soudain de toute sensation, mais finale particulièrement crémeuse. (*)

CHEDDAR MI-FORT BLACK DIAMOND (cheddar industriel)
La bière disparaît inéluctablement dès qu'elle aperçoit ce fromage.

ÉDAM (pâte semi-ferme, peu ou pas affinée (dans la masse))
Âcre. La douceur profonde de l'édam prend le dessus en finale, mais trop tard. (-)

FETA (feta)
Âcre, tellement âcre... (–)

OKA CLASSIQUE (croûte lavée, pâte semi-ferme, pas trop odorante)
Après une belle promenade du fromage sur notre langue, la bière gâche tout par son arrivée ! Tout devient âcre. (–)

HARP (5 % ALC./VOL.)

Indice de mariabilité : 90 %
Indice d'amitié : 80 %
Indice orgastique : 10 %
Indice conflictuel : 10 %

Épousailles probables

- Croûte lavée, pâte semi-ferme, pas trop odorante

Amitiés probables

- Bleu, pâte molle, croûte fleurie
- Cheddar de chèvre
- Chèvre frais
- Crottin de chèvre
- Croûte fleurie, pâte molle, lait de chèvre
- Croûte fleurie, pâte molle, industrielle
- Gruyère

Conflits éventuels

- Chèvre frais aux herbes

Dégustations

PORT-SALUT (croûte lavée, pâte semi-ferme, pas trop odorante)
Par la très grande générosité du fromage, l'étreinte intense produit une belle implosion très agréable et somptueuse. Il nous convainc que cette bière est une « lager d'origine ». (***)

BARBU (crottin de chèvre)
Le fromage accepte volontiers de courtiser cette bière populaire. Il se fait très rond et doux dès qu'elle lui caresse le corps. (**)

BRESSE BLEU (bleu, pâte molle, croûte fleurie)
Le *roqueforti* s'attendrit et s'enrobe de l'épaisse couche crémeuse que lui offre son complément fromager. On entend la bière ricaner de plaisir. (**)

Vigneron suisse (gruyère)
Belle étreinte intense et musclée faisant fondre la crème du fromage, qui ruisselle ensuite paisiblement sur notre langue, de façon langoureuse. (**)

Le Biquet (chèvre frais)
Le fromage prend l'initiative de la relation et ouvre bien grand ses bras crémeux. L'étreinte intense nous fait découvrir une bière plutôt attendrissante. (*)

Cabrie (croûte fleurie, pâte molle, lait de chèvre)
Malgré les avances du fromage dont la salive crémeuse nous donne le goût de l'embrasser, la bière se contente d'une timide caresse. (*)

Camembert Roitelet (croûte fleurie, pâte molle, industrielle)
Bécotage crème-sucre timide empreint d'amitié. (*)

Caprice des Dieux (croûte fleurie, pâte molle, double crème, industrielle)
Après un croisement de regards intéressés dont on sent le désir charnel se profiler sur l'horizon de nos papilles, la bière se lasse et quitte bien avant que le fromage n'ait fini de s'exprimer. (*)

Capriny aux herbes (chèvre frais aux herbes)
La crème du fromage s'évapore subitement, laissant les herbes seules. Elles font alors sentir le côté désagréable de leurs personnalités. (-)

Labatt Bleue (5 % alc./vol.)

Indice de mariabilité : 80 %
Indice d'amitié : 80 %
Indice orgastique : 10 %
Indice conflictuel : 10 %

Épousailles probables

- Emmental

Amitiés probables

- Bleu, pâte molle, croûte fleurie
- Bleu salé traditionnel
- Cheddar industriel
- Croûte fleurie, pâte molle, industrielle
- Croûte lavée, pâte semi-ferme, pas trop odorante
- Pâte semi-ferme, peu ou pas affinée (dans la masse)
- Stilton

Conflits éventuels

- N'en ai pas trouvé

Dégustations

Emmental (emmental)
Relation complémentaire parfaite par laquelle la fine pellicule de maïs enrobe le fromage. Ce dernier libère quelques effluves de noix dans une finale longue et savoureuse. (***)

CANTONNIER DE WARWICK (croûte lavée, pâte semi-ferme, pas trop odorante)
Harmonie fine dans laquelle la crème fond paresseusement. Après un pivot de maïs, la finale à la clé s'écoule lentement. (**)

CHEDDAR MI-FORT BLACK DIAMOND (cheddar industriel)
Très agréable relation sucrée-crémeuse. (**)

ÉDAM (pâte semi-ferme, peu ou pas affinée (dans la masse))
Le sucre de la bière enrobe bien les muscles du fromage et rend la rencontre agréable. (**)

BORGONZOLA (bleu, pâte molle, croûte fleurie)
Timide relation où le *roqueforti* disparaît pour laisser le plancher de danse au couple maïs-crème. (*)

BRIE (croûte fleurie, pâte molle, industrielle)
Délicate bise un peu âcre mais plaisante. Finale aux notes de champignons crémeux. (*)

MORBIER (croûte lavée, pâte semi-ferme, pas trop odorante)
La relation s'annonce intéressante au début, sur une note crémeuse, mais une saveur âcre interfère. Heureusement, une finale crémeuse sauve le couple. (*)

SLEEMAN CREAM ALE (5 % ALC./VOL.)

Indice de mariabilité : 65 % Indice d'amitié : 55 %
Indice orgastique : 10 % Indice conflictuel : 35 %

Épousailles probables
- Croûte fleurie, pâte molle, industrielle

Amitiés probables
- Bleu onctueux
- Bleu, pâte molle, croûte fleurie
- Cheddar artisanal/fermier
- Chèvre frais
- Croûte lavée, pâte semi-ferme, pas trop odorante

Conflits éventuels
- Pâte molle triple crème, croûte fleurie, industrielle
- Pâte semi-ferme, peu ou pas affinée (dans la masse)

Dégustations

ROUCOULONS (croûte mixte, brossée et lavée, pas trop odorante)
La forte personnalité du fromage est séduite par la dimension douce de la bière et réussit à nous convaincre que sa compagne est généreuse de finesse onctueuse ! Devant cette démonstration, la fille de Guelph se fait mielleuse et ronronne allégrement son bonheur de se sentir une grande bière. Elle se pavane alors jovialement en route vers nos profondeurs. (***)

CHEDDAR BALDERSON HÉRITAGE, 1 AN (cheddar artisanal/fermier)
La bière se laisse totalement séduire par ce fromage et allonge dans notre gorge un voile d'une grande douceur, devenant presque une lager d'origine ! Le mariage est toutefois timide, sans passion débordante, mais quand même réussi et durable. (**)

CHÈVRE DES NEIGES NATURE (chèvre frais)
La flaveur légère de mouffette qui émerge de la bouteille de Sleeman s'harmonise agréablement avec beaucoup d'intensité à l'aigreur du chèvre. Les tourtereaux disparaissent ensuite graduellement dans le fond de notre corps. (*)

BLEU DE CASTELLO (bleu onctueux)
La bière amorce la relation en affirmant son amertume solide mais brève, puis elle disparaît soudainement. La table est mise pour que le fromage vienne s'épanouir dans toute sa force sur notre langue. Lentement, il dévoile sa force imprégnée d'une douceur étonnante. Il règne ensuite dans la souvenance de nos papilles. (*)

PONT-L'ÉVÊQUE (croûte lavée, pâte molle, pas trop odorante)
À la première gorgée, la bière nous offre une morsure plutôt agressive en apercevant ce fromage mais, dès la deuxième lampée, elle s'amadoue. Tout en affirmant ce volet étonnant de sa personnalité (l'amertume), elle tresse un voile sur lequel le fromage peut nous offrir la douceur profonde de son caractère. En fin d'étalement, des sensations agréables imprègnent notre épithélium. (*)

SAINT-ANDRÉ (croûte fleurie, pâte molle, triple crème, industrielle)
Incompatibilité des caractères dès qu'ils se rencontrent. Le fromage réussit à faire très mal paraître la bière, qui devient d'une âcreté très désagréable. (-)

PONT-L'ÉVÊQUE PRISE 2 (croûte lavée, pâte semi-ferme, pas trop odorante)
La bière efface d'un seul trait toute trace de fromage et dévoile dans son geste une autorité amère insoupçonnée. Dès son triomphe assurée, la bière disparaît rapidement. Nous sentons alors les efforts du fromage blessé dans sa fierté nous séduire en nous renvoyant les plus beaux souvenirs de son passage. (-)

OKA CLASSIQUE (croûte lavée, pâte semi-ferme, pas trop odorante)
Dans la rencontre initiale, la bière sait présenter ses plus beaux atours onctueux pour séduire ce fromage. Par contre, dès la deuxième bouchée-gorgée, une indifférence mutuelle s'installe. La relation cesse toutefois de se détériorer. (*)

TREMBLAY (5 % ALC./VOL.)

Indice de mariabilité : 85 %
Indice d'amitié : 75 %
Indice orgastique : 10 %
Indice conflictuel : 15 %

Épousailles probables

- N'en ai pas trouvé

Amitiés probables

- Cheddar de chèvre
- Chèvre frais
- Croûte lavée, pâte semi-ferme, pas trop odorante
- Feta Tournevent, huile d'olive

Conflits éventuels

- N'en ai pas trouvé

Dégustations

CANTONNIER DE WARWICK (croûte lavée, pâte semi-ferme, pas trop odorante)
Belle harmonie de saveurs sur le thème de la douceur. Finale crémeuse. (**)

CHÈVRE NOIR, 2 ANS (cheddar de chèvre)
La bière se gonfle de douceur onctueuse et maltée, mais le fromage ne semble pas s'intéresser à elle. Lorsqu'il se décide enfin, il se gonfle de flaveurs onctueuses, mais la bière n'y est plus. (**)

FETA TOURNEVENT, HUILE D'OLIVE (feta)
La bière souligne la richesse des flaveurs du fromage et de ses pores gavés de fines herbes. (**)

FETA TOURNEVENT, SAUMURE (feta)
Relation qui souligne la profondeur de la personnalité des partenaires sur un fond aigre. (*)

ROUY (croûte lavée, pâte molle, pas trop odorante)
Union de fraîcheur qui enveloppe la bouche. La force du fromage vient ensuite dominer le paysage buccal de toute sa vigueur. (*)

CHÈVRE FIN TOURNEVENT (bûchette de chèvre)
Totale domination du chèvre, qui intimide la bière. (0)

U (4,9 % ALC./VOL.)

Indice de mariabilité : 85 %
Indice d'amitié : 75 %
Indice orgastique : 10 %
Indice conflictuel : 15 %

Épousailles probables

- N'en ai pas trouvé

Amitiés probables

- Bûchette de chèvre
- Cheddar artisanal/fermier
- Cheddar de chèvre
- Croûte lavée à l'alcool, pâte molle, très odorante
- Croûte mixte, brossée et lavée, pas trop odorante
- Croûte fleurie, pâte molle, lait de chèvre
- Croûte lavée, pâte semi-ferme, pas trop odorante
- Croûte lavée à l'alcool, pâte semi-ferme, odeur moyenne
- Emmental
- Gruyère
- Mimolette
- Stilton

Conflits éventuels

- Croûte fleurie, pâte molle, industrielle

Dégustations

COMTÉ FRANÇAIS (gruyère)
Belle tendresse initiale qui se développe ensuite sur nos papilles. Une relation tout en douceur s'installe et mène au début d'une passion soyeuse. (**)

NUIT-D'OR-SAINT-GEORGES (croûte lavée, pâte molle, pas trop odorante)
Relation crémeuse à souhait et d'une tendresse généreuse. On a l'impression que le fromage se gonfle dans notre bouche. La bière vient alors envelopper tout cet espace avec une désinvolture ingénue et appose son filet de sucre de façon très efficace. (**)

ROUY (croûte lavée, pâte molle, pas trop odorante)
La puissance de ce fromage élève la bière à des hauteurs de douceur très intenses pendant un bref moment. Le fromage roucoule ensuite d'un plaisir angélique. (**)

CHEDDAR FERMIER ANGLAIS (cheddar artisanal/fermier)
La bière gonfle la poitrine et, l'espace d'un souffle, elle se transforme en créature plantureuse. Le fromage revient alors dans le but évident de la caresser, mais la bière essoufflée est déjà partie. Le fromage se fait doux dans ses appels insistants, mais il n'obtient pas le succès escompté. (*)

LE FÊTARD (croûte lavée à l'alcool, pâte semi-ferme, odeur moyenne)
Le fin drap de maïs dont la bière couvre le fromage suffit pour mettre en valeur le côté crémeux de son caractère. Dans ce geste, il dissimule alors sa dimension amère, ce qui le rend plutôt sympathique et de bonne compagnie. (*)

JARLSBERG FUMÉ (emmental)
La bière réussit sans effort à amadouer ce bonhomme de fromage aux traits bien définis. Elle colle à lui jusqu'à la toute fin de l'étalement. On sent alors quelques plaisirs fumés planer au-dessus du couple. (*)

CHEDDAR PERRON (cheddar artisanal/fermier)
Le fromage s'empare de notre bouche avec un grand déploiement de saveurs et d'onctuosité. À l'apparition de la bière, il tire momentanément sa révérence afin de laisser passer cette blonde trop désinvolte pour lui. Il reviendra en finale compléter ses manœuvres veloutées. (0)

STILTON (stilton)
Malgré sa légèreté, la bière s'empare de tout l'espace palatal et le fromage se fait tout petit, le temps que le liquide s'évapore. Il revient plus tard sur la pointe des pieds nous rappeler son existence. (0)

VICTOR ET BERTHOLD (croûte lavée, pâte semi-ferme, pas trop odorante)
Le gaillard de fromage semble séduit par l'arrivée de cette bière dans son espace vital et se fait doux. Ingrate, la bière ne remarque même pas son passage. (0)

CAMEMBERT CARON (croûte fleurie, pâte molle, industrielle)
Le flirt s'annonce intéressant mais, après le toucher originel, le fromage gâche-tout s'aigrit et devient amer. (-)

Double

Le style fut originellement développé par l'abbaye de Westmalle en Belgique. L'utilisation du mot double signifie, tout simplement « double densité » et indique un pourcentage d'alcool plus élevé que la bière « simple » (terminologie jamais utilisée). Voici une bière plutôt sucrée, aux notes de chocolat, titrant de 7,5 à 9 % alc./vol. Sa robe brun foncé, souvent voilée par les levures de sa refermentation ainsi que par ses protéines, est illuminée par un pétillement moyen ou fort. Sa mousse épaisse, onctueuse et persistante adhère parfaitement au verre et trace une jolie dentelle. Ses flaveurs sont nettement dominées par la douceur de malt et de chocolat, le tout enrobé d'alcool. En deuxième plan, des effluves d'alcool. Au nez, son malt, son caramel, son chocolat et ses nuances d'alcool estérifiées se distinguent facilement. Plutôt sucrée-chocolatée, elle offre une présence enveloppée d'alcool en bouche. Rarement amères, ses saveurs de houblon sont habituellement imperceptibles. Son arrière-goût est généralement dominé par la douceur et des nuances de chocolat, de caramel et quelques pointes d'alcool.

Il est à noter que certaines marques tracent une frontière floue avec les scotch ale, ou les quadruples. Voici une famille de bière qui épouse un grand nombre de types de fromage.

Des exemples : Affligem Double, Cuvée de l'Ermitage, Double de Westmalle, Chimay bleue, Corsendonck Pater, Douglas Scotch Ale, Ename Double, Floreffe Meilleure, Gauloise Brune, Grimbergen double, Het Kapitel Pater, Leffe Vieille Cuvée, Maredsous 8, Postel Double, St-Bernardus Prior, St-Idesbald Double, St-Paul Double, St-Sebastiaan Dark, Steenbrugge Double, Tongerlo Double, Westvleteren Bleue, Witkap Pater Double.

Bonté Divine (7 % alc./vol.)

Cette bière ressemble à une double, assise sur une clôture comme un mec observant dans la cour des Belges blondes...

Indice de mariabilité : 65 %
Indice d'amitié : 50 %
Indice orgastique : 15 %
Indice conflictuel : 35 %

Épousailles probables

- Bûchette de chèvre
- Croûte lavée, pâte semi-ferme, pas trop odorante

Amitiés probables

- Cheddar vieilli de Charlevoix

- Croûte lavée à l'alcool, pâte semi-ferme, odeur moyenne
- Cheddar de chèvre
- Croûte lavée, pâte molle, pas trop odorante
- Cheddar fermier
- Croûte lavée à l'alcool, pâte semi-ferme, odeur moyenne
- Croûte lavée, pâte semi-ferme, pas trop odorante
- Croûte mixte, brossée et lavée, très odorante

Conflits éventuels

- N'en ai pas trouvé

Dégustations

Le Migneron de Charlevoix (croûte lavée, pâte semi-ferme, pas trop odorante)
Comme si la bière avait été élaborée pour accompagner spécifiquement ce fromage, ou vice-versa. On se prend les mains, sur une note acide, pour amorcer une danse de toutes les saveurs : fruité, salé, de céréales et de crème. (***)

Paillot de chèvre (bûchette de chèvre)
Bonté divine ! Que voici un mariage nuptial ! On goûte l'étable et la brasserie dans leur évocation la plus noble. Une noce à la campagne, une fête joyeuse ! (***)

Cheddar vieilli de Charlevoix (cheddar artisanal/fermier)
Une sortie de grande classe. Aucune frivolité, que du sérieux ! La bière revêt son smoking et laisse ses saveurs acides et sucrées à la maison. Elle se fait tout malt. Le fromage, pour l'accompagner, bras dessus, bras dessous, lui propose juste ce qu'il faut d'amertume. (**)

Le Fêtard (croûte lavée à l'alcool, pâte semi-ferme, odeur moyenne)
La Bonté Divine ne pouvant résister à l'appel de la fête, elle y va gaiement de ses notes expressives de sucré. L'amertume fait tourner la danse. Comme les saveurs ne manquent pas, on change aisément de registre et nous voilà repartis dans un slow langoureux où les rapprochements se font plus intimes. (**)

Nuit-D'Or-Saint-Georges (croûte lavée, pâte molle, pas trop odorante)
Une belle promenade dans un parc municipal un dimanche matin. Sage. Bien élevé. Mignon. Simple. (*)

Sir Laurier d'Arthabaska (croûte lavée, pâte molle, pas trop odorante)
La bière étreint trop fort le fromage. Juste quand on s'apprête à hurler qu'elle le noie, le malheureux remonte à la surface comme une bulle et vient ajouter une teinte noisette au goût dominant de sa curieuse partenaire. (*)

Cheddar fermier anglais (cheddar artisanal/fermier)
Les secrets du cheddar fermier sont impénétrables pour la bière de Charlevoix. Au plus, la bière vient-elle déposer un brin de poussière sur le goût résiduel du fromage. (0)

Chimay (croûte lavée à l'alcool, pâte semi-ferme, odeur moyenne)
Que ce soit la bière qui suive le fromage ou le contraire, le dernier arrivé en bouche chasse le souvenir de l'autre. Une finale feutrée nous laisse croire à une union possible. C'est, à mon humble avis, peine perdue. (0)

La Maudite (jeune, plus sucrée) (8 % alc./vol)

Indice de mariabilité : 85 % | Indice d'amitié : 60 %
Indice orgastique : 25 % | Indice conflictuel : 15 %

À noter que les échantillons de La Maudite utilisés avaient différents âges. Les plus jeunes offrent une saveur plus sucrée et obtiennent un indice de mariabilité 10 % supérieur. À noter également que La Maudite n'est pas véritablement une double. Il s'agit d'une indépendante de caractère qui partage avec les doubles la douceur sucrée, dans son enfance seulement. Dès son adolescence, elle développe sa personnalité originale.

Épousailles probables

- Bleu salé traditionnel
- Bûchette de chèvre
- Cheddar de chèvre
- Cheddar artisanal/fermier
- Chèvre frais aux herbes
- Croûte fleurie, pâte molle, industrielle
- Croûte lavée à l'alcool, pâte semi-ferme, odeur moyenne
- Croûte lavée, odorante de terroir
- Croûte lavée, pâte semi-ferme, pas trop odorante
- Gruyère

Amitiés probables

- Bleu salé traditionnel
- Cheddar de chèvre
- Crottin de chèvre
- Croûte fleurie, pâte molle, artisanal
- Croûte lavée, pâte semi-ferme, pas trop odorante
- Croûte fleurie, pâte molle, lait de chèvre
- Croûte lavée, pâte molle, odorante de terroir
- Croûte lavée à l'alcool
- Gruyère
- Tomme de brebis

Conflits éventuels

- Bleu, pâte molle, croûte fleurie
- Chèvre frais
- Croûte fleurie, pâte molle, triple crème, industrielle

Dégustations

Capriny aux herbes (chèvre frais aux herbes)
La bière enrobe le fromage dans un écrin qui amplifie les herbes et leur donne un air de grands jardins parfumés très champêtres. (***)

CHEDDAR FERMIER ANGLAIS (cheddar artisanal/fermier)
Relation plutôt virile alors que la bière se fait très aigre pour mater l'énergie du fermier mais ne réussit qu'à l'amplifier. Rusé, l'indocile en profite pour montrer le beau côté de sa musculation sans nous intimider. (***)

COMTÉ FRANÇAIS (gruyère)
Coup de foudre qui se manifeste toutefois avec beaucoup de réserve. Quelques secondes après la rencontre, on s'en donne à cœur joie, à la gloire d'Aphrodite et de notre propre jouissance. (***)

ROQUEFORT (bleu salé traditionnel)
Belle danse ludique entre les deux tourtereaux réunis par un coup de foudre de douceur. L'union est particulièrement lascive, très « plaisir facile », très « Faisons-le encore ». On ne se perd pas en finesse, on sait ce qu'on doit faire. Les deux tourtereaux maîtrisent l'art de faire durer le plaisir longtemps dans notre étalement (***)

BARBU (crottin de chèvre)
La bière enveloppe ce fromage d'une étreinte généreuse et inconditionnelle. Lorsqu'elle s'endort, il répand sa joie sur nos papilles avec une belle exubérance. (**)

BLEU DE CHÈVRE (bleu salé traditionnel)
Le coup de foudre est intense et irrésistible. Alors que l'on croit imminente l'implosion jouissive, PAF ! tout se vide et vire à l'eau. En finale, nous reconnaissons l'écho des veines bleues. (**)

CHÈVRE DES ALPES AU POIVRE (chèvre frais au poivre)
L'écrin de douceur qui jaillit de la bière lorsqu'elle enrobe le fromage est d'une belle onctuosité et rend le poivre très agréable. Finale crémeuse de fromage. (**)

MIMOLETTE (mimolette)
La bière veut spontanément s'envoyer en l'air avec ce fromage, mais ce dernier hésite. Il accepte finalement de se laisser aller, mais avec une certaine retenue, ce qui résulte en une aventurette. (**)

CHÈVRE DES NEIGES NATURE (chèvre frais)
Le fromage est intimidé devant cette bière qui vient d'un autre monde. Il lui laisse tout l'avant-scène et elle exhibe alors tous ses atours. Pendant qu'elle entre dans nos quartiers intimes, le quadrupède revient doucement sur la pointe des pattes compléter sa propre démonstration dénuée d'acidité, comme si la mémoire de la douceur de La Maudite protégeait notre langue. (*)

L'EXPLORATEUR (croûte lavée, pâte molle, pas trop odorante)
Nous assistons dès la rencontre à un jeu de snobisme mutuel puis, soudainement, les deux s'esclaffent et s'enfoncent côte à côte dans la nuit. À l'abri des regards indiscrets, ils s'en donnent probablement à cœur joie, car nous pouvons noter en après-goût la montée d'une brise aguichante de douceur. (*)

SAINT-NECTAIRE (croûte lavée, pâte molle, pas trop odorante)
Relation très animée où nous passons par toutes les émotions; de la tendresse à des échanges musclés. Finale où le fromage se met en valeur sur une note un peu âcre. (*)

CHEDDAR DE CHÈVRE RUBAN BLEU (cheddar de chèvre)
Indifférence mutuelle marquée par trop d'hésitations. (0)

Le Biquet (chèvre frais)
La bière dévoile son existence sans jamais remarquer la présence du fromage. (0)

Mamirolle (croûte lavée à l'alcool, pâte semi-ferme, odeur moyenne)
La bière endort complètement ce fromage, qui disparaît à tout jamais. (0)

Roucoulons (croûte mixte, brossée et lavée, pas trop odorante)
De toute évidence, La Maudite est séduite par le tendre garçon, mais lui ne veut rien savoir. En réponse à son retrait, elle fait un effort additionnel en mettant en valeur toute sa douceur, qui devient alors lourde, évoquant même un sirop épais. (-)

Bleu de Castello (bleu onctueux)
Le fromage est totalement réfractaire à s'unir avec cette bière, qui, de son côté, dévoile une certaine aigreur et même de l'amertume. On s'étonne car la dame en semblait dénuée. C'est un peu comme si le *roqueforti* du fromage, par un truc de ventriloque, nous donnait l'impression que la bière est amère. Le conflit s'amplifie au fil des gorgées. (-)

Saint-André (croûte fleurie, pâte molle, triple crème, industrielle)
La bière refuse de boire au même vase que le fromage et s'aigrit d'avoir à partager une intimité non souhaitée. (-)

La Maudite (vieille, plus sèche) (8 % alc./vol.)

Indice de mariabilité : 75 %
Indice d'amitié : 55 %
Indice orgastique : 20 %
Indice conflictuel : 25 %

Dégustations

Beaufort L.C. (gruyère)
Belles intentions et belles promesses qui hésitent à se rendre jusque dans la chambre nuptiale. Une fois la porte franchie, la crème jaillit de toute part, arrosée d'éclats résiduels d'un sucre qu'on croyait disparu. (***)

Munster Reny Rudler (croûte lavée, pâte molle, odorante de terroir)
L'union est spontanée et légèrement sucrée et un couple solide se développe dans une relation tricotée d'amitié et de plaisirs charnels combinés. (***)

Brie de Meaux (croûte fleurie, pâte molle, artisanale)
C'est comme si, dès le croisement des regards, on constatait déjà que l'on vient de manquer un rendez-vous important. Une question de chronomètre. La sensation demeure agréable. (**)

Chèvre noir, 2 ans (cheddar de chèvre)
Le chèvre s'efface pour laisser passer la bière. Il revient en finale, tant bien que mal, mais réussit à nous faire de beaux câlins. (**)

Parmigiano Regiano (parmesan)
La bière efface toute présence du fromage. Il en reste néanmoins une sensation délicate et agréable. (**)

Reblochon (croûte lavée, pâte molle, pas trop odorante)
L'étreinte est très intense au début, mais on se lasse rapidement. (*)

SAINTE-MAURE (bûchette de chèvre à croûte naturelle)
L'hésitation est présente du début à la fin, malgré certaines affinités. (*)

VICTOR ET BERTHOLD (croûte lavée, pâte semi-ferme, pas trop odorante)
Malgré l'attrait du fromage à l'égard de la bière, cette dernière se fait plutôt acerbe. (*)

BLEU SAINT-AGUR (bleu onctueux)
Le fromage a trop de finesse pour cette bière. (0)

MIMOLETTE (mimolette)
Le fromage est définitivement trop puissant pour cette bière. (0)

PORT-SALUT (croûte lavée, pâte semi-ferme, pas trop odorante)
La bière se fait trop âcre. (-)

STEENBRUGGE DOUBLE (6,5 % ALC./VOL.)

Indice de mariabilité : 95 %
Indice d'amitié : 75 %
Indice orgastique : 20 %
Indice conflictuel : 5 %

Épousailles probables

- Bleu, pâte molle, croûte fleurie
- Croûte fleurie, pâte molle, lait de chèvre
- Croûte fleurie, pâte molle, industrielle

Amitiés probables

- Bleu, pâte molle, croûte fleurie
- Cheddar artisanal/fermier
- Cheddar de chèvre
- Chèvre frais
- Croûte lavée, pâte semi-ferme, pas trop odorante
- Gruyère

Conflits éventuels

- N'en ai pas trouvé

Dégustations

BRESSE BLEU (bleu, pâte molle, croûte fleurie)
Doux plaisir du sucre de la bière qui enveloppe de toute sa tendresse le *roqueforti* du fromage et dévoile la profondeur de sa tendresse. Le couple nous caresse longtemps. (***)

CABRIE (croûte fleurie, pâte molle, lait de chèvre)
Belle union très harmonieuse quoique peu intense, mais d'une complémentarité parfaite. (***)

COULOMMIERS ROITELET (croûte fleurie, pâte molle, industrielle)
Très grande douceur crémeuse qui jaillit et qui dure longtemps. (***)

LE BIQUET (chèvre frais)
Belle harmonie de douceur qui se termine par des notes rafraîchissantes. (**)

Bresse bleu prise 2 (bleu, pâte molle, croûte fleurie)
Intense étreinte qui se termine par le ronronnement soyeux du *roqueforti.* (**)

Camembert Roitelet (croûte fleurie, pâte molle, industrielle)
Amplification timide de belles sensations de part et d'autre. Finale crémeuse. (*)

Caprice des Dieux (croûte fleurie, pâte molle, double crème, industrielle)
Indifférence totale bien que leurs présences parallèles soient très agréables. (*)

Chèvre noir (cheddar de chèvre)
La bière enveloppe le fromage d'un écrin de douceur. Ce dernier en ressort pour s'exprimer lui-même de façon indépendante. (*)

Cheddar de chèvre Ruban Bleu (cheddar de chèvre)
L'attrait est palpable, mais on reste sur ses gardes. (0)

Vondel (8,5 % alc./vol.)

Cette bière constitue un bel exemple d'un style à la frontière des doubles et des scotch ale.

Indice de mariabilité : 80 %
Indice d'amitié : 60 %
Indice orgastique : 20 %
Indice conflictuel : 20 %

Épousailles probables

- Croûte lavée, pâte semi-ferme, pas trop odorante
- Gruyère
- Croûte lavée à l'alcool

Amitiés probables

- Bleu, pâte molle, croûte fleurie
- Croûte fleurie, pâte molle, industrielle
- Cheddar industriel

Conflits éventuels

- Bleu salé traditionnel
- Pâte semi-ferme, peu ou pas affinée (dans la masse)
- Feta

Dégustations

Comté français (gruyère)
Attirance mutuelle qui se poursuit jusqu'à l'implosion de la crème chocolatée de la bière. Les caresses postcoïtales s'éternisent dans un bonheur paisible. (***)

Nuit-d'Or-Saint-Georges (croûte lavée, pâte molle, pas trop odorante)
Explosion lascive entre deux jouissifs compulsifs dénués d'inhibitions. Le fromage domine la relation du début jusqu'à la fin. La bière s'y complaît et participe aux jeux avec beaucoup d'avidité. (***)

Cantonnier de Warwick (croûte lavée, pâte semi-ferme, pas trop odorante)
Confort extrême et très aristocratique de l'onctuosité mutuelle (crème et sucre) qui exécute une belle valse. (***)

GRUYÈRE (gruyère)
Quelles belles caresses onctueuses, crémeuses aux notes de caramel et de chocolat qui fond voluptueusement dans le cœur du fromage et qui s'écoule nonchalamment dans l'étalement. (***)

JARLSBERG (emmental)
La relation ressemble à un recueillement, à un couple d'anciens religieux qui s'aiment d'un amour profond et intense mais sans effusion libidinale. On ne peut toutefois pas résister à leur amour. (**)

MIRANDA (croûte lavée, pâte semi-ferme, pas trop odorante)
Le fromage s'efface totalement à l'arrivée de la bière, mais a parfaitement préparé l'épithélium pour lui permettre d'amplifier ses saveurs de caramel chocolaté dans toute la douceur qu'elle recèle. (**)

BORGONZOLA (bleu, pâte molle, croûte fleurie)
Les partenaires n'attendent même pas que la bière ait touché nos papilles pour se donner l'un à l'autre. Puis, dans l'intimité, c'est plutôt une amitié qui se développe, dirigée par le *roqueforti.* (**)

BRIE (croûte fleurie, pâte molle, industrielle)
La bière se fait très belle et très convaincante, mais le fromage ne suit pas. Ce dernier en profite néanmoins pour se mettre pleinement en valeur dans l'étalement. (**)

BLEU DANOIS (bleu salé traditionnel)
Après plusieurs gestes d'affection, on s'en retourne chacun chez soi. (*)

CHÈVRE NOIR, 2 ANS (cheddar de chèvre)
Relation timide et intense, mais dont la bière se lasse vite, car elle disparaît rapidement. (*)

SIEUR CORBEAU (croûte mixte, brossée et lavée, pas trop odorante)
L'oiseau est enchanté de faire la connaissance de cette Belge et veut bien s'envoyer en l'air avec elle, mais pas trop longtemps. Finale en filet de crème. (*)

CHEDDAR PERRON (cheddar artisanal/fermier)
La bière est trop puissante pour ce fromage. Dès la rencontre, elle libère tout son alcool, ce qui intimide alors le gaillard du Lac-Saint-Jean. (0)

ÉDAM (pâte semi-ferme, peu ou pas affinée (dans la masse))
Non, ça ne passe pas. (-)

SAINT-PAULIN (pâte semi-ferme, peu ou pas affinée (dans la masse))
Très âcre, très vite. (-)

FETA (feta)
EURK ! (–)

Lager d'origine blonde

Blonde, or, jaune pâle; très brillante, en règle générale filtrée. Pétillement tranquille de moyen à faible. Mousse dense, d'épaisseur moyenne, et de durée moyenne-faible, qui colle bien aux parois du verre. Flaveurs dominantes de malt prononcé et de céréales. On remarque souvent du maïs (en Amérique) ou de malt-chou (en Europe). On peut observer à l'occasion le houblon aromatique. Ses saveurs de base sont nettement dominées par la douceur sucrée. Moelleuse en bouche, elle est légèrement sucrée. Son étalement est généralement dominé par la douceur. Elle titre habituellement entre 4 et 5 % alc./vol, quelques exemplaires exceptionnels titrant jusqu'à 10 % (Albani 1 000, Giraf strong, Carslberg Elephant).

Des exemples : Beck's, Carlsberg, Giraf, Labatt Classique, Löwenbräu.

DAB (5 % ALC./VOL.)

Indice de mariabilité : 80 %
Indice d'amitié : 65 %
Indice orgastique : 15 %
Indice conflictuel : 20 %

Épousailles probables

- Croûte fleurie, pâte molle, industrielle
- Gruyère
- Croûte lavée, pâte semi-ferme, pas trop odorante

Amitiés probables

- Bleu salé traditionnel
- Bûchette de chèvre
- Cheddar de chèvre
- Cheddar artisanal/fermier
- Croûte lavée, odorante de terroir
- Croûte lavée à l'alcool
- Croûte lavée, pâte semi-ferme, pas trop odorante
- Stilton

Conflits éventuels

- Croûte mixte, brossée et lavée pas trop odorante

Dégustations

CAMEMBERT (croûte fleurie, pâte molle, industrielle)
Dès que leurs épidermes se touchent, ils se donnent l'un à l'autre inconditionnellement; ils explosent d'un bonheur crémeux. Les caresses d'après la jouissance s'étirent éternellement sur nos papilles pour notre plaisir intime. Un filet de beurre s'écoule paisiblement en post-goût. (***)

MIRANDA (croûte lavée, pâte semi-ferme, pas trop odorante)
Voici le fromage parfait pour cette Allemande. Il met toute sa puissance au service de la mise en valeur de la bière, qui, de son côté, en profite pour exprimer toute sa volupté doucereuse et onctueuse. (***)

MORBIER (croûte lavée, pâte semi-ferme, pas trop odorante)
Coup de foudre dès que leurs peaux se touchent sur nos papilles. L'union produit une belle effusion de douceur qui répand une couche épaisse de crème sur notre langue. On note toutefois l'amertume un peu agaçante du fromage en fin d'étalement. (***)

Chaumes (croûte lavée, pâte semi-ferme, pas trop odorante)
Union solennelle de deux individus qui aiment bien les caresses douces. Après la consommation, on note que la personnalité forte du fromage se lasse, mais se ravise afin de protéger nos papilles. (**)

Cheddar extra-fort Perron (cheddar artisanal/fermier)
La relation se développe dans le respect rigoureux de chacun et dans l'épanouissement de ce volet insoupçonné de la bière : sa timide amertume. Alors que la bière s'endort lentement, le fromage étend son piquant, discrètement, délicatement, sur nos papilles. (**)

Sieur Corbeau (croûte mixte, brossée et lavée, pas trop odorante)
Rencontre d'abord imprégnée de timidité, puis une grande affection se développe ensuite. Lorsque les inhibitions sont levées, on se donne vite l'un à l'autre pour consommer l'union. Mais le regret s'empare des amants et le fromage émet une amertume bien sentie. (**)

Bleu de la moutonnière (bleu salé traditionnel)
La bière se gonfle de douceur devant ce mouton, qui accepte alors de se faire flatter la laine pendant quelques secondes. La relation se termine toutefois rapidement alors que l'animal laissé seul s'en donne à cœur joie sur nos papilles. (*)

Chèvre noir (cheddar de chèvre)
La bière s'assèche soudainement en apercevant cet animal. Attristé mais séduit, il fait jaillir toute la bonté dont il la sait capable mais sans succès, car la farouche a depuis longtemps disparu. (*)

Fleur de bière (croûte lavée à l'alcool, pâte molle, très odorante)
On sent le couple plein de bonne volonté. La courtisanerie est particulièrement séduisante. Les deux savent mettre en valeur leurs plus beaux atours. Nous souhaitons ardemment que la chose se produise, mais en vain. Le couple se lasse avant de passer aux actes. (*)

Le Fêtard (croûte lavée à l'alcool, pâte semi-ferme, odeur moyenne)
La bière s'effondre devant ce fromage, qui de son côté s'émeut et devient discret. Notre bouche se sent subitement orpheline. (0)

Paillot (bûchette de chèvre)
La fille de Dortmund affirme un caractère tranchant insoupçonné devant ce chèvre qui, effarouché, s'enfuit illico. La bière redevient douce et onctueuse. (0)

Saint-Morgon (croûte mixte, brossée et lavée, pas trop odorante)
Les cœurs des deux tourtereaux battent au même diapason et leur union est intense. Dès la rencontre initiale, la bière fait jaillir un torrent de crème onctueuse, mais la force trop puissante du fromage crée un déséquilibre postcoïtal et son terroir ajoute un inconfort sur nos papilles. (-)

Grolsh (4,9 % alc./vol.)

Indice de mariabilité : 50 %
Indice d'amitié : 40 %
Indice orgastique : 10 %
Indice conflictuel : 50 %

Épousailles probables

- N'en ai pas trouvé

Amitiés probables

- Bleu, pâte molle, croûte fleurie
- Bleu salé traditionnel
- Cheddar industriel
- Croûte fleurie, pâte molle, industrielle
- Croûte lavée, pâte semi-ferme, pas trop odorante
- Feta
- Pâte semi-ferme, peu ou pas affinée (dans la masse)

Conflits éventuels

- Bleu onctueux
- Emmental
- Stilton

Dégustations

BRIE (croûte fleurie, pâte molle, industrielle)
Attrait mutuel très intense quoique non lascif. Pivot aigre émergeant à la fois de la bière et du fromage. Finale de champignons enrobés de crème. (**)

MORBIER (croûte lavée, pâte semi-ferme, pas trop odorante)
Belle relation très protocolaire. Finale qui applaudit les qualités du fromage. (**)

BORGONZOLA (bleu, pâte molle, croûte fleurie)
On valse beaucoup entre la crème et le malt, le *roqueforti* et l'alcool. Finale aigre-âcre agréable, ce qui est rare. (*)

CANTONNIER DE WARWICK (croûte lavée, pâte semi-ferme, pas trop odorante)
Après avoir résolu une dispute âcre, on se lie d'amitié et on se donne la main crémeuse entourée de notes de sel. (*)

BLEU DES CAUSSES (bleu salé traditionnel)
Début agréable, mais le *roqueforti* prend une relève dénuée de crème pour équilibrer le tout. (-)

ÉDAM (pâte semi-ferme, peu ou pas affinée (dans la masse))
La rencontre fait ressortir toute l'âcreté du fromage. (-)

EMMENTAL (emmental)
Développement de l'âcreté du fromage trop agaçant. (-)

BELLE GUEULE PILS (5,2 % ALC./VOL.)

Indice de mariabilité : 75 % Indice d'amitié : 65 %
Indice orgastique : 10 % Indice conflictuel : 25 %

Voici une désinvolte qui s'inspire des pilseners d'origine dans leur personnalité à l'ascendant amer. Toutefois, plus la bière vieillit, plus elle perd sa timide amertume.

Épousailles probables
Feta (huile d'olive)

Amitiés probables
Bleu onctueux
Cheddar de chèvre
Croûte lavée, pâte semi-ferme, pas trop odorante
Croûte lavée, pâte molle, odorante de terroir
Pâte semi-ferme, peu ou pas affinée (dans la masse)

Conflits éventuels
Croûte lavée, pâte semi-ferme, pas trop odorante

Dégustations

FETA (huile d'olive)
WOW ! on se la ferme... on se laisse envahir par le plaisir. (***)

CHÈVRE NOIR, 2 ANS (cheddar de chèvre)
L'un fond dans l'autre dans une grande douceur. (**)

MAMIROLLE (croûte lavée à l'alcool, pâte semi-ferme, odeur moyenne)
Le fromage se lie d'une amitié crémeuse à la bière après une génuflexion très protocolaire. (*)

OKA CLASSIQUE (croûte lavée, pâte semi-ferme, pas trop odorante)
Le fromage est plutôt sensible au volet dissimulé de cette bière, soit son amertume. La cruelle la débusque et l'amplifie à outrance, comme s'il s'agissait d'une dénonciation. (-)

SAINT-PAULIN (pâte semi-ferme, peu ou pas affinée (dans la masse))
Finale agréable qui réjouit la bière. (*)

ROUY (croûte lavée, pâte molle, pas trop odorante)
Le fromage disparaît pour laisser la bière s'épanouir. Après le spectacle, le fromage revient. (0)

GIRAF GOLD (5,6 % ALC./VOL.)

Indice de mariabilité : 65 %
Indice d'amitié : 50 %
Indice orgastique : 15 %
Indice conflictuel : 35 %

Épousailles probables
- N'en ai pas trouvé

Amitiés probables
- Bleu salé traditionnel
- Bleu, pâte molle, croûte fleurie
- Cheddar artisanal/fermier
- Croûte lavée, pâte semi-ferme, pas trop odorante
- Croûte fleurie, pâte molle, industrielle
- Croûte lavée à l'alcool

- Emmental de chèvre
- Gruyère
- Tomme de brebis

Conflits éventuels

- Chèvre frais
- Croûte lavée, odorante de terroir
- Vacherin fribourgeois
- Vigneron suisse

Dégustations

GRUYÈRE DES GROTTES (gruyère)
Belle relation très douce et crémeuse. Jaillit du fromage une crème veloutée. (**)

LIMBURGER (croûte lavée, pâte molle, odorante de terroir)
Belle amitié qui souligne le côté tendre de ce fromage racé. (*)

OSSAU-IRATY (tomme de brebis, très douce et onctueuse)
La timide amitié qui unit les partenaires ne les empêche pas de danser : le houblon rafraîchissant de la bière valse avec la crème onctueuse du fromage. (*)

SAINT-NECTAIRE (croûte lavée, pâte molle, pas trop odorante)
Belle harmonie de douceur crémeuse qui enveloppe agréablement la surprenante amertume de la bière. (*)

ÉPOISSES DE BOURGOGNE (croûte lavée à l'alcool, pâte molle, très odorante)
Malgré les belles tentatives de rapprochement, le fromage domine totalement la relation. La bière se perd à l'horizon. (0)

VACHERIN FRIBOURGEOIS (gruyère)
Développement d'un goût âcre. La finale est néanmoins très douce. (-)

VIGNERON SUISSE (gruyère)
Développement d'un goût âcre dont l'intensité varie considérablement au fil du temps qui passe. (-)

GIRAF STRONG (7,3 % ALC./VOL.)

Indice de mariabilité : 80 %
Indice d'amitié : 70 %
Indice orgastique : 10 %
Indice conflictuel : 20 %

Épousailles probables

N'en ai pas trouvé

Amitiés probables

Bleu, pâte molle, croûte fleurie
Cheddar artisanal/fermier
Cheddar de chèvre
Croûte lavée, pâte semi-ferme, pas trop odorante
Croûte fleurie, pâte molle, industrielle

Conflits éventuels

Crottin de chèvre
Croûte fleurie, pâte molle, lait de chèvre

Dégustations

CAMEMBERT ROITELET (croûte fleurie, pâte molle, industrielle)
Caresse onctueuse et intense tout en douceur. (**)

CHEDDAR DE CHÈVRE DE MME RIVARD (cheddar de chèvre)
Belle étreinte intense de douceur. (**)

PORT-SALUT (croûte lavée, pâte semi-ferme, pas trop odorante)
Relation discrète quoique complémentaire sur des notes douces. (**)

BRESSE BLEU (bleu, pâte molle, croûte fleurie)
Une certaine hésitation transpire de la part du fromage, qui met alors sa douceur au service du confort mutuel. Alors que le couple s'affadissait, la finale nous joue une mélodie sur des airs de *roqueforti.* (*)

CAPRICE DES DIEUX (croûte fleurie, pâte molle, double crème, industriel)
Belle rencontre intense qui produit un velouté très agréable. (*)

CHÈVRE NOIR, 2 ANS (cheddar de chèvre)
La relation amicale s'efface rapidement et la chèvre revient dans toute sa prestance. (*)

BARBU (crottin de chèvre)
Belles sensations au moment de la rencontre, mais la relation tourne rapidement à l'aigre. (-)

CABRIE (croûte fleurie, pâte molle, lait de chèvre)
L'âcreté se dessine dès la rencontre et jette l'ombrage de saveurs aigres qui amplifient l'inconfort de la relation. (-)

HEINEKEN (5 % ALC./VOL.)

Indice de mariabilité : 60 %
Indice d'amitié : 50 %
Indice orgastique : 10 %
Indice conflictuel : 40 %

Épousailles probables

- N'en ai pas trouvé

Amitiés probables

- Bleu salé traditionnel
- Bleu onctueux
- Cheddar industriel
- Croûte fleurie, pâte molle, industrielle
- Croûte lavée, pâte semi-ferme, pas trop odorante
- Emmental
- Pâte semi-ferme, peu ou pas affinée (dans la masse)

Conflits éventuels
- Bleu, pâte molle, croûte fleurie
- Feta

BLEU DANOIS (bleu salé traditionnel)
Agréable union de tendresse. Le bleu revient en finale. (**)

BLEU DES CAUSSES (bleu salé traditionnel)
On valse beaucoup, beaucoup. Hésitations entre le *roqueforti* et la crème. Finale où les veines bleues se réconcilient avec la crème. On assiste à un mariage entre deux composantes du fromage quoi ! (*)

BRIE (croûte fleurie, pâte molle, industrielle)
Développement d'une kyrielle de saveurs et de sensations tangentielles : d'abord, la menthe, suivie d'un assèchement, puis retour de la crème en finale qui dans un premier temps met en valeur les champignons et dans un deuxième, la crème. (*)

CANTONNIER DE WARWICK (croûte lavée, pâte semi-ferme, pas trop odorante)
La bière fait lever les qualités du fromage, mais le couple nous quitte vite. (*)

STELLA ARTOIS (5 % ALC./VOL.)

Indice de mariabilité : 75 %
Indice d'amitié : 65 %
Indice orgastique : 10 %
Indice conflictuel : 25 %

Épousailles probables
- N'en ai pas trouvé

AMITIÉS PROBABLES
- Bleu onctueux
- Bleu salé traditionnel
- Cheddar industriel
- Croûte fleurie, pâte molle, industrielle
- Croûte lavée, pâte semi-ferme, pas trop odorante
- Feta
- Pâte semi-ferme, peu ou pas affinée (dans la masse)
- Stilton

Conflits éventuels
- Pâte semi-ferme, peu ou pas affinée (dans la masse)

Dégustations

CANTONNIER DE WARWICK (croûte lavée, pâte semi-ferme, pas trop odorante)
Très agréable relation tout en douceur qui s'allonge paresseusement. (**)

Cheddar mi-fort Black Diamond (cheddar industriel)
Relation très onctueuse et agréable qui fond dans la bouche. (**)

Feta (feta)
Plutôt neutre comme effet au début, puis développement d'une saveur de crème, suivie de beurre. (*)

Oka classique (croûte lavée, pâte semi-ferme, pas trop odorante)
La bière glisse sous le fromage, soulignant au passage son aigreur. Finale où le houblon de la bière soulève le beurre aigrelet du fromage. (*)

Lambic

Le lambic d'origine est une bière de passion qui ne laisse personne indifférent : on l'aime ou on le déteste. Plusieurs caractéristiques considérées comme un défaut dans l'ensemble des autres styles de bière sont ici tenues pour de très grandes qualités. Ces bières sont une réminiscence des bières telles que nos aïeux pouvaient les apprécier avant qu'un certain Louis Pasteur ne livre les résultats de ses recherches aux brasseurs de France. Elles sont le témoignage vivant d'une époque où l'action de la levure n'était pas encore connue. Cette bière trace la frontière du temps et nous ramène aux plus anciennes bières. Philosophiquement, il s'agit du refus absolu de l'évolution scientifique en faveur de l'évolution purement artisanale. À cause du processus de fermentation, le lambic possède un goût très acidulé ! Pour mieux faire passer la bière, les brasseurs ont eu l'heureuse idée de mélanger plusieurs brassins d'âges différents : une bière jeune et sucrée et une bière vieille et sèche. Certains y introduisirent aussi des cerises (kriek en flamand), des framboises (frambozen), du cassis, des pêches, des bananes, etc.

Gueuze (ou gueuse)

Les gueuzes sont parmi les bières les plus complexes de la terre, notamment en ce qui a trait à la richesse de leurs esters. Fromagés, rancis, faisandés, leurs arômes rappellent par moments de vieux fromages, et ce, grâce aux houblons surannés.

Leur couleur nous offre des nuances de jaune or aux reflets orangés, souvent voilées, sauf dans les modèles industriels filtrés. Très pétillante, piquante, mousseuse en bouche, la bière jaillit souvent de la bouteille lorsqu'on en fait sauter le bouchon. Son pétillement s'éteint toutefois rapidement. Arômes complexes sur une première note de pomme. Quelquefois âpre, souvent astringente, toutefois balancée par l'acidité, irritante à sa frontière.

Des exemples : Cantillon, F. Boon, Girardin, Mort Subite, Lindemans, Timmermans. On retrouve peu de lambics à l'état pur : Bruoscella est un rare exemple qui trace la frontière entre le vin et la bière.

Contrairement à ce que nous appréhendions au début de cette aventure, l'indice de mariabilité de ce type de bière est élevé. Souvent même avec des fromages de chèvre, acides également. Le cas échéant, nous assistons souvent au développement de saveurs désaltérantes. Il faut toutefois faire attention aux versions comportant des fruits. L'évolution des saveurs du fruit rend les épousailles aléatoires.

FRAMBOISE BOON (5 % ALC./VOL.)

Indice de mariabilité : 80 % Indice d'amitié : 70 %
Indice orgastique : 10 % Indice conflictuel : 20 %

ÉPOUSAILLES PROBABLES

- N'en ai pas trouvé

Amitiés probables

- Bleu, pâte molle, croûte fleurie
- Chèvre frais aux herbes
- Chèvre frais
- Crottin de chèvre
- Croûte lavée, pâte semi-ferme, pas trop odorante
- Croûte fleurie, pâte molle, lait de chèvre
- Croûte fleurie, pâte molle, industrielle
- Gruyère

Conflits éventuels

- N'en ai pas trouvé

Dégustations

BARBU (crottin de chèvre)
Belle étreinte de tendresse intense. (**)

LE BIQUET (chèvre frais)
Agréable développement d'une liaison très rafraîchissante. Le fromage revient en finale drapé de framboise. C'est comme s'il y avait un transfert de l'un à l'autre, la framboise de la bière se collant au fromage. (**)

CAPRINY AUX HERBES (chèvre frais aux herbes)
Une sorte de modestie et de retenue empêche les deux de s'envoyer en l'air, mais l'attrait est manifeste. (*)

PORT-SALUT (croûte lavée, pâte semi-ferme, pas trop odorante)
Quelques approches d'un flirt qui éveille l'intérêt sont déployées, mais ne conduisent pas à la communion solennelle. (*)

COULOMMIERS ROITELET (croûte fleurie, pâte molle, industrielle)
Un croisement intéressant de regards, mais rien ne se produit. (0)

KRIEK BELLE VUE (5 % ALC./VOL)

Indice de mariabilité : 60 %
Indice d'amitié : 50 %
Indice orgastique : 10 %
Indice conflictuel : 40 %

Épousailles probables
- N'en ai pas trouvé

Amitiés probables
- Bleu onctueux
- Feta
- Croûte lavée, pâte semi-ferme, pas trop odorante

Conflits éventuels
- Bleu salé traditionnel
- Cheddar industriel
- Croûte fleurie, pâte molle, industrielle
- Pâte semi-ferme, peu ou pas affinée (dans la masse)
- Stilton

Dégustations

BLEU DES CAUSSES (bleu salé traditionnel)
Belle caresse de cerise qui se marie bien à la crème, déjouant les menaces du *roqueforti* en arrière-plan. Ce dernier se retire, permettant au couple de nous imprégner d'un superbe bonheur. (**)

FETA (feta)
Les acidités s'annulent et nous assistons à une explosion de cerises enrobées de crème. Cette union procure de très agréables sensations, un vrai dessert. (**)

OKA CLASSIQUE (croûte lavée, pâte semi-ferme, pas trop odorante)
Très agréable mixture cerise-crème fondue. Pivot aigre-âcre. Finale de crème onctueuse. (**)

CANTONNIER DE WARWICK (croûte lavée, pâte semi-ferme, pas trop odorante)
Quelle belle façon discrète de mettre en valeur les cerises. (*)

SAINT-PAULIN (pâte semi-ferme, peu ou pas affinée (dans la masse))
On souligne vite le fruit de la cerise, mais l'âcreté se profile à l'horizon... Il demeure heureusement dans le paysage lointain. (*)

CHEDDAR MI-FORT BLACK DIAMOND (cheddar industriel)
Malgré un mariage cerise-crème, le conflit âcre crème-bière est trop dominant pour nous laisser une impression agréable. (-)

STILTON (stilton)
La cerise explose de bonheur, mais l'âcre du *roqueforti* vient irrémédiablement éteindre toute émotion. (-)

ÉDAM (pâte semi-ferme, peu ou pas affinée (dans la masse))
C'est mauvais, un gâchis d'âcreté. (-)

Gueuze Cantillon (5 % alc./vol)

Indice de mariabilité : 90 %
Indice orgastique : 10 %
Indice d'amitié : 80 %
Indice conflictuel : 10 %

Épousailles probables

- N'en ai pas trouvé

Amitiés probables

- Bleu, pâte molle, croûte fleurie
- Boursin à l'ail et aux fines herbes
- Chèvre frais
- Croûte lavée, pâte semi-ferme, pas trop odorante
- Croûte fleurie, pâte molle, industrielle
- Pâte semi-ferme, peu ou pas affinée (dans la masse)

Conflits éventuels

- N'en ai pas trouvé

Dégustations

Boursin à l'ail et aux fines herbes (fromage frais aux herbes)
Rencontre de troisième type. Dès que leurs regards se croisent, ils perdent l'équilibre et nous offrent une cacophonie de flaveurs qui s'intercalent. On reconnaît d'emblée la superposition de l'aigreur entre les pommes et les herbes. La dissonance se termine toutefois par une harmonie qui fait perdre au fromage toutes ses nuances aromatiques alors que la note dominante est la douceur. (***)

Port-Salut (croûte lavée, pâte semi-ferme, pas trop odorante)
Dans le vide soudain créé par la disparition du fromage devant l'arrivée de la bière, l'acidité de la gueuze creuse des sillons peu profonds. La pomme vient alors remplir les creusets et enveloppe nos papilles d'une grande douceur satinée. (***)

Gorgonzola (bleu onctueux)
La tension monte d'un cran dès que le liquide touche nos lèvres. Les deux prétendants reconnaissent spontanément l'importance de l'autre. On s'observe, on s'étudie et constate que l'on n'est pas fait l'un pour l'autre. On se réfugie alors dans la caverne de l'hôte. Le fromage lui offre, en guise de consolation, une larme de beurre fondu. (**)

Gouda doux Frico (pâte semi-ferme, peu ou pas affinée (dans la masse))
La fuite soudaine du fromage prend au dépourvu la conquérante qu'est la Gueuze. Cette dernière ne semble pas vouloir pavoiser et, sans défi, s'évanouit. À la deuxième bouchée-gorgée, alors que le fromage tente de profiter de l'occasion pour faire son tour de piste, la bière augmente d'autant sa présence sur une note aigre. (**)

Pont-l'Évêque (croûte lavée, pâte semi-ferme, pas trop odorante)
Le fromage est intimidé par cette bière et se retire subitement du paysage buccal. Dans les sillons tracés par son retrait, la bière coule dans toute sa douceur, abandonnant presque toute son aigreur au rayon des souvenirs. Un voile onctueux, légèrement crémeux, s'épanche alors sur notre épithélium. (**)

Pale ale

Jusqu'à la révolution industrielle, la bière offrait une robe plutôt rouquine et souvent brouillée. Les premières améliorations aux méthodes de maltage combinées aux efforts des brasseurs pour offrir une bière filtrée ont mené au développement d'une bière rousse plus pâle. L'adoption du terme pale ale pour la désigner est historiquement tout à fait logique. Le mot ale étant synonyme de « bière », le terme pale ale veut tout simplement dire « bière pâle ». À l'époque, il s'agissait de la plus pâle des bières. Les méthodes de maltage et de brassage poursuivirent néanmoins leur évolution et une brasserie de la Bohême développa une bière blonde (la Pilsner Urquell). La tradition britannique consacre alors l'emploi des mots pale ale pour désigner cette rouquine. De l'autre côté de la Manche, les dictionnaires français désignent cette pale ale, de couleur rousse, comme une bière... blonde ! D'où la mention des mots pale ale - bière blonde sur les étiquettes de la Saint-Ambroise, qui n'est ni blonde ni rousse...

Rousse pâle, cuivrée, lumineuse, au faible pétillement, la pale ale titre entre 4 et 5 % alc./vol. Sa timide mousse s'agrippe bien à la paroi du verre. Ses flaveurs dominantes de malt-caramel se reconnaissent facilement. Au nez, on perçoit le houblon et ses esters, dont le classique caramel. Son profil de saveur varie de douce-amère à amère-douce en fonction de son âge et de la température de service. Plus elle est âgée ou plus elle est froide, plus l'amertume domine. Sa corpulence moyenne s'appuie sur une structure légèrement maltée. Il est possible de retrouver des traces de sels (minéraux) dans certaines marques. Son malt se présente habituellement au début de l'étalement, vite remplacé par une amertume de houblon.

La version belge du style offre une signature moins amère permettant au caramel de s'affirmer plus facilement. L'interprétation américaine de son côté reflète les valeurs « quantitatives » de ce pays qui houblonne généreusement le style, dont l'amertume est considérable.

La température de service influence la configuration des saveurs. Froides, ces bières offrent des saveurs plutôt amères, tandis que, fraîches ou même tempérées, elles possèdent un bel équilibre douceur-amertume, voire une saveur sucrée. Plusieurs microbrasseries offrent également une « rousse » qui possède les traits de la famille.

Dans les épousailles, l'âge du produit ainsi que sa température de service exercent une influence capitale dans l'établissement des « conditions gagnantes » pour la réussite de l'accord. L'âge se faisant sentir, c'est l'âcreté de la bière qui risque d'être soulignée. Trop froide, c'est l'amertume du houblon qui se fait difficile. Trop vieille et trop froide, un bon fromage crémeux à croûte non fleurie peut probablement sauver la situation. Une croûte fleurie dans sa jeunesse aussi. En résumé, voici peut-être le type de bière le plus difficile à accorder avec les fromages.

Depuis quelques années, on assiste au développement d'une nouvelle façon de soutirer ce type de bière ainsi que les stouts à l'azote. Ce gaz inerte ajoute un moelleux si agréable au produit que cette seule variation nous autorise à établir une toute nouvelle catégorie de bière : la pale ale à l'azote.

Des exemples : Bass, Boréale Rousse, Double Diamond, Fuller's London's Pride, ESB (Extra Special Bitter), Marston Pedigree, Saint-Ambroise Pale Ale (étiquetée en français sous le nom de « blonde »).

Boréale Rousse (5 % alc./vol.)

Indice de mariabilité : 75 %
Indice d'amitié : 65 %
Indice orgastique : 10 %
Indice conflictuel : 25 %

Épousailles probables

- Bleu onctueux
- Chèvre noir, 2 ans
- Croûte lavée à l'alcool, pâte semi-ferme, odeur moyenne
- Croûte lavée, pâte semi-ferme, pas trop odorante
- Croûte fleurie, pâte molle, industrielle

Amitiés probables

- Bleu, pâte molle, croûte fleurie
- Bleu salé traditionnel
- Boursin à l'ail et aux fines herbes
- Bûchette de chèvre
- Cheddar industriel
- Cheddar artisanal/fermier extra-fort
- Cheddar artisanal/fermier
- Chèvre frais
- Croûte fleurie, pâte molle, artisanale
- Croûte mixte, brossée et lavée, pas trop odorante
- Croûte fleurie, pâte molle, lait de chèvre
- Croûte lavée, pâte molle, odorante de terroir
- Croûte lavée, odorante de terroir
- Croûte lavée à l'alcool
- Gruyère
- Parmigiano Regiano

Conflits éventuels

- Croûte lavée, pâte molle, odorante de terroir
- Croûte fleurie, pâte molle, industrielle
- Pâte semi-ferme, peu ou pas affinée (dans la masse)

Dégustations

CAMEMBERT (croûte fleurie, pâte molle, industrielle)
On fait vite rigoler nos papilles avec une explosion de crème et de caramel qui déroule son bonheur sur nos papilles en laissant derrière, en sourdine, la délicate amertume de la bière. (***)

CHÈVRE NOIR, 2 ANS (cheddar de chèvre)
Dès le premier contact, les deux se recueillent devant la promesse d'une communion solennelle. Ils s'embrassent et s'enlacent. La bière s'endort ensuite paisiblement. Le fromage en profite pour étirer ses membres en prenant bien soin de ne pas réveiller sa conjointe. (***)

CHIMAY (croûte lavée à l'alcool, pâte semi-ferme, odeur moyenne)
Coup de foudre entre ces deux-là. Rassuré par sa complémentarité évidente, le couple prend tout son temps et s'amuse de caresses précoïtales. L'aboutissement prévisible fait jaillir le témoignage de leurs jouissances, qui résonne jusque dans les interstices de notre corps. (***)

SIR LAURIER D'ARTHABASKA (croûte lavée, pâte molle, pas trop odorante)
Rencontre empreinte de timidité mais qui se transforme rapidement en passion intense entre deux naturels, qui provoque des sensations sous notre palais. L'intensité crème-caramel s'allonge lascivement dans son étalement. (***)

BLEU DE CASTELLO (bleu onctueux)
Il s'établit d'entrée de bouche une relation où la bière, notamment son butterscotch, domine. Le fromage étire son voile crémeux sur toutes les surfaces disponibles, donnant ainsi beaucoup d'ampleur aux flaveurs de la bière qui fait titiller des papilles à des endroits insoupçonnés dans notre bouche et notre gorge. (**)

BLEU SAINT-AGUR (bleu onctueux)
Après une étreinte onctueuse très intense, le couple s'endort, se repose puis complète son œuvre dans le jaillissement d'une riche sauce onctueuse. (**)

BOURSIN À L'AIL ET AUX FINES HERBES (fromage frais aux herbes)
Quelle espièglerie ! On dirait un fromage Boréale ou encore une Boréale boursine... Ils s'échangent leurs salives à bouche que veux-tu sans se préoccuper des conventions usuelles. Une p'tite vite qui fait plaisir. (**)

LE MIGNERON DE CHARLEVOIX (croûte lavée, pâte semi-ferme, pas trop odorante)
Coup de foudre très agréable, par lequel le salé du fromage s'intercale entre la douceur et l'amertume de la bière. Le tout se termine par un baiser d'une grande douceur de caramel. (**)

MAMIROLLE (croûte lavée à l'alcool, pâte semi-ferme, odeur moyenne)
Après une présentation très protocolaire qui nous offre l'image de deux aristocrates s'agenouillant pour se faire la bise, le relèvement donne lieu à de chaleureuses embrassades effervescentes d'amitié intense qui frôlent la concupiscence. (**)

SAINT-BASILE (croûte mixte, brossée et lavée, très odorante)
Rencontre au sommet entre deux fortes personnalités qui profitent de ce moment intime pour s'envoyer en l'air sans efforts, sans émotions. Finale d'une tendre amertume originant du fromage. (**)

SAINT-LOUP (croûte fleurie, pâte molle, lait de chèvre)
Leur attirance mutuelle est manifeste dès que leurs corps se touchent. La caresse

initiale est très agréable, mais certains tics chez l'autre agacent, empêchant l'implosion de jouissance extrême : l'amertume du houblon, l'acidité du fromage. On ne s'en tient toutefois pas rigueur et une intense amitié prend la relève. (**)

VICTOR ET BERTHOLD (croûte lavée, pâte semi-ferme, pas trop odorante)
Toute la grâce de la bière est amplifiée par la mise en scène qu'a concoctée le fromage sur nos papilles. L'harmonie spontanée est d'une grande beauté et applaudit la douceur de la bière, relevée du beau côté de son amertume. (**)

CAMBOZOLA (bleu, pâte molle, croûte fleurie)
Intimidée par la personnalité du fromage, la bière s'enfuit à grands pas dans le fond de notre estomac. Puis, avec toute la profondeur de sa puissance, le fromage nous offre lentement chaque trait de son caractère; la douceur, puis le *roqueforti.* (*)

CHEDDAR MI-FORT BLACK DIAMOND (cheddar industriel)
La bière nous inonde de sa douceur et ne laisse pas grand place pour que le fromage s'épanouisse. Alors qu'on le croit parti, le fromage revient délicatement déposer une douce bise sur nos papilles juste avant de disparaître. (*)

CHEDDAR L.C. MI-FORT LAITERIE CHARLEVOIX (cheddar artisanal/fermier)
Le fromage laisse passer le cortège de caramel de la bière puis revient en finale nous dévoiler ses dessous crémeux. Finale un peu poivrée. (*)

MIRANDA (croûte lavée, pâte semi-ferme, pas trop odorante)
La vague de la bière efface le fromage avec beaucoup de délicatesse et laisse sur nos papilles une agréable sensation. Fière de son œuvre, la bière coule dans notre gorge puis disparaît. Le fromage revient ensuite nous titiller avec une certaine retenue. (*)

NUIT-D'OR-SAINT-GEORGES (croûte lavée, pâte molle, pas trop odorante)
Relation empreinte d'un questionnement existentiel d'une bière hésitant entre l'offrande de son amertume ou de son sucré. Le fromage de son côté se fait plutôt timide et amer. La douceur de la finale nous fait saliver. (*)

PONT-L'ÉVÊQUE (croûte lavée, pâte molle, pas trop odorante)
La forte personnalité de la bière fait rapidement disparaître la trace du fromage. Le souvenir de ce dernier efface toute l'amertume de la bière qui nous offre alors toute la quintessence de sa douceur de caramel. Elle devient presque crémeuse. (*)

BLEU DE LA MOUTONNIÈRE (bleu salé traditionnel)
Devant l'autre, chacun reste totalement indifférent. Quelques secondes après l'apparition de la bière, le fromage disparaît du paysage. Cette dernière en profite pour étaler toute sa richesse aromatique puis s'éclipse à son tour. Les flaveurs du fromage reviennent ensuite nous rappeler de ne pas oublier leur passage. (0)

CHEDDAR EXTRA-FORT LAITERIE CHARLEVOIX (cheddar artisanal/fermier)
Le fromage se retire momentanément pour laisser passer la bière. La Boréale se fait alors un peu plus discrète et n'insiste pas. On sent la crème du fromage sautiller en finale. (0)

CHÈVRE NOIR, 1 AN (cheddar de chèvre)
Relation plutôt indifférente qui contraste avec le chèvre noir 2 ans. C'est comme si le fromage n'est pas assez mûr à cet âge pour épouser cette bière. (0)

CHEDDAR FERMIER ANGLAIS (cheddar artisanal/fermier)
La présence de l'autre s'avère intolérable et provoque quelques effusions âcres

des deux côtés. Lorsque le conflit est terminé, le fromage tente de sauver les meubles avec sa tendresse un peu piquante. (-)

GOUDA DOUX FRICO (pâte semi-ferme, peu ou pas affinée (dans la masse))
La prestance de la bière enveloppe toute trace de fromage sur notre épithélium. Dans son retrait, le gouda emporte avec lui tout le caramel de la Boréale et transforme l'expérience en relation plutôt désinvolte. (-)

JARLSBERG FUMÉ (emmental)
On s'étudie attentivement. De son côté, dans les premiers instants de la relation, le fromage retient son souffle fumé. La bière, elle, offre son caramel. C'est au moment où le Jarlsberg fait jaillir l'amertume de son fumé que celle de la bière s'ajoute pour provoquer un conflit irréconciliable. (-)

CŒUR D'OR PALE ALE (5 % ALC./VOL.)

Indice de mariabilité : 75 %
Indice d'amitié : 65 %
Indice orgastique : 10 %
Indice conflictuel : 25 %

Dégustations

CANTONNIER DE WARWICK (croûte lavée, pâte semi-ferme, pas trop odorante)
Belle explosion onctueuse, d'abord de la crème, puis du caramel tout en finesse. (**)

BRIE (croûte fleurie, pâte molle, industrielle)
Le fromage s'efface rapidement, laissant la bière épandre un duvet de caramel. (*)

CHEDDAR MI-FORT BLACK DIAMOND (cheddar industriel)
Bel enrobage du caramel de la bière. Pivot aigre rafraîchissant et finale onctueuse du fromage. (*)

GRUYÈRE (gruyère)
Relation très virile et lourde. Finale noisette du fromage. (*)

MORBIER L.C. (croûte lavée, pâte semi-ferme, pas trop odorante)
Relation tendre et timide. Finale faisant jouer les notes cendrées du fromage. (*)

L'EXALTÉE (5,5 % ALC./VOL.)

Voici une bière d'inspiration allemande, l'alt. Il s'agit d'un style voisin de la pale ale, notamment par la présence marquée d'une amertume de houblon. Dans le cadre des épousailles, nous pouvons facilement la considérer comme la version germanique de la pale ale.

Indice de mariabilité : 60 %
Indice d'amitié : 50 %
Indice orgastique : 10 %
Indice conflictuel : 40 %

Épousailles probables

- Cheddar artisanal/fermier
- Croûte lavée, pâte semi-ferme, pas trop odorante

Amitiés probables

- Bleu salé traditionnel
- Bleu, pâte molle, croûte fleurie
- Bûchette de chèvre
- Cheddar artisanal/fermier extra-fort
- Cheddar de chèvre
- Croûte fleurie, pâte molle, industrielle
- Croûte lavée à l'alcool, pâte semi-ferme, odeur moyenne
- Croûte mixte, brossée et lavée, pas trop odorante
- Croûte lavée à l'alcool
- Croûte lavée, pâte semi-ferme, pas trop odorante
- Gruyère
- Pâte semi-ferme, peu ou pas affinée (dans la masse)

Conflits éventuels

- Bleu salé traditionnel
- Cheddar industriel
- Croûte lavée, odorante de terroir
- Croûte fleurie, pâte molle, triple crème, industrielle

Dégustations

LE MIGNERON DE CHARLEVOIX (croûte lavée, pâte semi-ferme, pas trop odorante)
Les premiers attouchements sont plutôt maladroits, voire agressifs. Chacun reste sur ses gardes, puis paf ! soudainement, à l'abri des indiscrétions, dans les profondeurs de notre gorge, le coup de foudre se produit. Résultat : une union solennelle. (***)

VIEUX CHEDDAR CHARLEVOIX (cheddar artisanal/fermier)
L'Exaltée domine le fromage du début à la fin, tout en le complétant de façon parfaite. Les deux se fondent dans l'arrière-goût. On peut noter à la fin que le fromage dévoile une douceur très tendre. (***)

BLEU DE LA MOUTONNIÈRE (bleu salé traditionnel)
La bière puise dans ses ressources de caramel pour enrober la brebis de douceur. (**)

BRESSE BLEU (bleu, pâte molle, croûte fleurie)
Coup de foudre, union intense qui amplifie le *roqueforti*... Amitié animée ou conflictuelle ? Chacun juge selon ses goûts. Le goûteur est ici roi et maître. (**)

CANTONNIER DE WARWICK (croûte lavée, pâte semi-ferme, pas trop odorante)
Le fromage crémeux tapisse la langue et la prépare au liquide. Le houblon le rend encore plus crémeux. De son côté, le fromage souligne l'amertume de la bière. (**)

BRIE (croûte fleurie, pâte molle, industrielle)
La bière donne une personnalité intense à ce fromage. (*)

MIRANDA (croûte lavée, pâte semi-ferme, pas trop odorante)
Bien que la bière s'énavouisse rapidement, elle a le temps de faire l'accolade au fromage. (*)

SIEUR CORBEAU (croûte mixte, brossée et lavée, pas trop odorante)
Union pointue où chaque partie hésite. Une amitié timide s'installe alors. (*)

CHÈVRE NOIR, 2 ANS (cheddar de chèvre)
On sent le désir, mais la timidité s'avère un obstacle infranchissable entre eux. (0)

ÉDAM (pâte semi-ferme, peu ou pas affinée (dans la masse))
Indifférence malgré que les deux montrent leurs plus beaux atours. (0)

LE FÊTARD (croûte lavée à l'alcool, pâte semi-ferme, odeur moyenne)
Attraction manifeste mais qui ne se concrétise pas. (0)

BLEU DANOIS (bleu salé traditionnel)
Un goût moisi et une amertume accompagnée de saveurs aigres... (-)

BRIE (croûte fleurie, pâte molle, industrielle)
Amplification des forces de l'autre : trop amère et trop champignon. (-)

FETA (feta)
Trop aigre. Finale âcre. (-)

SMITWICK'S (5,5 % ALC./VOL.)

Indice de mariabilité : 70 %
Indice d'amitié : 60 %
Indice orgastique : 10 %
Indice conflictuel : 30 %

Épousailles probables
- Bleu, pâte molle, croûte fleurie
- Cheddar artisanal/fermier
- Cheddar artisanal/fermier extra-fort

Amitiés probables
- Bleu salé traditionnel
- Bûchette de chèvre
- Chèvre frais aux herbes
- Croûte fleurie, pâte molle, industrielle
- Croûte lavée, odorante de terroir
- Croûte lavée, pâte semi-ferme, pas trop odorante
- Emmental
- Gruyère
- Stilton

Conflits éventuels
- Croûte mixte, brossée et lavée, pas trop odorante
- Croûte lavée, odorante de terroir
- Croûte fleurie, pâte molle, lait de chèvre
- Pâte molle, double, triple crème, croûte fleurie, industrielle

Dégustations

Bresse bleu (bleu, pâte molle, croûte fleurie)
On se veut dès le croisement des regards. Le bleu fond en crème et un filet de *roqueforti* en ruisselle. La bière se met à son entière disposition pour le simple plaisir de la communion céleste. (***)

Cheddar Balderson Héritage, 1 an (cheddar artisanal/fermier)
Les deux s'observent pendant quelques secondes, puis chacun réalise subitement que l'autre nourrit ses fantasmes les plus orgiaques. Ils se jettent alors dans les bras l'un de l'autre sans aucune hésitation. On éprouve avec eux un orgasme palatal relativement bref, une p'tite vite quoi, puis on recommence. (***)

Cheddar extra-fort Perron (cheddar artisanal/fermier)
Complémentarité parfaite qui s'établit dès les présentations d'usage, sur le plancher caramélisé de la bière. À l'étage, l'amertume de cette dernière danse avec le poivre du fromage un tango d'une grande finesse. (***)

Le Migneron de Charlevoix (croûte lavée, pâte semi-ferme, pas trop odorante)
Une amitié naît dès la première approche. On tient ensuite la main de l'autre dans une belle promenade nuptiale sous notre palais. Le houblon marque sa présence. La finale est sucrée et libère un soupçon de caramel. (**)

Paillot (bûchette de chèvre)
La bière adoucit le fromage dès qu'elle le touche. L'union se poursuit, pleine de tendresse et d'affection, jusque dans les profondeurs de notre existence. On dirait même que le fromage se transforme en crème riche et onctueuse à la fin. (**)

Bresse bleu, prise 2 (bleu, pâte molle, croûte fleurie)
On sent, dès le départ, une profonde volonté de part et d'autre de s'envoyer en l'air. Alors que les caresses sont bien entreprises, le *roqueforti* du fromage semble distraire la bière, qui en perd subitement son inspiration. Elle revient quelques secondes plus tard jouer à cache-cache avec le Bresse. (*)

Chaumes (croûte lavée, pâte semi-ferme, pas trop odorante)
Une certaine complicité s'établit dès que la bière caresse l'épaule du fromage. Après une célébration sobre et discrète, le couple s'attendrit passablement et nous pouvons alors remarquer le beurre qui jaillit de son étreinte. (*)

Petit munster (croûte lavée, pâte molle, odorante de terroir)
Malgré les grognements de la rencontre, alors que nous avions l'impression que la guerre allait éclater, les deux fortes personnalités se confient l'une à l'autre sans excès d'exhibitionnisme, en restant d'agréable compagnie.

Rouy (croûte lavée, pâte molle, pas trop odorante)
Relation intense qui s'établit dès la rencontre. Elle procure alors d'agréables sensations. Malheureusement, la personnalité du fromage est trop forte pour se contenter de cette brève aventure et affirme sa déception en libérant une amertume désagréable qui porte ombrage aux sensations initiales. (*)

Coulommiers Roitelet (croûte fleurie, pâte molle, industrielle)
Le fromage soulève l'amertume de la bière. (0)

Port-Salut (croûte lavée, pâte semi-ferme, pas trop odorante)
La bière domine totalement le fromage, qui ne revient qu'en finale. (0)

St-Ambroise pale ale (étiquetée « blonde », 5 % alc./vol.)

Indice de mariabilité : 70 %
Indice d'amitié : 60 %
Indice orgastique : 10 %
Indice conflictuel : 30 %

Épousailles probables

- Cheddar de chèvre
- Croûte fleurie, pâte molle, triple crème, industrielle
- Emmental

Amitiés probables

- Bleu, pâte molle, croûte fleurie
- Bleu salé traditionnel
- Bûchette de chèvre
- Cheddar de chèvre poivre
- Cheddar artisanal/fermier extra-fort
- Cheddar industriel
- Chèvre frais
- Crottin de chèvre
- Croûte fleurie, pâte molle, lait de chèvre
- Croûte fleurie, pâte molle, double crème, industriel
- Croûte lavée, pâte semi-ferme, pas trop odorante
- Croûte lavée, pâte molle, odorante de terroir
- Croûte lavée à l'alcool
- Emmental
- Stilton

Conflits éventuels

- Bleu, pâte molle, croûte fleurie
- Bleu salé traditionnel
- Chèvre frais aux herbes
- Croûte mixte, brossée et lavée, pas trop odorante
- Croûte fleurie, pâte molle, industrielle
- Croûte lavée, pâte molle, pas trop odorante
- Croûte lavée, pâte semi-ferme, pas trop odorante
- Croûte lavée, odorante de terroir
- Gruyère

Dégustations

Cheddar Ruban Bleu (cheddar de chèvre)
Rencontre très respectueuse et agréable bourrée de bons sentiments et qui mène droit à la consommation de l'union. On sent que l'un est fait pour l'autre et on ne se lasse pas de leur étreinte qui s'éternise. (***)

Emmental de chèvre (emmental)
Le fromage prépare le drap sur lequel la bière vient exploser de bonheur dans toute sa complexité. Relation très intense. (***)

Saint-Honoré (croûte fleurie, pâte molle, triple crème, industrielle)
Le fromage retire d'abord son voile de champignons afin d'accueillir la bise sublime de la bière. Cette dernière enlace alors le fromage et l'emporte très délicatement dans notre intimité. Derrière le passage des tourtereaux, nous sentons la douce caresse de la douceur crémeuse sur notre épithélium. (***)

Barbu (crottin de chèvre)
Le fromage enserre la bière dans un voile épais et onctueux de douceur. La bière ronronne de bien-être. (**)

Cabrie (croûte fleurie, pâte molle, lait de chèvre)
Le fromage sait comment mettre en valeur l'onctuosité caramélisée de cette bière. On aperçoit l'amertume de cette dernière qui se profile à l'horizon, mais qui ne se présente jamais sur le seuil de nos papilles. (**)

La petite chevrette (bûchette de chèvre, mais forme pyramidale)
Relation intense, sur le thème de l'acidité, entre ces deux personnages. La bière en perd son houblon. La sensation est très agréable et intense et même s'accentue en finale. (**)

Le Petit Vinoy (chèvre frais)
Une intense amitié s'établit dès qu'ils se touchent. Le fromage prend le contrôle de la relation et l'inonde de toute sa douceur qui s'étire avec plénitude d'onctuosité dans nos profondeurs. (**)

Stilton (stilton)
L'amertume de la bière s'évapore subitement au contact du sel du fromage, qui à son tour rejoint rapidement le premier au paradis. Il reste sur nos papilles la douceur légèrement caramélisée de la bière qui épouse la légère aigreur des veines bleues. Ensemble, elles font jaillir la crème, qui s'écoule alors tendrement dans notre bouche. La sensation est très agréable. (**)

Bresse bleu (bleu, pâte molle, croûte fleurie)
Dès le contact de leurs lèvres, les tourtereaux convolent en juste noce et s'enfuient au sous-sol pour s'en donner à cœur joie avec discrétion. Lorsque la bière se laisse aller dans un sommeil bien mérité, le fromage revient au premier plancher taquiner nos papilles. Nous sommes alors tentés de prendre une deuxième gorgée pour susciter de nouveaux ébats. Mieux vaut alors prendre aussi une deuxième bouchée, sinon c'est surtout l'âcreté qui ressortira. (*)

Brie double crème Anco (croûte fleurie, pâte molle, double crème, industrielle)
Le houblon s'incline devant la grâce crémeuse du fromage. Ce dernier, tenté par la communion, laisse ses champignons dans les champs. Ils s'embrassent alors tendrement. Un coulis de crème s'échappe en finale. (*)

Capriny (chèvre frais)
Une amitié timide les réunit. Elle se déroule sur des notes de tendresse. (*)

Cheddar extra-fort Perron (cheddar artisanal/fermier)
L'amertume de la bière affirme sa prestance mais ne réussit pas à contenir la force poivrée du fromage. Réciproquement, respectueuse, une relation se développe. Sans devenir passionnelle, elle nous offre la tranquillité paisible d'un couple fait pour durer. (*)

Chèvre des Alpes au poivre (chèvre frais au poivre)
Le poivre du fromage se plaît bien en compagnie de cette bière qui le lui rend bien. Une solide amitié les réunit au fil du temps qui passe. (*)

Chèvre noir (cheddar de chèvre)
La bière est manifestement séduite par ce fromage. Elle en est même intimidée et se fait toute douce. (*)

Le Fêtard (croûte lavée à l'alcool, pâte semi-ferme, odeur moyenne)
Après une brève tentative d'intimidation, l'amertume de la bière s'efface et cette dernière accepte volontiers de mettre en valeur la face cachée du fromage : sa grande douceur crémeuse. La relation s'allonge paisiblement dans notre gorge, dans laquelle nous pouvons apprécier la présence continue de cette timide douceur. (*)

Le Migneron de Charlevoix (croûte lavée, pâte semi-ferme, pas trop odorante)
La rencontre est très intéressante entre les deux personnalités qui, dès les présentations, se bécotent tendrement. Dans leurs doux ébats, nous sommes en mesure de reconnaître les échanges : les saveurs amères du houblon, de la bière puis le goût aigre des champignons du fromage. L'anventurette terminée, on se quitte sans au revoir. (*)

Petit Munster (croûte lavée, pâte molle, odorante de terroir)
Nous pouvons observer l'intérêt que l'un porte à l'autre dès que les présentations d'usage sont faites sur nos papilles. Le côté « amer » de la St-Ambroise tente de prendre de contrôle, mais constatant la fragilité du lien, elle se retire. L'union se poursuit en douceur, pleine de tendresses et de câlins, sans jamais déborder dans des démonstrations farfelues. (*)

Bleu de chèvre (bleu salé traditionnel)
La rencontre produit une sorte de vacuum de saveurs, un vide gustatif ! En finale, le bleu salue timidement. (0)

Bleu de la Moutonnière (bleu salé traditionnel)
Un flirt s'établit entre les deux mais, dans un mouvement rapide, le fromage se retire et laisse toute la place à la bière. Esseulée, la St-Ambroise part à son tour. Devant le vide, le mouton revient nous offrir quelques flaveurs de *roqueforti* sur un fond salé. (0)

Oka classique (croûte lavée, pâte semi-ferme, pas trop odorante)
Les deux parties font preuve d'une grande indépendance et d'un refus non négociable de s'associer. Deux grands noms au programme, mais rien de plus. (0)

Paillot (bûchette de chèvre)
Indifférence mutuelle. Le fromage s'efface en laissant quelques gouttes âcres. (0)

Capriny aux herbes (chèvre frais aux herbes)
Le ton monte très tôt entre les deux. On note une amertume désagréable de la part des herbes. La bière quitte les lieux presto. (-)

Cheddar mi-fort Black Diamond (cheddar industriel)
Incompatibilité initiale des caractères dès la rencontre. La bière explose d'amertume. Le houblon s'empare alors de tout notre espace buccal. (-)

Chèvre des Alpes, fines herbes (chèvre frais aux herbes)
La bière suscite dans ce fromage une réaction de défense qui produit de l'aigreur. La finale nous réconcilie un peu avec la douceur onctueuse du fromage. (-)

Chèvre des Alpes, nature (chèvre frais)
La bière s'impose difficilement devant ce fromage. Quelques saveurs âcres et aigres sont perceptibles ici et là. (-)

PAILLOT, PRISE 2 (bûchette de chèvre)
L'amertume du houblon se manifeste avec force devant le fromage, mais elle abandonne tout combat car la défaite s'annonce implacable. Le fromage nous offre alors un élan de douceur, mais ne peut résister à la tentation de se venger en soulignant le côté âcre de l'amertume de la bière. (-)

COBRA IPA (6 % ALC./VOL.)

Le sigle IPA sur l'étiquette signifie « India Pale Ale ». Le style fut développé à la glorieuse époque de l'Empire britannique. Cette version de la pale ale comportait une plus grande quantité de houblon, donc d'amertume, afin de pouvoir mieux protéger la bière des risques de dégradation pendant le long voyage vers l'Inde. La forte présence d'amertume de houblon dans les produits de cette famille les rend plutôt difficiles à marier aux fromages. Le service chambré est ici presque essentiel pour favoriser le développement d'attitudes positives à l'égard de ces derniers.

Dégustations

GRUYÈRE (gruyère)
Belle complémentarité dans la force des deux partenaires. Finale aux notes de noisette du fromage. (**)

CANTONNIER DE WARWICK (croûte lavée, pâte semi-ferme, pas trop odorante)
Le fromage souligne toutes les particularités de la bière en s'abandonnant. Il met d'abord en valeur l'onctuosité du malt puis la fine amertume du houblon. (*)

MORBIER (croûte lavée, pâte semi-ferme, pas trop odorante)
Wow! Bel intérêt dès le premier regard, mais cela ne dure pas. La bière quitte trop vite. Finale cendrée du fromage. (*)

CHEDDAR MI-FORT BLACK DIAMOND (cheddar industriel)
Indifférence mutuelle. (0)

BRIE (croûte fleurie, pâte molle, industrielle)
Amplification trop poussée de l'amertume de la bière, qui râpe la langue en étalement. (-)

JAN VAN GENT (5,5 % ALC./VOL.)

Indice de mariabilité : 70 %
Indice d'amitié : 60 %
Indice orgastique : 10 %
Indice conflictuel : 30 %

Épousailles probables

- Cheddar artisanal/fermier extra-fort

Amitiés probables

- Cheddar de chèvre
- Cheddar industriel
- Croûte lavée, pâte molle, odorante de terroir
- Croûte fleurie, pâte molle, industrielle
- Croûte lavée à l'alcool
- Croûte lavée, pâte semi-ferme, pas trop odorante
- Gruyère
- Stilton

Conflits éventuels

- N'en ai pas trouvé

Dégustations

CHEDDAR EXTRA-FORT PERRON (cheddar artisanal/fermier)
L'union est spontanée et intense dès la rencontre. Elle se poursuit longuement avec des caresses brûlantes et soutenues. Au moment crucial, une séparation se produit. Le fromage insiste pour poursuivre, mais la bière revient un peu trop tard, insiste à son tour... Les murmures d'un orgasme qui n'arrive jamais s'éternisent dans notre mémoire. (***)

BRIE (croûte fleurie, pâte molle, industrielle)
Beaux bécotements de tendresse. La fusion se fait, plutôt avec discrétion. Production de notes crémeuses et maltées. (**)

CANTONNIER DE WARWICK (croûte lavée, pâte semi-ferme, pas trop odorante)
Quelles belles caresses onctueuses qui s'échelonnent longtemps, longtemps en étalement. (**)

CHEDDAR MI-FORT BLACK DIAMOND (cheddar commercial)
Très très agréable rencontre de deux jouissifs et la douceur onctueuse les mène à la porte de l'implosion. (**)

PETIT MUNSTER (croûte lavée, pâte molle, odorante de terroir)
Complémentarité naturelle de deux personnes dont la destinée est de plaire à l'autre. Elles le font avec une telle économie de ressources ! Voilà le plaisir facile et efficace d'un quotidien jovial. (**)

STILTON (stilton)
Complémentarité manifeste dès contact établi. La relation se développe sans excès de tendresse, mais solide et respectueuse de la personnalité de chacun, l'amertume en moins. (**)

CHÈVRE NOIR, 2 ANS (cheddar de chèvre)
La forte personnalité des deux tourtereaux entraîne illico une attirance mutuelle. Ils s'embrassent mais, dès que nous avons l'impression que l'implosion va se produire, un sursaut d'amertume du houblon réveille le chèvre. À son tour, ce dernier anime le caramel de la bière. En finale, l'aigreur piquante du fromage se répand indéfiniment dans l'étalement. (*)

LE FÊTARD (croûte lavée à l'alcool, pâte semi-ferme, odeur moyenne)
La bière s'unit rapidement à ce fromage, mais se lasse vite d'une union un peu trop douce à son goût. Elle ne peut alors retenir d'exprimer son amertume. Au moment de son relâchement, elle soupire une brise d'âcreté. (*)

MIRANDA (croûte lavée, pâte semi-ferme, pas trop odorante)
Rencontre amicale entre deux êtres qui se respectent dès les présentations d'usage. On note une certaine amertume de la bière, mais elle se dissipe rapidement afin de ne pas nuire aux minces possibilités d'implosion, qui ne se concrétisent toutefois jamais. (*)

MORBIER L.C. (croûte lavée, pâte semi-ferme, pas trop odorante)
Tout se fait dans la discrétion. Il y a probablement des épousailles, mais elle est dissimulée et non-perceptible. Finale aux notes aigrelettes de terroir. (*)

JARLSBERG FUMÉ (emmental)
La bière s'élance vers le fromage puis s'arrête subitement en percevant son nuage fumé si typé. Ce dernier en profite pour parader sans inhibition. (0)

MORBIER (croûte lavée, pâte semi-ferme, pas trop odorante)
On s'observe, on se touche, on s'embrasse même, mais du bout des lèvres. On retourne ensuite chacun de son côté poursuivre en solitaire sa route. (0)

SAINT-MORGON (croûte mixte, brossée et lavée, pas trop odorante)
L'amertume de la bière se fait plutôt acrimonieuse devant ce fromage qui, de son côté, ne perd pas trop son temps en compagnie hostile. (-)

BORÉALE BLONDE (4,5 % ALC./VOL.)

Indice de mariabilité : 80 %
Indice d'amitié : 65 %
Indice orgastique : 15 %
Indice conflictuel : 20 %

Épousailles probables

- Cheddar de chèvre
- Crottin de chèvre
- Croûte fleurie, pâte molle, industrielle
- Stilton

Amitiés probables

- Bleu salé traditionnel
- Bûchette de chèvre
- Cheddar artisanal/fermier
- Chèvre frais aux herbes
- Chèvre frais
- Croûte fleurie, pâte molle, lait de chèvre
- Croûte lavée, pâte semi-ferme, pas trop odorante
- Emmental

Conflits éventuels

- N'en ai pas trouvé

Dégustations

BARBU (crottin de chèvre)
L'explosion immatérielle est très belle et la communion totale et inconditionnelle entre les deux. En finale, le barbu exprime longtemps toute sa douceur. (***)

STILTON (stilton)
Mariage inconditionnel dès le frôlement des corps. Le malt de la bière se lance vers le sel du fromage. La sensation linguale est inondée d'un torrent de crème agréablement saupoudrée de sel et de veines bleutées. (***)

CHEDDAR EXTRA-FORT PERRON (cheddar artisanal/fermier)
L'union est basée sur le respect mutuel. Après quelques instants, on sent la joie du fromage qui explose et qui nous envahit d'un voile épais de crème onctueuse. (**)

CHÈVRE DES NEIGES NATURE (chèvre frais)
La bière amplifie la douceur un peu surette du fromage et forme avec lui un couple d'agréable compagnie. (**)

EMMENTAL DE CHÈVRE (emmental)
La rencontre s'amorce sur une indifférence mutuelle, mais est rapidement suivie par une étreinte chaleureuse et l'expression de la douceur qui unit les amants dans leur grande caresse immatérielle. (**)

LE PETIT VINOY (chèvre frais)
La relation produit d'agréables sensations veloutées, une onctuosité qui perdure longtemps, jusque dans les profondeurs de notre gorge. (*)

FRONTENAC (5 % ALC./VOL.)

Indice de mariabilité : 90 %
Indice d'amitié : 70 %
Indice orgastique : 20 %
Indice conflictuel : 10 %

Épousailles probables

- Barbu
- Cheddar de chèvre
- Crottin de chèvre
- Croûte fleurie, pâte molle, industrielle
- Stilton

Amitiés probables

- Bleu salé traditionnel
- Bûchette de chèvre
- Cheddar artisanal/fermier extra-fort
- Chèvre frais aux herbes
- Chèvre frais
- Croûte fleurie, pâte molle, lait de chèvre
- Croûte lavée, pâte semi-ferme, pas trop odorante
- Emmental

Conflits éventuels

- N'en ai pas trouvé

Dégustations

BRIE CARON (croûte fleurie, pâte molle, industrielle)
Le désir intense de communion entre les deux produit une belle étreinte de douceur dans les premières secondes de la relation. On s'essouffle un peu, mais on poursuit néanmoins les caresses voluptueuses dans une récidive. (***)

CAMEMBERT CARON (croûte fleurie, pâte molle, industrielle)
Intense relation qui implose instantanément de joie sur nos papilles. Le ronronnement du fromage est irrésistible dans l'étalement. (***)

CHEDDAR RUBAN BLEU (cheddar de chèvre)
La rencontre suscite une effusion intense de douceur onctueuse, très crémeuse et qui s'écoule lentement, paresseusement, dans l'étalement. (***)

CABRIE (croûte fleurie, pâte molle, lait de chèvre)
La relation se passe sous l'égide du velours. En finale, les champignons du fromage émettent un tendre ronronnement. (**)

CAPRINY AUX HERBES (chèvre frais aux herbes)
La bière se répand voluptueusement sur le lit onctueux préparé par le fromage et fait exploser une vague intense de douceur crémeuse. (**)

ROUY (croûte lavée, pâte molle, pas trop odorante)
Le Rouy se sent très ennobli de la présence de cette bière et en profite pour nous inonder de ses charmes virils. (*)

BLEU DE CHÈVRE (bleu salé traditionnel)
Le fromage accueille la bière avec une belle bise et un câlin à la douceur très plaisante. Puis le fromage prend le dessus et règne en roi sur nos papilles. (*)

FEUILLE DE VIGNE (chèvre frais aux herbes)
Un vide gustatif se crée lors de la rencontre alors que les deux disparaissent de nos papilles. Puis le fromage revient timidement compléter son œuvre. (0)

GRIFFON BLONDE (5 % ALC./VOL.)

Indice de mariabilité : 90 %
Indice d'amitié : 70 %
Indice orgastique : 20 %
Indice conflictuel : 10 %

Épousailles probables

- Chèvre frais

Amitiés probables

- Bleu salé traditionnel
- Cheddar de chèvre
- Cheddar artisanal/fermier
- Chèvre frais aux herbes
- Crottin de chèvre
- Croûte fleurie, pâte molle, lait de chèvre
- Emmental

Conflits éventuels

- Chèvre frais

Dégustations

LE PETIT VINOY (chèvre frais)
L'étreinte est très intense dès la rencontre initiale et conduit directement à une plénitude nuptiale qui explose sur nos papilles. Le couple s'endort tendrement dans notre étalement alors que le souvenir de leur rencontre persiste dans notre mémoire. (***)

CAPRINY AUX HERBES (chèvre frais aux herbes)
La bière est très attirée par ce fromage qui en profite alors pour mettre en valeur ses qualités. La bière s'endort dans ses bras. La finale nous dévoile les subtilités des herbes. (**)

EMMENTAL DE CHÈVRE (emmental)
La bière complète bien le goût du fromage, qui se montre alors très crémeux et onctueux. La saveur de l'emmental est continuellement présente en arrière-plan alors que l'amertume de la bière est étouffée. (**)

CAPRINY (chèvre frais)
Une agréable sensation de douceur s'imprime sur nos parois buccales lorsque la bière rencontre le fromage. La dame s'écoule ensuite doucement tandis que le monsieur s'épanouit dans une finale très longue. (*)

CHEDDAR RUBAN BLEU (cheddar de chèvre)
La bière devient très douce devant ce fromage et une amitié s'établit. La bière disparaît ensuite rapidement et le fromage revient caresser nos papilles. (*)

CHÈVRE DES ALPES AU POIVRE (chèvre frais au poivre)
La rencontre laisse les deux passablement indifférents et discrets. L'onctuosité du fromage se répand dans l'étalement. (0)

PAILLOT (bûchette de chèvre)
L'attraction semble manifeste, mais rien ne se produit. Le fromage s'aigrit quelque peu au moment où la bière le quitte. (0)

LA PETITE CHEVRETTE (bûchette de chèvre, mais forme pyramidale)
Dans les premiers instants, la relation est très agréable et nous laisse croire qu'elle va conduire vers des battements de cœur amoureux. Après quelques secondes toutefois, le conflit éclate et les saveurs désagréables s'amplifient. (-)

PALE ALE À L'AZOTE

Cette version de la pale ale est relativement récente dans le monde de la bière. Elle est habituellement soutirée en canette. L'azote qu'elle renferme, emprisonné dans un réservoir inséré à l'intérieur, se libère au moment où nous ouvrons le récipient. Le gaz saturé traverse alors le liquide sans s'y dissoudre. Son passage attendrit la bière et lui confère des saveurs onctueuses et facilite les épousailles.

Boddington (4,8 % alc./vol.)

Indice de mariabilité : 85 % Indice d'amitié : 65 %
Indice orgastique : 20 % Indice conflictuel : 15 %

Épousailles probables

- Croûte fleurie, pâte molle, industrielle
- Croûte lavée, pâte semi-ferme, pas trop odorante

Amitiés probables

- Bleu onctueux
- Bleu salé traditionnel
- Bleu, pâte molle, croûte fleurie
- Bûchette de chèvre
- Cheddar industriel
- Cheddar artisanal/fermier
- Croûte fleurie, pâte molle, lait de chèvre
- Croûte lavée, pâte semi-ferme, pas trop odorante
- Croûte lavée, pâte molle, odorante de terroir
- Croûte lavée à l'alcool, pâte semi-ferme, odeur moyenne
- Croûte fleurie, pâte molle, double crème, industrielle
- Emmental
- Gruyère
- Stilton

Conflits éventuels

- Bleu salé traditionnel
- Feta
- Pâte semi-ferme, peu ou pas affinée (dans la masse)

Dégustations

Camembert (croûte fleurie, pâte molle, industrielle)
Dès les présentations, le fromage amplifie la douceur de cette Anglaise qui devient alors très désaltérante. Alors que la bière part, les champignons du fromage reviennent sur la pointe des pieds exciter nos papilles. (***)

Rouy (croûte lavée, pâte molle, pas trop odorante)
La bière enveloppe totalement le fromage et nous fait oublier ses origines paysannes. Elle s'en inspire pour amplifier la douceur qu'elle recèle et transformer une rencontre anodine en explosion orgastique. (***)

Jarlsberg fumé (emmental)
La rencontre engendre une effusion très douce et sucrée qui coule généreusement sur nos papilles, agréablement relevée d'un voile fumé. (***)

Bresse bleu (bleu, pâte molle, croûte fleurie)
L'onctuosité de la bière enveloppe le fromage d'une toile très épaisse qui ne laisse du fromage qu'une sensation crémeuse très agréable. Le *roqueforti* exécute, dans le fond de notre gorge, quelques pas de danse feutrés. On reconnaît la couleur bleue, mais très adoucie par la relation. (**)

Brie français Caron (croûte fleurie, pâte molle, industrielle)
Les deux se fondent l'un dans l'autre; la bière devient fromage et le fromage, bière. Ils nous gratifient de l'onctuosité d'une relation douce-amère particulièrement agréable. (**)

Cheddar mi-fort Black Diamond (cheddar industriel)
Sensation de douceur très agréable qui se produit dès la rencontre et qui se répand en fines couches goûteuses en s'étalant. (**)

Jarlsberg fumé (emmental)
La bière enveloppe le goût prononcé de fumé du fromage d'une épaisse couche onctueuse. Elle persiste, protectrice de nos papilles même lorsque le fromage se relève en force à la fin. (**)

Petit munster (croûte lavée, pâte molle, odorante de terroir)
Belle relation, alors que le moelleux de la bière enveloppe toute la force du fromage d'une couverture très veloutée. On peut noter quelques élans crémeux de tendresse en provenance du fromage. (**)

Saint-Loup (croûte fleurie, pâte molle, lait de chèvre)
Dialogue intense entre deux personnes qui ont de la jasette. Après l'émotion du début, on apprécie les arguments de chacun dans les échanges. Une légère amertume va s'amplifiant vers la fin, d'abord celle de la bière, puis celle du fromage. (*)

Saint-Morgon (croûte mixte, brossée et lavée, pas trop odorante)
Union spontanée au sein de laquelle la douceur de la bière enveloppe le fromage d'un voile translucide qui donne à goûter le terroir de ce dernier. Le couple s'éteint ensuite dans la profondeur de nos souvenirs. (*)

Stilton (stilton)
On s'éprend rapidement l'un de l'autre. Le coup de foudre est percutant. La première nuit consommée, les protagonistes s'éloignent irrémédiablement un de l'autre. Le fromage pleure alors des larmes salées. (*)

Morbier (croûte lavée, pâte semi-ferme, pas trop odorante)
On sent que la bière veut unir sa destinée au morbier mais, dès le premier baiser, agréable, ce dernier demeure indifférent. On note une certaine amertume dans la bière, mais sans autre conséquence fâcheuse. Le fromage s'endort. La bière glisse lentement dans le trépas. (0)

Chaumes (croûte lavée, pâte semi-ferme, pas trop odorante)
Nette domination de la bière sur le fromage, dont l'amertume devient un peu âcre. Les deux disparaissent ensuite chacun de son côté, sans demander leur reste. (-)

Saint-Paulin (pâte semi-ferme, peu ou pas affinée (dans la masse))
Belle première rencontre onctueuse, mais les hostilités s'amorcent dans l'âcreté du fromage qui s'exprime trop fort. (-)

Bleu danois (bleu salé traditionnel)
Très désagréable sensation éthérée. (–)

Kilkenny (4,5 % alc./vol.)

Indice de mariabilité : 95 %
Indice orgastique : 25 %
Indice d'amitié : 70 %
Indice conflictuel : 5 %

Épousailles probables

- Bleu, pâte molle, croûte fleurie
- Bleu salé traditionnel
- Bûchette de chèvre

Amitiés probables

- Cheddar artisanal/fermier mi-fort
- Cheddar industriel
- Cheddar de chèvre
- Chèvre frais
- Croûte fleurie, pâte molle, artisanale
- Croûte lavée, pâte semi-ferme, pas trop odorante
- Croûte lavée à l'alcool
- Croûte lavée, odorante de terroir
- Emmental
- Gruyère
- Tilsit suisse
- Tomme de brebis

Conflits éventuels

- Croûte lavée, pâte semi-ferme, pas trop odorante

Dégustations

Bleu de chèvre (bleu salé traditionnel)
Belles courtisaneries de la bière, qui sait débusquer la douceur dissimulée dans ce fromage musclé et en faire ressortir toute son âme crémeuse. (***)

Camembert de madame Clément (croûte fleurie, pâte molle, artisanale)
Relation d'une très grande intensité qui met surtout en valeur le fromage. En finale, on est invité à cueillir des champignons. (***)

Cantonnier de Warwick (croûte lavée, pâte semi-ferme, pas trop odorante)
Belle union totale qui met surtout en valeur l'onctuosité de la bière. En finale, le fromage revient exprimer le velouté de sa crème. (***)

Cheddar Balderson, 3 ans (cheddar artisanal/fermier)
Malgré une certaine retenue pudique de part et d'autre, lorsque le don de soi s'effectue, il est total et inconditionnel.

Saint-Nectaire (croûte lavée, pâte molle, odorante de terroir)
Quelle belle étreinte inconditionnelle qui fait transpirer de l'embrassade le piquant fruité du fromage, tout le cérémonial étant enrobé de crème. (***)

Le Biquet (chèvre frais)
Belles taquineries où l'un et l'autre jouent à stimuler nos papilles en alternance parfaite. La finale est signée Biquet. (**)

BRESSE BLEU (bleu, pâte molle, croûte fleurie)
Relation très intense et racée qui met en valeur le bleu du fromage délicatement enrobé de crème de bière. (**)

PAILLOT DE CHÈVRE (bûchette de chèvre)
Union très respectueuse et prometteuse de tendresse pleine. Finale désaltérante alors que l'étalement lèche d'une fine couche de crème notre épithélium. (**)

CAPRICE DES DIEUX (croûte fleurie, pâte molle, double crème, industriel)
Tendre amitié tout en douceur. Finale qui souligne les qualités du fromage. (*)

COULOMMIERS (croûte fleurie, pâte molle, industriel)
On se câline entre copain et copine. (*)

SAINT-DAMASSE (croûte lavée, pâte molle, pas trop odorante)
Le fromage devient très moelleux et crémeux devant cette bière, mais la puissance de sa personnalité empêche la relation de se développer. (*)

CAMEMBERT ROITELET (croûte fleurie, pâte molle, industrielle)
Indifférence totale entre les deux au moment de la rencontre. Finale crémeuse. (0)

Brown ale

Dans le grand verre d'histoire de la bière, les bières brunes précèdent les bières blondes, noires et rousses. Les méthodes ancestrales de maltage ne permettent ni la production d'un malt pâle, ni celle d'un malt noir. Les modèles contemporains de brown ale débutent néanmoins par le lancement de la pale ale en Angleterre. Devant la popularité de ce nouveau produit, certaines brasseries décident tout simplement de ré-inventer l'ale traditionnelle en copiant les principales caractéristiques de la pale ale, mais en la proposant dans une robe un peu plus foncée et une saveur légèrement plus sucrée.

Lumineuse, la bière dévoile un brun-roux aux nuances de cassonade. Son pétillement faible ou moyen se coiffe d'une mousse plutôt timide et fugace qui colle peu aux parois du verre. Ses flaveurs dominantes portent une signature douce-sucrée qui dissimule des notes de houblon. Son nez sucré, houblonné, de cassonade, s'enveloppe d'une présence moyenne d'esters. Ses saveurs se basent sur une plate-forme douce-amère. Dominée par la douceur de malt avec quelques nuances de noix, de cassonade et légèrement fruitée, bien que quelquefois généreusement houblonnée; quelques modèles offrent une légère amertume bien définie. En bouche, sa corpulence est mince ou moyenne. Son étalement moyen souligne la douceur et s'accompagne à l'occasion de quelques notes houblonnées. Son profil gustatif peut varier considérablement d'une marque à l'autre. Il serait possible de classer certaines de ces bières dans le style des pale ales.

Des exemples : Griffon brune, Brooklyn Brown, King's & Barnes B. A., New Haven Brown, Newcastle B. A., Samuel Smith Nut B. A.

Griffon Rousse (5 % alc./vol.)

Indice de mariabilité : 80 %
Indice d'amitié : 60 %
Indice orgastique : 20 %
Indice conflictuel : 20 %

Épousailles probables

- Bûchette de chèvre
- Cheddar de chèvre
- Cheddar artisanal/fermier
- Croûte lavée à l'alcool, pâte semi-ferme, odeur moyenne
- Croûte lavée, odorante de terroir
- Croûte lavée, pâte semi-ferme, pas trop odorante
- Gruyère

Amitiés probables

- Bûchette de chèvre
- Cheddar artisanal/fermier et mi-fort
- Cheddar de chèvre
- Chèvre frais aux herbes
- Chèvre frais
- Crottin de chèvre
- Croûte fleurie, pâte molle, artisanale
- Croûte fleurie, pâte molle, lait de chèvre
- Croûte mixte, brossée et lavée, pas trop odorante
- Croûte lavée à l'alcool
- Croûte lavée, pâte semi-ferme, pas trop odorante
- Croûte lavée, pâte molle, odorante de terroir
- Mimolette
- Parmigiano

Conflits éventuels

- Cheddar industriel
- Cheddar artisanal/fermier extra-fort
- Croûte lavée, odorante de terroir
- Emmental

Dégustations

Chaumes (croûte lavée, pâte semi-ferme, moyen pas trop odorante)
Une explosion de douceur envahit tout l'espace buccal dès la rencontre. Le premier baiser en est un de passion. Il s'intensifie pendant plusieurs secondes et explose enfin doucement alors qu'une grande onctuosité se répand partout sur notre épithélium. (***)

Chèvre noir, 2 ans (cheddar de chèvre)
Le fromage tisse une toile épaisse et confortable sur laquelle la bière brode sa propre douceur, ce qui nous procure de belles et intenses sensations de confort crémeux. (***)

CHIMAY (croûte lavée à l'alcool, pâte semi-ferme, odeur moyenne)
Union très rafraîchissante et très désaltérante alors que le fromage devient bière et la bière, fromage. Il en jaillit un torrent parfumé de houblon. Finale dirigée par le fromage, dont la crème fond et se laisse enrober de houblon. (***)

COMTÉ FRANÇAIS (gruyère)
L'union est parfaite alors que l'un se fond dans l'autre. On ne reconnaît ni le fromage ni la bière. On savoure tout simplement la fusion onctueuse de la douceur paradisiaque qui s'évanouit paisiblement dans notre gorge. (***)

BARBU (crottin de chèvre)
La relation est très intense quoique d'une certaine timidité sur nos papilles. Lorsque la bière s'endort, le fromage s'épanouit en douceur. (**)

CHEDDAR FERMIER (cheddar artisanal/fermier)
Quelques hésitations semblent habiter l'une et l'autre, mais dès que les corps se touchent leur communion a lieu. Nous observons une note aigre originant du fromage au début de l'étalement, qui nous joue ensuite une note amère, toujours agréable dans sa retenue. (**)

MIMOLETTE (mimolette)
Malgré toute la timidité dont font preuve les deux gaillards, le désir de se donner à l'autre est palpable et réel. Toute la relation se développe ainsi sur un fond de réserve dans les bienfaits d'une crème épaisse et onctueuse. (**)

NUIT-D'OR-SAINT-GEORGES (croûte lavée, pâte molle, pas trop odorante)
La relation s'établit dans une franche amitié et on se rend jusqu'à l'autel, mais sans prononcer les vœux. Une note rafraîchissante au début de l'étalement se termine par une agréable amertume de houblon. (**)

BLEU DE LA MOUTONNIÈRE (bleu salé traditionnel)
La bière se fait plutôt macho à l'occasion des présentations d'usage, manifestement intimidée par le mouton. Ce dernier l'accepte et les échanges se poursuivent dans ce qu'il serait convenu de nommer une aventure épidermique, agréable mais sans lendemain. La bière s'endort, puis le fromage danse sur nos papilles. (*)

BRESSE BLEU (bleu, pâte molle, croûte fleurie)
On présente à l'autre ses attraits, qui sont étudiés sur-le-champ. Le doute nous envahit quant aux résultats d'une union entre eux, puis soudainement, dès que leurs lèvres se frôlent, une étreinte exempte de passion mais tendre les unit. Leur joie timide se répand alors sur nos papilles. (*)

BRIE CARON (croûte fleurie, pâte molle, industrielle)
Le Griffon se présente d'abord habité d'amertume. Il accepte toutefois de bon gré de développer une relation d'amitié avec le fromage. Il partage ensuite quelques moments de tendresse onctueuse sur nos papilles. (*)

PAILLOT (bûchette de chèvre)
La bière offre d'abord ses saveurs âcres puis elle s'adoucit, réalisant qu'elle vient de laisser filer une belle occasion de s'envoyer en l'air avec un beau fromage. (0)

SIEUR CORBEAU (croûte mixte, brossée et lavée, pas trop odorante)
Le fromage résiste aux avances de la bière et devient alors légèrement âcre. Le Griffon s'adoucit et le fromage accepte alors d'offrir son corps, mais il est trop tard, il ne se passe rien. (0)

VICTOR ET BERTHOLD (croûte lavée, pâte semi-ferme, pas trop odorante)
Le fromage reste totalement indépendant devant cette bière. Cette dernière présente ses atours et le côté doux de sa personnalité, sans insister. Elle abandonne rapidement le jeu de la séduction et le fromage revient alors faire quelques pirouettes sur nos papilles. (0)

ROUY (croûte lavée, pâte molle, pas trop odorante)
L'union bat d'abord au rythme de l'amertume mutuelle sur un fond commun de douceur. Au moment où l'étalement s'installe, l'âcreté de chacun insiste trop, portant ombrage aux sensations agréables initiales. (-)

Pilsener d'origine

La Bohême et la Moravie offrent des conditions de culture exceptionnelles pour l'orge et le houblon. L'orge que l'on y cultive depuis le XVIIIe siècle, notamment les variétés Hanna et Kniefl, est d'une qualité remarquable. La combinaison de ces ingrédients à l'eau la plus douce utilisée dans le monde du brassage nous offre une bière tout en nuances subtiles. Sa grande douceur permet un généreux houblonnage tout en favorisant le développement de saveurs agréables. Elle abrite de 4 à 5 % alc./vol. et s'habille d'une robe blonde aux reflets dorés. Son pétillement moyen est coiffé d'une mousse plutôt timide qui colle peu aux parois du verre. Les flaveurs dominantes sont la douceur du malt, et en second, le houblon aromatique. Nez très aromatique de houblon, fleuri, champêtre. De rondeur moyenne, sa saveur de base s'articule sur l'axe doux-amer délicatement souligné par le houblon. La perception des saveurs amères varie largement en fonction de la température de service de la bière et de son degré d'alcool. Étalement : d'abord douce, elle laisse rapidement son amertume s'épanouir.

Des exemples : Pilsner Urquell (archétype), Budweiser Budvar, Bitburger, Meteor, Weltenburger Pilsner. Variations : la Pils belge est beaucoup plus douce que la pilsener d'origine, mais conserve une amertume facilement perceptible. Modèles de référence : Bel, Jupiler, Maes

BITBURGER (4,6 % ALC./VOL.)

Indice de mariabilité : 65 %
Indice d'amitié : 55 %
Indice orgastique : 10 %
Indice conflictuel : 35 %

Épousailles probables
- Bleu salé traditionnel
- Cheddar de chèvre
- Pâte molle triple-crème, croûte fleurie, industrielle

Amitiés probables

- Bleu, pâte molle, croûte fleurie
- Boursin à l'ail et aux fines herbes
- Cheddar artisanal/fermier, et extra-fort
- Croûte lavée, pâte semi-ferme, pas trop odorante
- Croûte lavée, odorante de terroir
- Croûte lavée à l'alcool
- Gruyère
- Pâte molle double crème, croûte fleurie, industriel

Conflits éventuels

- Chèvre frais
- Gouda doux
- Croûte lavée, pâte molle, pas trop odorante
- Croûte mixte, brossée et lavée, pas trop odorante

Dégustations

BLEU DE LA MOUTONNIÈRE (bleu salé traditionnel)
La bière se donne au fromage comme résignée, sans exprimer un véritable désir de le faire. Une fois sa réticence fondue, le mouton sautille de joie sur nos papilles pour exprimer son contentement. (***)

CHÈVRE NOIR (cheddar de chèvre)
L'attraction manifeste est parsemée d'hésitations et de manifestations d'aigreur de la part du fromage et d'amertume de la part de la bière. Une fois leur différend résolu, les deux s'allongent allégrement sur notre langue pour y consommer leur union. (***)

CAMBOZOLA (bleu, pâte molle, croûte fleurie)
La saveur forte-moisie enrobée de champignon du fromage ne s'en laisse pas imposer par cette bière de finesse. Astucieuse, cette dernière réussit toutefois à faire se dégager la complexité rebelle en procédant en deux temps. Elle en fait d'abord jaillir la dimension crémeuse, avec pour résultat une sensation de beurre dans notre gorge. Elle élève ensuite le *roqueforti* à un seuil de perception plus élevé qui le rend très agréable. En arrière-plan, l'amertume de la belle soutient sa relation complexe avec le fromage. (**)

LE FÊTARD (croûte lavée à l'alcool, pâte semi-ferme, odeur moyenne)
Relation animée qui nous fait, après des épousailles rapides, exprimer certaines réserves aigres-amères sur la solidité de l'union en question. Puis, un vent de romantisme soulève le couple. Mais le doute revient car s'ajoute au menu du couple un peu plus d'aigreur et d'amertume, sans que cela devienne désagréable heureusement. (*)

FLEUR DE BIÈRE (croûte lavée à l'alcool, pâte molle, très odorante)
Malgré son exubérance, ou peut-être grâce à elle, le fromage séduit rapidement la bière, qui se donne à lui sans retenue. Vite lassée la dulcinée s'enfuit. Le fromage médite avec nos papilles sur le sens à donner à cette rencontre. (*)

MIRANDA (croûte lavée, pâte semi-ferme, pas trop odorante)
On sait très bien que si on acceptait de jouer ensemble, la relation serait merveilleuse, mais l'orgueil est plus fort que l'appel de la chère. (0)

SAINT-MORGON (croûte mixte, brossée et lavée, pas trop odorante)
On évalue rapidement qu'aucune union ne sera possible. La fille de l'Eifel se retire dans ses quartiers laissant le fromage s'exprimer seul sur nos papilles. (0)

CHAUMES (croûte lavée, pâte semi-ferme, pas trop odorante)
On tolère dans un premier temps la présence de l'autre, mais ça ne dure pas. La bière s'enfuit à grands pas en imprégnant notre langue de toute la force de son amertume. (-)

SIEUR CORBEAU (croûte mixte, brossée et lavée, pas trop odorante)
La noblesse empêche chacun d'exploser de rage en présence de l'autre. Dans leur retrait, l'âcreté laissée par la bière et l'aigreur par le fromage nous concoctent un souvenir plutôt désagréable. (-)

PILSNER URQUELL (4,5 % ALC./VOL.)

Indice de mariabilité : 75 %
Indice d'amitié : 65 %
Indice orgastique : 10 %
Indice conflictuel : 25 %

Épousailles probables

- Gruyère
- Croûte lavée, pâte molle, odorante de terroir
- Pâte molle double-crème, croûte fleurie, industriel

Amitiés probables

- Bleu salé traditionnel
- Bleu, pâte molle, croûte fleurie
- Bleu salé traditionnel
- Bûchette de chèvre
- Cheddar artisanal/fermier
- Croûte lavée à l'alcool, pâte semi-ferme, odeur moyenne
- Croûte lavée, pâte semi-ferme, pas trop odorante
- Croûte lavée, odorante de terroir
- Croûte lavée, pâte molle, odorante de terroir
- Croûte fleurie, pâte molle, industrielle

Conflits éventuels

- Bleu onctueux
- Cheddar artisanal/fermier, mi-fort et extra-fort
- Cheddar industriel
- Emmental

Dégustations

BRIE DOUBLE CRÈME ANCO (croûte fleurie, pâte molle, double crème, industriel)
Une belle harmonie de saveurs épate notre langue alors que l'amertume de la bière se laisse envelopper dans le voile crémeux du fromage. La longue et voluptueuse sensation se termine par un éclat de houblon plaisamment champêtre. (***)

COMTÉ FRANÇAIS (gruyère)
Explosion de douceur en trois temps : la bière évoque tout son malt; puis, le fromage présente sa crème riche, onctueuse et légèrement aigre; et en finale, une danse combine les deux dans des saveurs très épaisses de crème brûlée. (***)

MAMIROLLE (croûte lavée à l'alcool, pâte semi-ferme, odeur moyenne)
La quintessence de la crème asperge nos parois intimes en s'amplifiant. Lorsque le couple s'endort très lentement dans son étalement, ses caresses nous offrent quelques flaveurs piquantes enrobées de crème légèrement sure. (***)

BLEU DANOIS (bleu salé traditionnel)
La bière s'évanouit rapidement devant ce fromage. Son geste est plutôt attendrissant. Lorsqu'elle en a complètement fini, le fromage, discrètement, lentement, s'épanouit dans toute sa splendeur. (**)

PAILLOT DE CHÈVRE (bûchette de chèvre)
Les intentions exprimées conduisent tout droit sur le bord lascif de nos papilles, mais l'union n'est pas vraiment consommée, quoique joliment lancée. Finale très yaourt de chèvre. (**)

PETIT MUNSTER (croûte lavée, pâte molle, odorante de terroir)
Le fumé du fromage se dissipe rapidement sous le vent de fraîcheur apporté par la bière. Elle laisse place à une rencontre au sommet alors que le moelleux des deux partenaires fait acte de communion. Lorsque les tourtereaux s'endorment, l'amertume du houblon vient faire un dernier tour de piste et s'assurer que toutes les lumières sont éteintes. (**)

BRESSE BLEU (bleu, pâte molle, croûte fleurie)
Le bleu lance un voile de douceur à la bière qui y allonge sa propre onctuosité avec respect et déférence. Lorsque sa prestation est terminée, le sel et le *roqueforti* du fromage se relaient dans un tintamarre qui nous fait oublier la beauté de l'union. (*)

CHIMAY (croûte lavée à l'alcool, pâte semi-ferme, odeur moyenne)
Rencontre qui provoque une affirmation d'amertume de la part de la bière. Devant cette réaction, le fromage se gonfle de tendresse crémeuse et nous inonde de douceur. Finale qui vient mettre en valeur l'amertume du fromage. (*)

SAINT-BASILE (croûte mixte, brossée et lavée, très odorante)
La bière vient chercher le fromage et en souligne toute la tendresse profonde. Jusqu'à ce moment, la relation est douce et agréable et orgastique. Une fois la magie consommée, le fromage revient en force, fidèle à lui-même, se gargarisant de ses origines fermières. (*)

BLEU DE CHÈVRE (bleu salé traditionnel)
Après une brève disparition, le *roqueforti* revient en postgoût enrobé d'un filtre de crème. (0)

CHEDDAR MI-FORT BLACK DIAMOND (cheddar industriel)
Âcre amertume en finale. (-)

EMMENTAL DE CHÈVRE (emmental)
Léger désagrément amer-âcre en finale. (-)

BRESSE BLEU PRISE 2 (bleu, pâte molle, croûte fleurie)
Le plaisir du début fait place au développement d'une amertume de plus en plus âcre qui s'amplifie jusque dans les retranchements profonds de notre gorge. (-)

Scotch ale

Il est difficile de classer cette bière, notamment parce qu'elle porte le nom d'une région géographique. On retrouve en Écosse un grand nombre de styles de bières. Nous définissons ici les caractéristiques particulières de l'une des premières bières écossaises exportées : ronde, alcoolisée, cuivrée-brune, en nous basant sur les marques suivantes : Bellehaven, Caledonian, Gordon's Scotch Ale, McEwans, Traquair.

Bière sucrée, équilibrée par un alcool bien senti (7 - 8 % alc./vol.) mais jamais dominant. Rousse cuivrée aux reflets d'ambre foncé. Son faible pétillement aux petites bulles soutient une mousse onctueuse qui colle bien aux parois du verre. Elle porte la signature classique de flaveurs jonglant avec le beurre de caramel, qui est surtout senti par le nez. On peut observer, à l'occasion, des notes de rôti en deuxième souffle. Ses saveurs de base douces et liquoreuses s'entourent d'une corpulence très onctueuse, souvent liquoreuse d'alcool, de sucre, et de notes évidentes de beurre de caramel. Étalement long, doux et sucré.

Le style ressemble beaucoup aux doubles et aux bières de garde.

Corne de brume (8,5 % alc./vol.)

Indice de mariabilité : 90 %　　Indice d'amitié : 80 %
Indice orgastique : 10 %　　Indice conflictuel : 10 %

Il est à noter que cette bière fut mise en marché au moment où nous complétions nos séances de dégustation. Les échantillons utilisés étaient alors d'une grande fraîcheur, donc plus sucrés que les mêmes spécimens ayant eu le temps de s'affiner sur les tablettes des épiceries. Cette caractéristique explique en partie l'indice élevé de mariabilité de cette bière.

Épousailles probables

- Crottin de chèvre

Amitiés probables

- Bûchette de chèvre
- Croûte lavée, pâte semi-ferme, pas trop odorante
- Croûte fleurie, pâte molle, industrielle
- Gruyère

Conflits éventuels

- Bleu, pâte molle, croûte fleurie

Dégustations

CROTTIN DE CHÈVRE (crottin de chèvre)
On passe vite aux actes et on se caresse voluptueusement. Le bruit du plaisir est intense dans l'écho de son explosion dans notre arrière-goût. (***)

BRIE (croûte fleurie, pâte molle, industrielle)
Le fromage souligne les qualités de la bière, qui rend l'un et l'autre partenaires si agréables. Finale très crémeuse. (**)

CANTONNIER DE WARWICK (croûte lavée, pâte semi-ferme, pas trop odorante)
Le fromage est habile à souligner le meilleur de la bière et à en extraire le caramel velouté. (**)

PAILLOT DE CHÈVRE (bûchette de chèvre)
On se fond l'un dans l'autre. Finale qui souligne les attraits aigre crémeux du fromage. (**)

GRUYÈRE (gruyère)
La relation est particulièrement rafraîchissante. Finale noisette. (*)

ROUY (croûte lavée, pâte molle, pas trop odorante)
Le fromage s'affirme en catimini, surtout en finale, et fait ressortir le sucré de la bière. (*)

CŒUR DE BLEU (bleu, pâte molle, croûte fleurie)
La finale amplifie la personnalité *roqueforti* acide-âcre du fromage, qui nous laisse un souvenir pénible. (–)

DOUGLAS SCOTCH ALE (8,5 % ALC./VOL.)

Indice de mariabilité : 75 %
Indice d'amitié : 65 %
Indice orgastique : 10 %
Indice conflictuel : 25 %

Épousailles probables

- Croûte lavée, odorante de terroir

Amitiés probables

- Bûchette de chèvre
- Cheddar de chèvre
- Croûte lavée à l'alcool, pâte semi-ferme, odeur moyenne
- Croûte lavée, pâte semi-ferme, pas trop odorante

Conflits éventuels

- Cheddar artisanal/fermier
- Croûte lavée, pâte semi-ferme, pas trop odorante

Dégustations

SAINT-BASILE (croûte mixte, brossée et lavée, très odorante)
Ils sont faits l'un pour l'autre! Le moment est doux, violent, passionnel, suave. Très cochon! On se tète la langue, on en redemande ! (***)

Chimay (croûte lavée à l'alcool, pâte semi-ferme, odeur moyenne)
Comment ces deux têtes fortes vont-elles régler les querelles résultant de leur premier rendez-vous ? Eh bien, comme au cinéma, elles finiront par tomber amoureuses dans un *happy ending* émouvant ! (**)

Nuit-D'Or-Saint-Georges (croûte lavée, pâte molle, pas trop odorante)
La bière est aussi présente et corpulente qu'elle sait l'être. Elle montre cependant beaucoup de respect envers le fromage. On s'entend sur une fine amertume pour développer une belle et longue relation. La texture du fromage, mêlée à la complexité du goût de la bière, fait durer le plaisir. (**)

Paillot de chèvre (bûchette de chèvre)
En querelle sur un ton acide propre aux deux partenaires, on se réconcilie joyeusement avec une complémentarité extraordinaire de l'acide (chèvre) qui s'entrelace avec le sucré caramel-chocolat de la scotch ale. (**)

Le Fêtard (croûte lavée à l'alcool, pâte semi-ferme, odeur moyenne)
C'est comme si la bière hésitait entre partager son intimité avec ce fromage gaillard et se laisser aller à des plaisirs solitaires. Elle opte timidement pour le fromage en y allant du bout de ses saveurs. Aussitôt le goût du Fêtard dissipé, elle s'affirme dans toute sa splendeur. (*)

Sir Laurier d'Arthabaska (croûte lavée, pâte molle, pas trop odorante)
Généreuse et capable de s'adapter à n'importe quel environnement, la scotch ale épouse bien le léger goût de paille du fromage. On sent toutefois le compromis; elle aimerait mieux se trouver ailleurs. L'entente est donc brève et de faible intensité. (*)

Morbier (croûte lavée, pâte semi-ferme, pas trop odorante)
Il est surprenant de constater qu'un fromage de ce caractère ne tienne pas le coup devant une bière avenante comme la Douglas. Manque d'intensité, probablement, mais toujours est-il qu'on perd complètement le fromage dès que la bière fait son entrée. (0)

Le Migneron de Charlevoix (croûte lavée, pâte semi-ferme, pas trop odorante)
Pour une raison inconnue, la bière snobe ce fromage plutôt invitant. Offusqué, celui-ci revient se pointer avec son doux crémeux. La bière réplique avec amertume. La chicane se poursuit. Deux vies parallèles. (-)

McEwans (8,5 % alc./vol.)

Indice de mariabilité : 75 %
Indice d'amitié : 55 %
Indice orgastique : 20 %
Indice conflictuel : 25 %

Épousailles probables

- Bleu salé traditionnel
- Bûchette de chèvre
- Croûte lavée à l'alcool, pâte semi-ferme, odeur moyenne
- Croûte lavée, pâte semi-ferme, pas trop odorante
- Croûte lavée à l'alcool
- Gruyère
- Croûte fleurie, pâte molle, lait de chèvre

Amitiés probables

- Bleu salé traditionnel
- Cheddar de chèvre
- Cheddar artisanal/fermier extra-fort
- Cheddar industriel
- Cheddar artisanal/fermier
- Croûte mixte, brossée et lavée, pas trop odorante
- Croûte lavée, pâte molle, odorante de terroir
- Emmental
- Mimolette
- Stilton

Conflits éventuels

- Bleu, pâte molle, croûte fleurie
- Croûte fleurie, pâte molle, industrielle (ainsi que les double et triple crème)

Dégustations

LE FÊTARD (croûte lavée à l'alcool, pâte semi-ferme, odeur moyenne)
On aime le plaisir charnel et on sait comment le prolonger tout en l'intensifiant jusqu'à l'implosion céleste. Les caresses après-jouissances se font sur des draps aigres-âcres, enrobées de la douceur du caramel. (***)

MAMIROLLE (croûte lavée à l'alcool, pâte semi-ferme, odeur moyenne)
L'explosion de caramel enrobe le fromage, qui de son côté déborde de crème. Voici un véritable dessert onctueux. En ronronnements finaux, quelques traces de l'amertume du fromage. (***)

LE MIGNERON DE CHARLEVOIX (croûte lavée, pâte semi-ferme, pas trop odorante)
Union inconditionnelle et implosive de tendresse onctueuse qui se répand en long et en large partout dans notre bouche et jusque dans nos antichambres... Nous pouvons observer, en finale, un peu de brûlé, suivi de crème. (***)

PAILLOT DE CHÈVRE (bûchette de chèvre)
Épousailles parfaites, mais discrètes sur nos papilles. Au moment où la bière s'endort dans ses bras, le fromage chante tout son bonheur, pour le plus grand plaisir de nos papilles. (***)

MIMOLETTE (mimolette)
Étreinte d'une affection si grande que la passion se laisse pressentir sans jamais s'exprimer. On ressent une implosion timide. Finale rafraîchissante. (**)

CHÈVRE NOIR, 1 AN (cheddar de chèvre)
La bière glisse agréablement sur le dos du chèvre, puis disparaît dessous. On reconnaît toujours l'enveloppe de caramel, mais c'est le chèvre qui se distingue. (*)

SIR LAURIER D'ARTHABASKA (croûte lavée, pâte molle, pas trop odorante)
On note une certaine hésitation dans le fromage. La bière verse alors une amertume d'alcool sur nos papilles, à la limite du déplaisir. Le fromage se fait ensuite doucereux et compatissant pour les pauvres petites. (*)

Saint-Basile (croûte mixte, brossée et lavée, très odorante)
D'entrée de jeu on a l'impression que la bière amadoue le paysan de Portneuf. Mais ce dernier se soulève et développe une colère intense par laquelle tous les souvenirs de son enfance sont répandus sur notre langue. (*)

Bleu de la Moutonnière (bleu salé traditionnel)
Les deux partenaires se lancent dans un tango mais, dès après le premier pas, on se sépare. La bière nous éblouit par sa douceur tandis que le fromage attend patiemment que son tour arrive. Au moment venu, il fait sa propre démonstration en accaparant tout le temps qui reste. (0)

Sieur Corbeau (croûte mixte, brossée et lavée, pas trop odorante)
Indifférence mutuelle qui se termine sur une note de caramel offerte par la bière. Le fromage lui retourne une papille aigre. Le jeu des taquineries n'aboutit sur aucun développement intéressant. (0)

Saint-Honoré (croûte fleurie, pâte molle, triple crème, industrielle)
Relation animée entre les deux personnes qui, même si elles se taquinent allégrement, ne souhaitent absolument pas s'unir. La bière enfonce d'abord les saveurs du fromage dans notre gorge, puis ce dernier fait un sursaut de présence pour se faire tasser à nouveau, et ainsi de suite jusqu'à la perte de sensation. (-)

Bleu de la Moutonnière, prise 2 (bleu salé traditionnel)
La bière hésite longtemps avant de se rendre à l'évidence : les deux caractères en présence sont inconciliables. Elle se retire intacte dans la chambre de nos souvenirs. Le fromage en profite pour répéter ses pas de danse sur nos papilles. (0)

Petit Munster (croûte lavée, pâte molle, odorante de terroir)
Dès la rencontre, les deux s'envoient en l'air pour une p'tite vite. Dans les instants qui suivent l'aventure, leur séparation est amère et on conserve un mauvais souvenir de cet étourdissement. Hélas, l'âcreté semble s'incruster irrémédiablement dans nos papilles. (-)

Stilton (stilton)
Très belle complémentarité initiale, qui ne se poursuit toutefois pas. Alors que tout s'efface dans notre gorge, le *roqueforti* du fromage envahit nos papilles mises à nu et devient insupportable. (–)

Scotch de Silly (8 % alc./vol.)

Il est à noter que les échantillons dont nous disposions pour les épousailles accusaient cinq ans d'âge. Une amertume d'alcool était alors fortement présente dans le cocktail de saveurs, ce qui explique vraisemblablement la difficulté de lui trouver des fiancés excitants.

Indice de mariabilité : 60 %
Indice orgastique : 10 %
Indice d'amitié : 50 %
Indice conflictuel : 40 %

Épousailles probables

- Cheddar artisanal/fermier extra-fort
- Croûte lavée, pâte semi-ferme, pas trop odorante
- Croûte mixte, brossée et lavée, pas trop odorante

Amitiés probables

- Croûte lavée, pâte semi-ferme, pas trop odorante
- Bleu salé traditionnel

Conflits éventuels

- Bleu, pâte molle, croûte fleurie
- Bûchette de chèvre
- Cheddar de chèvre
- Croûte lavée, pâte molle, odorante de terroir
- Croûte lavée, odorante de terroir
- Gruyère
- Stilton

Dégustations

CHEDDAR EXTRA-FORT PERRON (cheddar artisanal/fermier)
L'un se fond dans les bras de l'autre dans une gestuelle si naturelle qu'on dirait que c'est le Grand Esprit de la papille céleste qui manipule les fils. L'implosion orgasmique survient un peu plus tard comme si les tourtereaux avaient voulu retarder le moment critique le plus longtemps possible. La jouissance leur est d'un naturel irrésistible. (***)

LE MIGNERON DE CHARLEVOIX (croûte lavée, pâte semi-ferme, pas trop odorante)
Dès que ces deux-là mêlent leurs corps, la passion s'empare de leur existence. Le Migneron élève même sa mélodie d'une octave pour mieux séduire cette Belge. Il s'ensuit un long coït intense et vigoureux pour le pur plaisir de nos papilles. (***)

SAINT-MORGON (croûte mixte, brossée et lavée, pas trop odorante)
Le caramel de la bière explose de bonheur sur nos papilles, puis son brûlé se répand en une fine couche délicate et délicieuse. En finale, une onctuosité s'installe sur nos papilles et transpire sa chair dans notre gorge. (**)

CHAUMES (croûte lavée, pâte semi-ferme, pas trop odorante)
Le fromage semble intimidé devant cette bière. Elle en profite alors pour nous offrir la quintessence douce et puissante de sa personnalité. Lorsqu'elle se retire, nous constatons que le fromage lui servait de faire-valoir. Ses bons côtés nous reviennent toutefois en écho pendant l'arrière-goût. (**)

MORBIER (croûte lavée, pâte semi-ferme, pas trop odorante)
Déjà, sur nos lèvres, une explosion de caramel se produit dès que la bière entre en contact avec la pellicule de fromage. La relation se poursuit lentement du côté de la modeste cendre du fromage et se termine sur une note particulièrement onctueuse et douce. (*)

Stout

ière noire comme une nuit sans lune, elle se caractérise d'abord par une signature de rôti, de toast brûlée, souvent houblonnée d'amertume.

Elle titre de 4,5 à 5,5 % alc./vol. et est malgré cela considérée comme une bière « forte ». Noir d'ébène, sa mousse onctueuse donne l'impression d'un grand nombre de calories alors que, techniquement, cette bière peut souvent être classée parmi les bières légères... Pétillement faible, petites bulles. Mousse moyenne, mais très compacte, crème ocre, elle colle parfaitement aux parois du verre et s'imprègne jusqu'au fond du verre. Flaveur dominante de rôti qui se détache nettement, houblon en arrière-plan. Au nez, le rôti domine le houblon. Quelques soupçons de chocolat. Bouche amertume de rôti et, en deuxième plan, amertume de houblon. Corpulence de moyenne à mince. Quelques modèles sont onctueux. Amertume distinctive de rôti, soutenue par le houblon et le malt. Acidité faible-moyenne. Étalement long dominé par le rôti. L'amertume du houblon est perceptible en toile de fond. Elle s'épanouit habituellement vers la fin. Les versions « à l'azote » proposent un adoucissement « par le gaz » qui transforme la complexité de la bière pour l'envelopper d'un écrin soyeux.

Des exemples : Boréale noire, Dragon Stout, Guinness Stout, Mackeson XXX, Murphy's, Saint-Ambroise noire.

St-Ambroise noire (5,5 % alc./vol.)

Indice de mariabilité : 65 %
Indice d'amitié : 55 %
Indice orgastique : 10 %
Indice conflictuel : 35 %

Épousailles probables

- Croûte lavée, pâte semi-ferme, pas trop odorante
- Jarlsberg fumé

Amitiés probables

- Bleu salé traditionnel
- Cheddar de chèvre
- Cheddar artisanal/fermier et extra-fort
- Chèvre frais au poivre
- Chèvre frais aux herbes
- Chèvre frais
- Crottin de chèvre
- Croûte lavée, pâte semi-ferme, pas trop odorante
- Emmental
- Gruyère
- Stilton

Conflits éventuels
- Bûchette de chèvre
- Chèvre des Alpes aux herbes

CHEDDAR L.C. MI-FORT LAITERIE CHARLEVOIX (cheddar artisanal/fermier)
L'union est totale et inconditionnelle mais d'une intensité qui la rend difficile à percevoir par nos papilles. (***)

JARLSBERG FUMÉ (emmental)
La complémentarité est totale et parfaite entre ces deux personnalités très fortes. L'union produit un jet soutenu de douceurs. (***)

ROUY (croûte lavée, pâte molle, pas trop odorante)
La nature profondément différente de ces personnalités suscite une attirance très forte entre elles, ce qui provoque spontanément une aventure très agréable, très intense, enrobée d'une douceur crémeuse dont l'étalement est jouissif. (***)

CAPRINY (chèvre frais)
Une belle amitié tout en tendresse réunit les deux. Tout est basé sur la force du rôti, bien enveloppé de crème. (**)

CHÈVRE DES ALPES AU POIVRE (chèvre frais au poivre)
Deux porteurs de saveurs viriles ne peuvent pas faire autrement que d'établir une solide relation basée sur un profond respect mutuel. (**)

BLEU DE CHÈVRE (bleu salé traditionnel)
Malgré le désir intense du fromage, la bière s'affaisse. Une relation timide s'établit, produisant d'agréables saveurs sculptées dans ces deux forces de la nature. (*)

CABRIE (croûte fleurie, pâte molle, lait de chèvre)
Le fromage s'efface devant cette bière qui en profite pour exploser de bonheur, c'est-à-dire d'amertume rôtie. Le fromage revient en finale répandre un voile de crème réconfortante sur nos papilles. (**)

LE MIGNERON DE CHARLEVOIX (croûte lavée, pâte semi-ferme, pas trop odorante)
L'intérêt est manifeste et les efforts présents, ce qui procure de belles sensations de crème et de malt enrobé de rôti, mais la relation ne se développe pas vraiment. (**)

STILTON (stilton)
Le fromage souligne de belle façon le rôti de malt de la bière tout en appliquant une couche de crème pour notre confort buccal. La bière s'assoupit, puis le fromage s'exprime partout dans notre bouche. (*)

GUINNESS PUB DRAUGHT (4,1 % ALC./VOL.)

Notons que cette bière est soutirée à l'azote. De toute évidence, la présence de ce gaz dans une bière agit comme l'alcool dans les relations humaines : il lève certaines inhibitions.

Indice de mariabilité : 85 %
Indice d'amitié : 60 %
Indice orgastique : 25 %
Indice conflictuel : 15 %

Épousailles probables
- Bleu salé traditionnel
- Bleu onctueux
- Cheddar de chèvre
- Chèvre frais
- Croûte lavée à l'alcool, pâte semi-ferme, odeur moyenne
- Gruyère
- Croûte lavée, pâte molle, odorante de terroir
- Parmigiano

Amitiés probables
- Bûchette de chèvre
- Cheddar artisanal/fermier, mi-fort et extra-fort
- Cheddar industriel
- Croûte fleurie, pâte molle, lait de chèvre
- Croûte fleurie, pâte molle, artisanale
- Croûte fleurie, pâte molle, triple crème, industrielle
- Croûte lavée, odorante de terroir
- Croûte lavée, pâte semi-ferme, pas trop odorante
- Emmental
- Mimolette

Conflits éventuels
- Chèvre frais
- Croûte fleurie, pâte molle, industrielle

Dégustations

CHÈVRE NOIR, 2 ANS (cheddar de chèvre)
Implosion inconditionnelle entre deux vis-à-vis qui partagent le même code de couleurs. Finale crémeuse du fromage qui crie sa joie dans l'étalement. (***)

CHIMAY (croûte lavée à l'alcool, pâte semi-ferme, odeur moyenne)
La bière vient doucement se fondre dans le fromage, qui à son tour s'abandonne voluptueusement dans les courbes de sa compagne. En résulte une grande et suave harmonie, lente et longue. (***)

BEAUFORT L.C. (gruyère)
Relation parfaite quoique sur des notes de protocole royal plutôt que de plaisir cochon. (***)

CANTONNIER DE WARWICK (croûte lavée, pâte semi-ferme, pas trop odorante)
Au début, on s'observe mutuellement. Une fois l'enjeu accepté, on se donne rapidement à l'autre et une relation solide s'établit. La crème du fromage explose de bonheur en finale, même sans avoir connu le plaisir immatériel... (**)

CHEDDAR BALDERSON, 3 ANS (cheddar artisanal/fermier)
Ils sont manifestement faits l'un pour l'autre dans leurs antres profonds, mais l'exubérance de leur enthousiasme mutuel empêche la communion implosive. (**)

PAILLOT DE CHÈVRE (bûchette de chèvre)
On semble s'étonner de se voir offrir l'autre mais revenu de sa surprise, on découvre qu'une belle amitié est possible. (*)

NUIT-D'OR-SAINT-GEORGES (croûte lavée, pâte molle, pas trop odorante)
Le fromage suit mieux la bière qu'il ne la précède. En ressort tout de même un heureux mariage. La grande noire s'adoucit. Le rôti de son malt se transforme en goût de caramel. (*)

PORT-SALUT (croûte lavée, pâte semi-ferme, moyen, pas trop odorante)
Relation respectueuse qui provoque quelques belles sensations. Finale crémeuse du fromage. (*)

Triple

La triple est à la bière ce que le mousseux est au vin blanc. Voici le champagne issu du malt, à cette différence que les triples constituent les bières les plus versatiles de ce monde effervescent. Le seul endroit où la triple est inconfortable est au dessert. Il s'agit d'une bière à double personnalité : servie froide, elle excelle à l'apéro; servie chambrée, elle brille au digestif. Entre les deux températures, voilà une bière d'accompagnement de repas vraiment versatile. Titrant entre 8 et 9,5 % alc./vol., elle se présente sous des couleurs variant de blonde à légèrement rouquine/dorée et s'illumine d'un pétillement champagnisé. Sa mousse épaisse, onctueuse et persistante adhère parfaitement au verre. Elle explose de flaveurs complexes d'alcool et d'esters souvent marbrés de caramel, notamment lorsqu'elle atteint l'âge de cinq ans. Au nez, on reconnaît aisément le bouquet complexe de fruit, de malt, d'esters, de houblon et d'épices. Ses saveurs de base s'articulent sur un axe doux-amer. Sa corpulence moyenne, ses saveurs d'alcool facilement perceptible, s'accompagnent de notes légèrement sucrées évoquant fréquemment le caramel. On peut observer, à l'occasion, des pointes légèrement acides et une amertume moyenne qui se raffermit avec l'âge. La finition de son arrière-goût offre une bise légèrement sucrée, parfois amère, et quelquefois accompagnée de pointes d'acidité qui varient considérablement selon l'âge du produit. Plus il est jeune, plus le sucré est en évidence. Plus il est affinée, plus l'amertume, notamment celle de sa levure et de son caramel brûlé, taquine les papilles. Les récentes tendances dans le monde du brassage nous offrent l'utilisation de plus en plus grande de l'écorce d'orange (douce ou amère), ajoutant ainsi une dimension d'agrumes au profil des flaveurs de ce type de bière.

La première brasserie ayant utilisé le mot triple dans ce contexte pour désigner une bière est l'abbaye de Westmalle en Belgique. La Triple de Westmalle est l'une des meilleures bières au monde. Le mot triple, signifie tout simplement « triple densité » et indique un pourcentage d'alcool plus élevé que la bière « simple » (terminologie jamais utilisée). Il ne faut pas confondre avec la désignation « triple fermentation », qui indique que la bière a subi trois fermentations. Un grand nombre de triples sont également des triple fermentation, ce qui ajoute à la confusion.

Des exemples : Affligem triple, Duvel, Eau Bénite, Floreffe Triple, Hoegaarden Grand Cru, Kasteelbier, La Fin du Monde, Leffe Triple, Lucifer, Pater Triple, Postel Triple, Triple Moine, Triple de Saint-Arnould, St-Idesbald Triple, Triple Petrus, St-Arnoldus Triple, St-Sebastiaan Grand Cru, Steenbrugge Triple, Triple de Bruges, Triple d'Ename, Seigneuriale Triple

FLOREFFE TRIPLE (7,5 % ALC./VOL.)

Indice de mariabilité : 75 %
Indice d'amitié : 65 %
Indice orgastique : 10 %
Indice conflictuel : 10 %

Épousailles probables

- Bleu onctueux
- Pâte molle double crème, croûte fleurie, industrielle

Amitiés probables

- Cheddar artisanal/fermier
- Croûte lavée, pâte semi-ferme, pas trop odorante
- Gruyère

Conflits éventuels

- N'en ai pas trouvé

Dégustations

BLEU DE CASTELLO (bleu onctueux)
Coup de foudre ambrosien. Le couple se forme si rapidement et si intensément que nous ne distinguons plus les éléments individuels. L'union est voluptueuse, généreuse, explosive. Ils s'en donnent à cœur joie sur notre langue, dans toutes les positions possibles, exhibitionnistes à souhait. On en redemande. Ouf ! (***)

BRIE DOUBLE CRÈME (croûte fleurie, pâte molle, double crème, industrielle)
La bière sort un peu ses griffes devant ce fromage vers lequel elle ne semble pas attirée. Ce dernier riposte en nous offrant la quintessence de la crème qui fait sa force pour le seul plaisir de nos papilles, une très bonne idée qui compense agréablement le départ soudain de la bière. (***)

MIRANDA (croûte lavée, pâte semi-ferme, pas trop odorante)
Relation particulièrement animée où la bière se gonfle d'abord de douceur alors que le fromage rugit d'aigreur. C'est à ce moment qu'un jet salé conclut les échanges. En finale, notre salive enveloppe le souvenir de leur passage pour nous procurer une sensation gustative plaisante, malgré que les épousailles n'aient jamais véritablement eu lieu. (**)

LE MIGNERON DE CHARLEVOIX (croûte lavée, pâte semi-ferme, pas trop odorante)
Le Migneron efface toute l'acidité de la bière et met en relief, voire amplifie, la douceur qui repose dans la personnalité profonde de la belle. (*)

VIEUX CHEDDAR CHARLEVOIX (cheddar artisanal/fermier)
Tout au long de la dégustation, nous pouvons reconnaître la personnalité des deux éléments. Aucun mariage ne se produit, pas plus qu'aucune note discordante. (0)

LA FIN DU MONDE (9 % ALC./VOL.)

Indice de mariabilité : 85 %
Indice d'amitié : 65 %
Indice orgastique : 20 %
Indice conflictuel : 15 %

Épousailles probables

- Bleu onctueux
- Bleu salé traditionnel
- Bûchette de chèvre
- Cheddar artisanal/fermier
- Cheddar de chèvre
- Chèvre frais aux herbes
- Croûte lavée à l'alcool
- Parmigiano

Amitiés probables

- Chèvre frais
- Croûte lavée, odorante de terroir
- Croûte lavée, pâte semi-ferme, pas trop odorante
- Croûte fleurie, pâte molle, artisanale
- Croûte lavée, pâte molle, odorante de terroir
- Emmental
- Gruyère
- Mimolette
- Pâte molle, triple crème, croûte fleurie, industrielle

Conflits éventuels

- Croûte lavée, pâte molle, pas trop odorante
- Croûte lavée, pâte semi-ferme, pas trop odorante

Dégustations

BLEU DE LA MOUTONNIÈRE (bleu salé traditionnel)
La générosité de la bière enveloppe le fromage d'une tendresse intense. (***)

CHEDDAR BALDERSON HÉRITAGE, 1 AN (cheddar artisanal/fermier)
Relation presque incestueuse dès qu'ils se rencontrent sur nos papilles. La ressemblance entre les deux versions (liquide et solide), de la même souche gustative, procure une explosion orgastique amorale. Cette communion nous fait savourer une luxure irrésistible, voluptueuse jusque dans les retranchements insondables de l'étalement. (***)

CHEDDAR DE MADAME RIVARD (cheddar de chèvre)
On anticipe dès l'abord l'aboutissement de la rencontre. Alors, on prend son

temps afin de jouir au maximum du chemin qui mène à l'orgasme, une implosion crémeuse de douceur. (***)

CHEDDAR FERMIER ANGLAIS (cheddar artisanal/fermier)
La relation s'amorce très rapidement avec une accolade si chaleureuse qu'elle fait basculer rapidement les protagonistes dans la chambre nuptiale. Ils se donnent l'un à l'autre avec toute la lenteur possible afin de faire durer le plaisir. (***)

ROUCOULONS (croûte mixte, brossée et lavée, pas trop odorante)
Le roucoulons s'efface d'abord devant la prestance de la bière. Cette dernière procède ensuite à son rituel de séduction en offrant une danse combinant sa douceur, ses arômes et ses épices. Le fromage sort alors de son repaire, accepte de se faire courtiser et s'offre finalement à la consommation sans retenue. Les gorgées-bouchées suivantes apportent des orgasmes répétitifs sur nos papilles. (***)

CABRIE (croûte fleurie, pâte molle, lait de chèvre)
La bière endort d'abord complètement le fromage et s'en va en laissant un filet de douceur. Le fromage se drape de ce voile et se lance dans un concerto de douceur intense qui ne cesse de résonner sur nos papilles. (**)

CHIMAY (croûte lavée à l'alcool, pâte semi-ferme, odeur moyenne)
La tension monte d'un cran dès que les épidermes se sont présentés et on se donne spontanément l'un à l'autre dans l'instant qui suit. La nervosité mutuelle empêche les maladroits de se laisser aller complètement. (**)

COMTÉ FRANÇAIS (gruyère)
Union respectable de deux passionnés des bonnes choses de la vie. Après la consommation de leur douce union, la bière s'endort tandis que le fromage continue de nous taquiner les papilles. (**)

MAMIROLLE (croûte lavée à l'alcool, pâte semi-ferme, odeur moyenne)
Le fromage hésite devant cette bière qui réagit en émettant des saveurs aigrelettes! Pour compenser la mauvaise surprise, il nous offre sa propre amertume enrobée de l'onctuosité de sa crème. (*)

SIR LAURIER D'ARTHABASKA (croûte lavée, pâte molle, pas trop odorante)
La bière se gonfle de douceur et enveloppe le fromage d'une épaisse couche de chaleur. Laurier d'Arthabaska est intimidé par cette démonstration. Après de longues hésitations, il accepte de faire la bise, mais rien de plus. (*)

SAINT-BASILE (croûte mixte, brossée et lavée, très odorante)
L'œil aux aguets, le fromage attend sa proie avec tous les arguments pour le séduire, et réussit. La rencontre est belle, mais un peu ombragée par les vantardises de Basile, qui deviennent alors quelque peu âcres et un tantinet désagréables. (*)

MIMOLETTE (mimolette)
Le fromage se replie dès que la bière mouille nos lèvres. (0)

PONT-L'ÉVÊQUE (croûte lavée, pâte molle, pas trop odorante)
La forte personnalité de la bière enveloppe le fromage d'une toile si épaisse qu'il ne s'en échappe aucune saveur fromagère. (0)

SAINT-ANDRÉ (croûte fleurie, pâte molle, triple crème, industrielle)
Voici deux fortes personnalités qui s'appuient sur un équipage de levure et de champignon pour affirmer leurs profondeurs. Elles se courtisent, s'observent, font même quelques pas de danse ensemble; elles s'étudient, s'amusent. L'idée de s'envoyer en l'air dans notre gosier n'effleure même pas leur esprit. (0)

L'EXPLORATEUR (croûte lavée, pâte molle, pas trop odorante)
L'exubérance de la bière réussit facilement à souligner la dimension crème de beurre du fromage. Dans son geste généreux, elle banalise toutefois le fromage et perd alors toute motivation à poursuivre cet asservissement. (-)

L'EAU BÉNITE (7,7 % ALC./VOL.)

Indice de mariabilité : 85 %
Indice d'amitié : 65 %
Indice orgastique : 20 %
Indice conflictuel : 15 %

Épousailles probables

- Croûte mixte, brossée et lavée, pas trop odorante

Amitiés probables

- Bûchette de chèvre
- Cheddar artisanal/fermier
- Croûte fleurie, pâte molle, industrielle
- Croûte fleurie, pâte molle, lait de chèvre
- Croûte lavée, odorante de terroir
- Croûte lavée à l'alcool, pâte semi-ferme, odeur moyenne
- Croûte lavée à l'alcool
- Gruyère
- Mimolette

Conflits éventuels

- Emmental

Dégustations

SIEUR CORBEAU (croûte mixte, brossée et lavée, pas trop odorante)
On n'hésite pas et on ne fait aucun détour préliminaire : l'implosion est intense et inconditionnelle. En finale jaillit un ruisseau de sucre qui devient crème-sucre. (***)

COMTÉ FRANÇAIS (gruyère)
Très agréable rencontre de deux cœurs de tendresse et de douceur qui se fondent l'un dans l'autre de façon tellement naturelle. En finale, on note quelques épices de la bière. (**)

LE FÊTARD (croûte lavée à l'alcool, pâte semi-ferme, odeur moyenne)
La bière entasse le fromage de ses bras si amples de douceur que le Fêtard s'y réfugie et s'endort confortablement. Puis soudain, il offre un gros câlin de tendresse à la bière. (**)

PAILLOT DE CHÈVRE (bûchette de chèvre)
Après des hésitations, on se donne l'un à l'autre avec une timide retenue. (**)

CHEDDAR PERRON (cheddar artisanal/fermier)
On se lance dans les bras de l'autre, mais dès que la proximité permet de mieux se voir, on ne peut s'empêcher de reculer. On se contente ensuite de mettre ses atours en valeur, sans plus. (0)

DUVEL (8 % ALC./VOL.)

Indice de mariabilité : 85 %
Indice d'amitié : 65 %
Indice orgastique : 20 %
Indice conflictuel : 15 %

Épousailles probables

- Cheddar artisanal/fermier
- Cheddar de chèvre
- Bleu, pâte molle, croûte fleurie
- Croûte lavée, pâte semi-ferme, pas trop odorante
- Croûte fleurie, pâte molle, industrielle
- Pâte molle double et triple crème, croûte fleurie, industrielle

Amitiés probables

- Bleu salé traditionnel
- Cheddar industriel
- Chèvre frais
- Chèvre frais aux herbes
- Gruyère

Conflits éventuels

- Croûte fleurie, pâte molle, lait de chèvre
- Feta
- Gouda

Dégustations

BRESSE BLEU (bleu, pâte molle, croûte fleurie)
Le *roqueforti* se fait d'abord très discret devant cette bière. Il laisse la crème et le malt s'en donner à cœur joie. Il revient en finale annoncer délicatement sa présence. (***)

CAMEMBERT ROITELET (croûte fleurie, pâte molle, industrielle)
Cérémonie très onctueuse où le champignon du fromage célèbre le mariage d'une charmeuse fraîcheur. (***)

CAPRICE DES DIEUX (croûte fleurie, pâte molle, double crème, industrielle)
Union très intense qui provoque une effusion crémeuse au goût d'éternité. (***)

CANTONNIER DE WARWICK (croûte lavée, pâte semi-ferme, pas trop odorante)
Bel accord sur un fond de crème soyeux et intense. (**)

COULOMMIERS ROITELET (croûte fleurie, pâte molle, industrielle)
Rencontre amicale à la base qui se termine sur une amitié crémeuse. (**)

La Chouffe (8 % alc./vol.)

Indice de mariabilité : 95 %
Indice d'amitié : 80 %
Indice orgastique : 15 %
Indice conflictuel : 5 %

La Chouffe n'est pas vraiment une triple, quoique les caractéristiques de celles-ci y soient présentes. Ses notes d'agrumes et de houblon sont trop soutenues pour être emprisonnées dans le style triple. Bière originale et unique.

Épousailles probables

- Chèvre frais aux herbes
- Cheddar de chèvre
- Cheddar artisanal/fermier
- Stilton

Amitiés probables

- Bûchette de chèvre
- Cheddar artisanal/fermier extra-fort
- Chèvre frais
- Crottin de chèvre
- Croûte fleurie, pâte molle, industrielle
- Croûte lavée, pâte semi-ferme, pas trop odorante
- Gruyère

Conflits éventuels

- Bleu, pâte molle, croûte fleurie

Dégustations

Capriny aux herbes (chèvre frais aux herbes)
Bonheur total sur nos papilles. Explosion qui allume notre jouissance. Un pur délice. (***)

Cheddar de madame Rivard (cheddar de chèvre)
Rencontre plutôt intense burinée dans une étreinte onctueuse. (***)

Cheddar L.C. mi-fort Charlevoix (cheddar artisanal/fermier)
Le fromage amplifie l'onctuosité de la bière qui se révèle très veloutée. Son orange vient en finale enrober nos souvenirs d'un voile agréable. (***)

Cheddar extra-fort Perron (cheddar artisanal/fermier)
Union intense qui fait exploser l'onctuosité de la bière, soutenue par un voile intense de crème fromagère. Finale légèrement poivrée. (***)

Stilton (stilton)
Caresse crue et voluptueuse qui explose de bonheur sur nos papilles. Finale en *roqueforti* retenu. (***)

Chèvre des Alpes (chèvre frais)
Union agréable empreinte de respect, mais la bière s'endort rapidement. Le fromage ronronne de douceur sur notre langue en finale. (**)

Cheddar L.C. extra-fort Charlevoix (cheddar artisanal/fermier)
Étreinte énergique sur un drap de velours. L'orange parfume le tout en finale. (**)

Chèvre des Alpes au poivre (chèvre frais au poivre)
Le fromage opte pour une grande douceur devant cette bière, qui lui répond en se faisant un peu plus discrète. (**)

Chèvre noir, 2 ans (cheddar de chèvre)
Le chèvre est très honoré de rencontrer cette bière et ça se goûte. Flattée à son tour, la bière partage sa joie avec nous. (**)

Le Biquet (chèvre frais)
Union très rafraîchissante : idéale sur le bord de l'eau l'été. Notes de menthe. (**)

Port-salut (croûte lavée, pâte semi-ferme, pas trop odorante)
Le fromage souligne délicatement la fraîcheur orangée de la bière. Finale rafraîchissante. (**)

Camembert Roitelet (croûte fleurie, pâte molle, industrielle)
La relation se déroule en deux temps : la bière efface d'abord le fromage, puis ce dernier, au lieu de jouer à l'insulté, revient en douceur. Finale qui souligne le champignon du fromage. (*)

Caprice des Dieux (croûte fleurie, pâte molle, double crème, industrielle)
« D'abord une génuflexion, se dit le fromage, puis prendre le dessus dans un voile très onctueux et crémeux. » (*)

Chèvre des Alpes/herbes (chèvre frais aux herbes)
Gerbe d'herbes en finale. (*)

Coulommiers Roitelet (pâte molle, croûte fleurie, industrielle)
Le coulommiers ouvre le volet rafraîchissant de la bière, qui s'amplifie. Son champignon se garde le mot de la fin. (*)

Bresse bleu (bleu, pâte molle, croûte fleurie)
En entrée : belle flambée d'onctuosité. Au dessert : une finale trop aigre-âcre. (-)

Lucifer (8 % alc./vol.)

Indice de mariabilité : 80 %
Indice d'amitié : 65 %
Indice orgastique : 15 %
Indice conflictuel : 20 %

Épousailles probables

- Bûchette de chèvre
- Croûte lavée, odorante de terroir

Amitiés probables

- Cheddar artisanal/fermier mi-fort
- Croûte lavée à l'alcool, pâte molle, très odorante
- Croûte lavée, pâte semi-ferme, pas trop odorante

Conflits éventuels

- Cheddar industriel
- Croûte lavée à l'alcool, pâte semi-ferme, odeur moyenne
- Croûte fleurie, pâte molle, industrielle

Dégustations

Saint-Morgon (croûte mixte, brossée et lavée, pas trop odorante)
La grande douceur de cette bière est la compagne idéale pour attendrir ce fromage musclé. Voilà l'exemple parfait de l'expression « Les contraires s'attirent ». La finale est un peu rugueuse, mais d'agréable compagnie. (***)

Stilton (stilton)
La tendre ingénue qu'est cette bière sait comment parler à ce fromage salé et énergique de *roqueforti*. Leur union nuptiale est parfaite. Le fromage s'éclate sur notre langue dans un jaillissement de douceur profonde. (***)

Bleu de la Moutonnière (bleu salé traditionnel)
On sent sur nos papilles le désir intense de chacun de se lancer dans les bras de l'autre afin de produire quelques exclamations immatérielles. Tout semble parfait, mais la bière s'endort soudainement, laissant le mouton paître, esseulé, sur nos papilles. On s'ennuie alors de leurs caresses initiales. (**)

Chèvre noir (cheddar de chèvre)
L'attraction est manifeste et le désir éloquent. Jeu de jambes en l'air il y aura mais pas de vœux nuptiaux. Une agréable amertume s'alanguit en conclusion sur nos papilles. (**)

Le Fêtard (croûte lavée à l'alcool, pâte semi-ferme, odeur moyenne)
Retrouvailles heureuses de deux compagnons après une longue absence. Le contact est spontané, naturel, sans exclamations déplacées. (**)

Sieur Corbeau (croûte mixte, brossée et lavée, pas trop odorante)
Sucre et crème dès l'introduction, mais le roman d'amour est vite oublié sur la table de chevet, laissant une sensation d'assèchement dans notre bouche. (**)

Victor et Berthold (croûte lavée, pâte semi-ferme, pas trop odorante)
À bas toute retenue, on lui préfère les élans de générosité. Ils mènent à un plaisir d'une grande solidité. On n'en remarque pas moins que la bière plie un peu les genoux et se recroqueville en finale. (**)

Camembert (croûte fleurie, pâte molle, industrielle)
L'attirance est manifeste et on passe illico à l'action. Mais voilà que dans l'intimité de la bouche une gêne s'installe et qu'on regrette sa petite erreur. (*)

Chaumes (croûte lavée, pâte semi-ferme, pas trop odorante)
Doux émerveillement de l'abordage. Toutefois, autant l'assaut fut vaillant, autant le fromage émet des grognements aigres-amers lorsque la bière s'écroule dans la cale. (*)

Fleur de bière (croûte lavée à l'alcool, pâte molle, très odorante)
On s'étudie longuement, la bière proposant d'abord son sucré. La bière rétorque avec sa force piquante. On conclut de façon diplomatique en évitant tout conflit, dans un respect mutuel. (*)

Cheddar fort Perron (cheddar artisanal/fermier)
Après une brève tentative de séduction du fromage, la bière quitte le palais. N'ayant plus que nous pour remplir son carnet de bal, le fromage fait bien attention de ne rien brusquer. (0)

Triple de Westmalle (9 % alc./vol.)

Indice de mariabilité : 90 %
Indice d'amitié : 65 %
Indice orgastique : 25 %
Indice conflictuel : 10 %

Épousailles probables

- Boursin à l'ail et aux fines herbes
- Cheddar artisanal/fermier extra-fort
- Croûte lavée à l'alcool, pâte semi-ferme, odeur moyenne
- Croûte lavée, pâte semi-ferme, pas trop odorante
- Croûte lavée, odorante de terroir

Amitiés probables

- Bleu salé traditionnel
- Bleu, pâte molle, croûte fleurie
- Cheddar de chèvre
- Croûte fleurie, pâte molle, industrielle
- Croûte lavée, pâte molle, odorante de terroir
- Gruyère
- Mimolette
- Pâte molle double et triple crème, croûte fleurie, industrielle
- Stilton
- Tomme de brebis

Conflits éventuels

- Bleu onctueux

Dégustations

Boursin à l'ail et aux fines herbes (fromage frais aux herbes)
Communion solennelle dès le premier baiser. La suite de l'aventure est d'une facilité inouïe alors que les tourtereaux, profitant de chaque instant, s'envoient en l'air dans toutes les directions. Au moment où les deux amants s'endorment comblés, un parfum d'herbes s'exhale. (***)

Cheddar extra-fort Perron (cheddar artisanal/fermier)
Ils s'embrassent d'abord respectueusement, puis hésitent. Quand ils se frôlent de nouveau, un orgasme lingual des plus onctueux se produit. On ne se lasse pas de leurs caresses postjouissance qui s'éternisent sur nos papilles. (***)

Le Migneron de Charlevoix (croûte lavée, pâte semi-ferme, pas trop odorante)
Ils rêvent l'un de l'autre depuis leur jeunesse. Rien d'étonnant à ce qu'ils s'abandonnent volontiers sur nos papilles sans aucune inhibition. D'un naturel évident, ils savent comment prolonger le plaisir pendant de longues minutes avec une seule bouchée-gorgée. Leur union prouve que le paradis existe et qu'il bourgeonne même dans notre bouche. (***)

Morbier (croûte lavée, pâte semi-ferme, pas trop odorante)
La bière s'étend avec fébrilité sur le lit préparé par son soupirant. Ils s'éclatent sans autre formalité et sans artifice. Après l'apothéose sensorielle s'écoule sur notre langue le ruisseau crémeux du souvenir du fromage, marbré de cendres. (***)

PAILLOT (bûchette de chèvre)
La rencontre suscite l'éclosion vive d'un coup de foudre. Un ruisseau de tendresse se déverse doucement dans nos entrailles. Nous en restons bouche bée et n'avons plus en tête qu'une envie : récidiver au plus vite. (***)

BLEU DE LA MOUTONNIÈRE (bleu salé traditionnel)
La rencontre produit de charmeuses étincelles et culmine en une implosion de douceur. Alors que la Westmalle s'endort, le fromage s'étire tranquillement de satisfaction puis une envie folle de gambader sur nos papilles lui prend. Il oublie totalement la bière, disparue aussi de notre souvenance. (**)

LE FÊTARD (croûte lavée à l'alcool, pâte semi-ferme, odeur moyenne)
La bière s'évanouit devant le fromage et devient presque aqueuse ! Ému, le Fêtard pleure une douceur incroyable et insiste pour laisser sur nos papilles le butin de crème que recèle son corps. (*)

PETIT MUNSTER (croûte lavée, pâte molle, odorante de terroir)
On se taquine, on s'observe, le ton monte, on s'affirme face à l'autre puis on danse allégrement avec lui. Une belle amitié rafraîchissante construit et raconte lentement son histoire dans notre bouche. (*)

STILTON (stilton)
La force de la bière anéantit le fromage, qui disparaît subitement de la bouche. L'orpheline n'insiste pas et ne profite du vide ni pour se plaindre, ni pour s'étourdir. À la toute fin, le bleu du fromage nous renvoie l'écho de son passage. (0)

BLEU SAINT-AGUR (bleu onctueux)
Le *roqueforti* ne supporte pas pareille association et se montre en la circonstance plutôt âcre. (-)

BRIE DOUBLE CRÈME ANCO (croûte fleurie, pâte molle, double crème, industrielle)
Devant ce fromage, la bière élève le ton et nous devinons son amertume imminente, mais soudain, elle s'éprend de crème et s'envoie en l'air avec elle. Heureux comme un pape, le fromage nous renvoie des saveurs de champignon alors qu'il s'endort paisiblement dans le giron de sa belle. (***)

CAMBOZOLA (bleu, pâte molle, croûte fleurie)
Le fromage s'estompe dès les présentations d'usage et tisse sur nos parois un écran sur lequel la bière vient se pavaner dans toute sa grâce. Les saveurs du fromage, toujours reconnaissables, nous rappellent que c'est grâce à sa contribution que la bière explose de toutes ses saveurs sous notre palais. (**)

CAMEMBERT ROITELET (croûte fleurie, pâte molle, industrielle)
Intensité et jouissance, oui, mais un voile d'amertume jette un peu d'ombre sur le tableau. (**)

CHAUMES (croûte lavée, pâte semi-ferme, pas trop odorante)
La belle Westmalle nous envahit la bouche avec toute sa finesse, puis elle aperçoit le fromage intimidé. Il lui tend la main, l'embrasse et l'enlace. Ils marchent ensemble, amoureux vers l'intimité. En finale, la bière nous offre une succulente bise. (**)

CHÈVRE DES NEIGES NATURE (chèvre frais)
La bière joue à saute-chèvre avec le fromage et nous dévoile dans son jeu le côté taquin de l'animal, nous le présentant sous un jour très agréable. (**)

Viennoise

OU ENCORE MÄRZEN, OKTOBERFEST OU LAGER ROUSSE

Il s'agit de toute évidence de l'ancêtre de la légère blonde actuelle. Ce sont les mouvements d'immigrants viennois et bavarois vers le sud des États-Unis (le Texas surtout) et le Mexique qui contribuent au maintien du style. Le tourisme et la popularité grandissante des nouvelles bières dans les années 80 contribuent d'abord à son développement en Amérique du Nord, puis à sa réintroduction en tant que style en Allemagne et en Autriche au XXe siècle. Il importe toutefois de souligner qu'il s'agit du même type de bière qui inspire les décoctions destinées au Festival d'automne de la Bavière, aussi connues sous les noms Märzen ou Oktoberfest.

La viennoise titre de 5 à 6,5 % alc./vol., et montre un corps rouquin à brun pâle. Un pétillement variant de moyen à fort ne suffit pas pour faire tenir sa mousse plutôt fugace qui laisse quelques traces de son passage sur les parois du verre. La douceur du malt caramel signe ses flaveurs dominantes. Derrière elles, on peut souvent apercevoir le houblon aromatique. Après un premier nez malté, on remarque facilement le malt caramélisé. On retrouve aussi les aromates floraux du houblon. Saveur de base : douce-sucrée. Corpulence moyenne. On note sans trop de difficulté l'amertume non tranchante. Lorsqu'elle quitte notre bouche, les saveurs de départ sont d'abord dominées par la douceur. On peut remarquer par la suite des pointes de caramel et des sautes d'amertume et d'acidité.

Des exemples : Belle Gueule, Dos Equis Amber, Gösser, Negra modelo

---

BELLE GUEULE (5,2 % ALC./VOL.)

Indice de mariabilité : 85 % Indice d'amitié : 65 %

Indice orgastique : 20 % Indice conflictuel : 15 %

Épousailles probables

- Cheddar artisanal/fermier extra-fort
- Croûte lavée, pâte semi-ferme, pas trop odorante
- Gruyère
- Jarlsberg fumé
- Croûte fleurie, pâte molle, lait de chèvre
- Croûte fleurie, pâte molle, artisanale
- Stilton

Amitiés probables

- Bleu, pâte molle, croûte fleurie
- Bleu onctueux

- Bleu salé traditionnel
- Cheddar artisanal/fermier
- Cheddar industriel
- Cheddar de chèvre
- Chèvre frais
- Croûte lavée, pâte molle, odorante de terroir
- Croûte fleurie, pâte molle, double crème, industriel
- Croûte lavée, pâte semi-ferme, pas trop odorante
- Croûte mixte, brossée et lavée, pas trop odorante
- Croûte lavée à l'alcool, pâte semi-ferme, odeur moyenne
- Feta saumure
- Feta huile d'olive
- Mimolette
- Parmigiano

Conflits éventuels

- Croûte fleurie, pâte molle, triple crème, industrielle
- Croûte lavée, odorante de terroir

Dégustations

CHEDDAR EXTRA-FORT PERRON (cheddar artisanal/fermier)
La complémentarité spontanée explose de bonheur sur nos papilles. La bière habille le fromage d'une combinaison douceâtre qui lui permet de flotter longuement dans l'étalement. Les saveurs du fromage s'épanouissent dans cet écrin lisse. (***)

COMTÉ FRANÇAIS (gruyère)
Relation d'abord timide mais qui ne cesse de s'intensifier, jusqu'à l'implosion irrésistible aux effusions de tendresse crémeuse desquelles suintent des effluves de caramel. (***)

JARLSBERG FUMÉ (emmental)
Le contraste produit d'agréables sensations qui font rigoler notre gosier. Le tout se déroule selon les règles intimes de la douceur. À la fin, lorsque les saveurs fumées s'exhalent du fond de l'alcôve, elles entraînent avec elles suffisamment du caramel de la bière pour la rendre de très agréable compagnie. (***)

LE MIGNERON DE CHARLEVOIX (croûte lavée, pâte semi-ferme, pas trop odorante)
Quelle belle spontanéité tout en douceur et quelle complicité parfaite entre ces deux naturels. Faits l'un pour l'autre, ils se reconnaissent dès l'abord. Sans éclats inutiles, ils consomment illico leur union dans notre gorge. (***)

SAINTE-MAURE (bûchette de chèvre à croûte naturelle)
Couple parfaitement assorti dont la jouissance discrète reste intense. (***)

SIR LAURIER D'ARTHABASKA (croûte lavée, pâte molle, pas trop odorante)
Le voile de caramel de la bière s'enroule autour du fromage. Un frisson traverse ce dernier et une relation de tendresse intense s'établit. L'histoire se poursuit jusque dans les tréfonds de l'étalement. (***)

BRESSE BLEU (bleu, pâte molle, croûte fleurie)
La douceur de la bière sait comment faire jaillir sa réciproque du fromage, qui en oublie momentanément son *roqueforti*. Lorsque la bière s'évanouit, le

piquant remonte jusqu'au nez de façon intense et prépare le terrain pour une deuxième gorgée, celle-là tout en douceur. (**)

BLEU DE CASTELLO (bleu onctueux)
La bière est totalement réfractaire à l'idée de partager un endroit si intime avec le fromage. Elle fait rapidement disparaître l'intrus et entreprend de nous faire la cour en exhibant toute la richesse de sa personnalité. Au moment où elle se rassoit, fière de sa séduction, le fromage espiègle revient nous rappeler que c'est grâce aux préparatifs qu'il a tissés que nous éprouvons tant de satisfaction à boire cette bière. (**)

BLEU SAINT-AGUR (bleu onctueux)
Amitié intense sur le bord de l'implosion gustative. (**)

BRIE DOUBLE CRÈME ANCO (croûte fleurie, pâte molle, double crème, industrielle)
La bière masse le dos du fromage avec une joie non contenue et nous révèle toute la délicatesse de ce dernier. Alors que la belle disparaît à pas gracieux dans notre gorge, nous apercevons la poudre de champignon qui empoussière le dessus de notre langue. (**)

NUIT-D'OR-SAINT-GEORGES (croûte lavée, pâte molle, pas trop odorante)
On se donne à l'autre sans réfléchir et sans précaution. La bière en éprouve un léger regret âcre-amer. Au moment où elle accepte finalement de se livrer entièrement à la relation, le fromage éprouve à son tour une légère amertume aigre-amère. On exorcise les mauvais sentiments et on s'endort ensuite paisiblement dans les bras l'un de l'autre. (**)

BLEU DE LA MOUTONNIÈRE (bleu salé traditionnel)
Devant le *roqueforti*, la bière puise dans toutes ses réserves afin de trouver les moyens de s'envoyer en l'air avec le mouton. On assiste à une belle montée de douceur puis, soudain, l'eau de la bière jaillit sur nos papilles et elle s'effondre à bout de souffle. Le fromage déserté répand ses veines bleues sur tous les bourgeons de nos papilles avec une douceur timide. (*)

Les inclassables

On est bien obligé de classer les bières lorsqu'on rédige un ouvrage sur elles mais, sauf pour le pourcentage d'alcool, il n'existe aucune définition « légale » des styles. L'effervescence du marché actuel incite par ailleurs les brasseurs à se distinguer en créant de nouveaux types de bière ou encore en raffinant des styles classiques aux frontières des saveurs. Qu'il en soit ainsi !

LA COTEILLEUSE DE CHARLEVOIX

STILTON (stilton)
On s'étudie longtemps. L'aigreur du fromage se manifeste et laisse ensuite le passage libre pour que s'exprime la passion qui unit les deux tourtereaux (***)

TOMME DE BREBIS (tomme de brebis, très douce et onctueuse)
La crème tisse un fond sur lequel s'épanche la bière dans toute sa finesse onctueuse. Finale salée complexe enrobée de crème. (**)

CHÈVRE NOIR, 2 ANS (cheddar de chèvre)
L'un se fond dans l'autre. Il en ressort un filet de crème onctueuse qui semble s'épaissir en disparaissant dans nos alcôves les plus secrètes. (**)

PIED DE VENT (croûte lavée, pâte molle, odorante de terroir)
Nous avons l'impression que les deux présences s'annulent, nous laissant un mince filet crémeux aux notes de sel et de crème qui s'allongent longtemps.

CAMEMBERT FRANÇAIS DAMAFRO (croûte fleurie, pâte molle, industrielle)
On reste trop longtemps sur le bord de l'aigreur sèche pour que quoi que ce soit de bien puisse se développer. (0)

BRIE TOUR DE FRANCE (croûte fleurie, pâte molle, industrielle)
Depuis la rencontre jusqu'au fin fond de l'étalement, l'âcreté domine. Goût de plâtre en finale. (–)

ORVAL (6,9 % ALC./VOL.)

Voici une bière inclassable d'une qualité exceptionnelle soigneusement élaborée sous la direction de moines trappistes dans le sud de la Belgique. L'Orval est à la bière ce que le Dom Pérignon est au champagne, à cette différence près : elle requiert habituellement une période de fréquentations avant que l'on soit en mesure d'apprécier toute la richesse de ses saveurs qui dansent sur toute la gamme des perceptions sensorielles. Son caractère très houblonné et amer peut en rebuter quelques-uns. L'Orval offre aux hommes et aux femmes de bonne volonté un prétexte pour apprendre à aimer les goûts amers, voilà tout !

Indice de mariabilité : 75 %
Indice d'amitié : 65 %
Indice orgastique : 10 %
Indice conflictuel : 25 %

Épousailles probables

- Bûchette de chèvre
- Cheddar de chèvre
- Croûte lavée, pâte semi-ferme, pas trop odorante
- Stilton

Amitiés probables

- Bleu salé traditionnel
- Bleu, pâte molle, croûte fleurie
- Cheddar artisanal/fermier
- Cheddar industriel
- Croûte fleurie, pâte molle, lait de chèvre
- Croûte mixte, brossée et lavée, pas trop odorante
- Croûte lavée, pâte semi-ferme, pas trop odorante
- Gruyère
- Pâte molle double crème, croûte fleurie, industrielle

Conflits éventuels

- Croûte lavée à l'alcool, pâte molle, très odorante
- Croûte fleurie, pâte molle, industrielle
- Croûte lavée à l'alcool
- Feta
- Jarlsberg fumé
- Pâte semi-ferme, peu ou pas affinée (dans la masse)

Dégustations

CHÈVRE NOIR (cheddar de chèvre)
Belles émotions de part et d'autre alors que le fromage pare la bière de toute son onctuosité fruitée. (***)

OKA CLASSIQUE (Croûte lavée, pâte semi-ferme, pas trop odorante)
Le fromage met habilement en valeur le volet doux de la bière en dissimulant le champ de houblon qui bourgeonne derrière chez elle. Subrepticement, le maître d'œuvre prend ainsi le contrôle de notre palais, se pavane fièrement en utilisant l'Orval pour se mettre en valeur, tout en réussissant à ne pas nous priver de la forte personnalité de la bière. Dès la deuxième gorgée, la bière fait monter le plaisir d'un cran en acceptant de participer à cette solidarité exemplaire. (***)

PAILLOT (bûchette de chèvre)
Union riche et en tout point parfaite où l'amertume de la bière est complètement ensevelie dans la crème du fromage alors que son aigreur douce se répand lentement jusque dans le fond de notre gorge. (***)

SAINT-MORGON (croûte mixte, brossée et lavée, pas trop odorante)
Virtuoses des grands espaces, les deux protagonistes savent comment se donner dans une étreinte musclée particulièrement goûteuse qui fait jaillir sur notre langue la quintessence racée de chacun, enrobée d'un halo tendre et même d'une dentelle romantique... (***)

STILTON (stilton)
On s'allonge sans tergiverser pour se vouer aux divinités des exclamations immatérielles sans retenue. Une explosion de saveurs salées enrobées de sucre et d'amertume déferle, séduit chacune de nos papilles. La deuxième gorgée de bière, que nous prenons instinctivement, ne fait qu'amplifier notre plénitude. (***)

BRIE DOUBLE CRÈME ANCO (croûte fleurie, pâte molle, double crème, industrielle)
Le fromage sait comment tendre le drap de satin sur lequel peuvent s'allonger à loisir toutes les subtilités de la bière. Cette dernière nous dévoile alors que, malgré ses muscles évidents, elle peut faire œuvre de tendresse exquise. De toute évidence, une évocation de la comtesse Mathilde. (**)

CANTONNIER DE WARWICK (croûte lavée, pâte semi-ferme, pas trop odorante)
Le contact engendre des flaveurs qui évoquent la menthe. Relation très classe. Finale raffinée. (**)

LE FÊTARD (croûte lavée à l'alcool, pâte semi-ferme, odeur moyenne)
La bière y met du sien pour couvrir de tendresse ce fromage qui en a tant de besoin. On sent toujours la force virile, un peu aigre, du fromage qui tente de prendre de l'ampleur, ce qui provoque invariablement un élan additionnel de douceur de la part de sa compagne. (**)

MAMIROLLE (croûte lavée à l'alcool, pâte semi-ferme, odeur moyenne)
Une très agréable relation tout en douceur s'établit entre les deux. La bière l'ennoblit de toute la somptuosité de son amertume. (**)

MIRANDA (croûte lavée, pâte semi-ferme, pas trop odorante)
Le couple se plaît, les caresses sont somptueuses et on échange des vœux intenses. On s'arrête toutefois à la porte nuptiale, tout près de l'orgasme palatal. (**)

PAILLOT (bûchette de chèvre)
La bière fond et se perd éperdument dans le fromage qui en explose de doux bonheur aux quatre coins de notre langue. La finale propose un voile fin de douceur rafraîchissante étiré paresseusement sur notre langue. (**)

ROQUEFORT (bleu salé traditionnel)
Le fromage se montre humble devant la prestance de la bière. Cette dernière, telle une vague gigantesque, balaie la plage de notre langue. Constatant la présence du fromage, la bière le laisse lui faire la cour en utilisant la face cachée de sa personnalité, voire son talon d'Achille : sa douceur discrète. Alors que la liaison devenait sympathique, la deuxième gorgée de bière nous réserve une morsure incisive ! Mais le fromage revient, jouant toujours la carte de la douceur. (**)

BLEU DE LA MOUTONNIÈRE (bleu salé traditionnel)
On se ressemble tellement, alors... on tombe dans le piège d'un inceste dont les parfums procurent quelques regrets aigres-amers, sans toutefois devenir désagréables. Le désir est toujours palpable. (*)

BLEUBRY (bleu, pâte molle, croûte fleurie)
Belle attirance mutuelle à la base, mais les veines bleues du fromage affirment un peu trop vigoureusement leur présence et transforment l'approche en argumentation amère. (*)

BORGONZOLA (bleu, pâte molle, croûte fleurie)
Belle amitié empreinte de respect mutuel. (*)

BRIE MANOIR (croûte fleurie, pâte molle, industrielle)
Le fromage disparaît vite fait, laissant pour trace un mince filet de crème sur lequel vient s'exprimer avec beaucoup de bonheur toute la richesse de la bière. (*)

CHAUMES (croûte lavée, pâte semi-ferme, pas trop odorante)
Une explosion conjuguée de sel nous envahit alors que la rencontre des deux fortes personnalités nous présente deux passionnés qui ne refusent pas une aventure. Leurs muscles proéminents les empêchent toutefois de verser dans les caresses tendres. (*)

CHEDDAR DE CHÈVRE AU POIVRE (cheddar de chèvre)
Le couple nouvellement formé s'évanouit rapidement, puis le poivre revient doucement picorer nos papilles avec toute sa tendresse retenue. (*)

CHEDDAR BLACK DIAMOND (cheddar industriel)
Totale domination de la bière, qui efface toute présence du fromage. Finale d'abord aqueuse puis aigrelette du fromage. (0)

SIEUR CORBEAU (croûte mixte, brossée et lavée, pas trop odorante)
Le fromage disparaît complètement de nos percepteurs sensoriels dès que la bière s'y présente. La nouvelle arrivée en profite pour se déployer pleinement. (0)

ROUY (croûte lavée, pâte molle, pas trop odorante)
Le fromage, fier de s'être étendu sur tout notre épithélium, émet un cri de surprise lorsqu'il constate l'arrivée de l'Orval. Égoïste, il intimide la bière, et celle-ci s'enfuit. L'hôte de ce fromage effronté reste seul pour subir la victoire un peu âcre. (-)

VICTOR ET BERTHOLD (croûte lavée, pâte semi-ferme, pas trop odorante)
Relation acrimonieuse bientôt empreinte de résignation, alors que l'on constate qu'on n'a pas vraiment le choix. Au fil de la cohabitation forcée, on note l'aigreur et l'âcreté qui animent les sentiments de l'autre. (-)

RAFTMAN (5,5 % ALC./VOL.)

Difficile à classer, la Raftman est une bière qui utilise de moins en moins de malt à whisky dans sa préparation. Elle devient, au fil du temps, une blanche rousse.

Indice de mariabilité : 80 %
Indice d'amitié : 60 %
Indice orgastique : 20 %
Indice conflictuel : 20 %

Épousailles probables

- Cheddar artisanal/fermier extra-fort
- Croûte fleurie, pâte molle, triple crème, industrielle
- Croûte lavée, odorante de terroir
- Croûte lavée, pâte semi-ferme, pas trop odorante
- Croûte lavée à l'alcool, pâte semi-ferme, odeur moyenne
- Stilton

Amitiés probables

- Bûchette de chèvre
- Cheddar artisanal/fermier
- Cheddar de chèvre
- Croûte fleurie, pâte molle, lait de chèvre
- Croûte fleurie, pâte molle, industrielle
- Croûte fleurie, pâte molle, industriel en conserve
- Croûte mixte, brossée et lavée, pas trop odorante
- Emmental
- Gruyère
- Mimolette

Conflits éventuels

- Bleu salé traditionnel

Dégustations

NUIT-D'OR-SAINT-GEORGES (croûte lavée, pâte molle, pas trop odorante)
La rencontre enclenche une saveur de menthe très rafraîchissante ! Puis l'union est pleine et entière, l'un fondant dans l'autre sans retenue, pour le plaisir et rien d'autre. Finale aux notes un peu âcres du ronronnement fromager. (***)

ROUY (croûte lavée, pâte molle, pas trop odorante)
Dès l'instant où la bière effleure les lèvres du fromage, elle y capte les qualités qui l'attirent sans détour. Le couple se rend droit au but sans fioritures, ni excès de passion, avec une grande efficacité. (***)

SAINT-BASILE (croûte mixte, brossée et lavée, très odorante)
La bière enlace littéralement le fromage et ne la lâche plus jusque dans les profondeurs de notre arrière-goût. L'entente se déroule dans une douceur relative faisant oublier les personnalités individuelles et saupoudre des éclats de bonheur même dans leur sommeil. (***)

CHÈVRE NOIR, 2 ANS (cheddar de chèvre)
L'union comporte un potentiel de développement. Les caresses sont très enjouées et généreuses, mais la bière manque de souffle et se rend coupable de paresse juste avant la grande implosion. Les caresses du fromage se poursuivent jusqu'au retour d'une prochaine gorgée, et, juste alors, le phénomène se reproduit. (**)

MIMOLETTE (mimolette)
On cède rapidement à une ronde de caresses mutuelles qui parent le palais des sensations crémeuses d'un fromage volontiers soumis à la douceur fumée de la bière. Le couple se retient toutefois de passer aux choses voluptueuses. (**)

MIRANDA (croûte lavée, pâte semi-ferme, pas trop odorante)
Rencontre polie et plaisante qui se transforme en relation où la douceur est à l'honneur. La finale nous lit le délicieux poème du fromage qui s'inscrit, paisible, sur les parois de notre gorge. (**)

SIR LAURIER D'ARTHABASKA (croûte lavée, pâte molle, pas trop odorante)
La bière tourne longuement autour du fromage avant de se décider à passer à l'action. L'objet convoité a ainsi tout le temps de se faire beau puis de courir rejoindre l'hésitante dans l'étalement. (*)

SAINT-LOUP (croûte fleurie, pâte molle, lait de chèvre)
La bière efface toute présence du fromage et s'entraîne elle-même dans ce geste. Le souvenir du Saint-Loup remonte ensuite lentement vers la surface. (*)

LE FÊTARD (croûte lavée à l'alcool, pâte semi-ferme, odeur moyenne)
Belles démonstrations mutuelles de leurs qualités, mais aucune relation ne s'établit entre eux. (0)

VAPEUR COCHONNE (8 % ALC./VOL.)

Issues des traditions fermières de la Wallonie, les bières de la Brasserie à Vapeur constituent des réincarnations des bières « fermières » du début du siècle connues sous l'appellation bière de saison. Le produit le plus spectaculaire de la maison, la Vapeur Cochonne, n'en porte toutefois pas la mention sur l'étiquette. Les nouveaux propriétaires ont en quelque sorte réinventé le style tout en étant rigoureusement fidèles aux méthodes ancestrales de brassage. Avec la Vapeur Cochonne, on nous offre un produit inclassable, inspiré des bières de saison (presque disparues du paysage brassicole en Belgique).

Indice de mariabilité : 85 %
Indice orgastique : 20 %
Indice d'amitié : 65 %
Indice conflictuel : 15 %

Épousailles probables
- Cheddar de chèvre
- Chèvre frais
- Croûte fleurie, pâte molle, industrielle
- Croûte lavée, pâte semi-ferme, pas trop odorante

Amitiés probables
- Bleu, pâte molle, croûte fleurie
- Cheddar industriel
- Feta
- Gruyère

Conflits éventuels
- Bleu salé traditionnel
- Pâte semi-ferme, peu ou pas affinée (dans la masse)

Dégustations

CANTONNIER DE WARWICK (croûte lavée, pâte semi-ferme, pas trop odorante)
Relation très pointue où l'un plonge dans l'intimité de l'autre par le truchement de joyeux ébats très musclés. (***)

CHÈVRE FIN TOURNEVENT (bûchette de chèvre)
Wow ! Beau coup de foudre aux explosions contrôlées de maîtresse main. (***)

BRIE (croûte fleurie, pâte molle, industrielle)
Coup de foudre déclaré à l'unanimité parfait, spontané, sans gestes inutiles. Très onctueux. (***)

MORBIER L.C. (croûte lavée, pâte semi-ferme, pas trop odorante)
Parfaite relation qui fait d'abord suinter un filet de gingembre de la bière puis le ruisseau onctueux et voluptueux du fromage s'écoule et roucoule. (***)

BORGONZOLA (bleu, pâte molle, croûte fleurie)
Belle amitié intense par laquelle on cause en sourdine. La crème veloutée revient en finale épandre un filet de beurre. (**)

CHEDDAR BLACK DIAMOND (cheddar industriel)
Belle amitié, d'abord timide puis qui semble vouloir tourner à l'aigre, mais la réconciliation fait sortir la crème du fromage, qui entraîne avec elle les épices de la bière. Très agréable. (**)

FETA (feta)
Les participants se repoussent d'abord l'un l'autre, mais en finale une improvisation onctueuse les réconcilie et réussit à souligner la crémeuse participation du fromage. (*)

Les accords avec le fromage

Cette section ne comporte que les descriptions de fromages ainsi que les tableaux synthèses des types de bières proposées pour les épousailles. Les textes descriptifs des épousailles avec différentes bières étaient une répétition de la partie précédente. L'index en page 252 permettra aux amateurs d'identifier les unions établies avec les différents fromages.

Les fromages frais

Voici le fromage dans sa forme la plus simple. Habituellement coagulé par l'intervention de ferments lactiques, il ne connaît aucun mûrissement. Il subit souvent un traitement gustatif par l'adjonction de sucre ou d'aromates (ail, épices, herbes, poivre, etc.). La majorité de ces fromages sont vendus sous une forme lissée donnant à sa texture une consistance onctueuse. Dans sa forme naturelle, ce type de fromage fait le pont avec le yaourt. Les ouvrages portant sur le fromage ne laissent pas une grande place à ces formes juvéniles de la solidification du lait, qui n'ont pas connu l'anoblissement de l'affinage. Il ne faut pas confondre les fromages à pâte fraîche avec les fromages fondus. Traditionnellement, ces derniers sont élaborés en utilisant les restes de fromages à pâte pressée, ensuite fondus et conditionnés pour la vente.

Dans leurs versions naturelles, les chèvres frais et fromages frais aux herbes offrent un intérêt dans l'organisation d'épousailles avec la bière. La version « aux herbes » offre quant à elle un avantage additionnel pouvant être classé au chapitre « restauration rapide ». Elle remplace avec beaucoup d'efficacité les desserts, notamment auprès des personnes qui ne raffolent pas du sucré. Notons que ces fromages frais se marient très bien aux... autres fromages. Ils constituent de ce fait une sorte de « diluant de saveurs » lorsqu'on les combine à des fromages plus puissants dans la préparation de plats. Ils permettent ainsi de se familiariser de façon graduelle à plusieurs saveurs d'approche difficile.

La consistance molle du fromage frais le rend rapidement disgracieux sur un plateau et transforme toute combinaison attrayante en tableau répulsif après deux ou trois services. Mieux vaut réserver le fromage frais pour les situations informelles, sans cérémonie. Compte tenu de sa popularité et de la facilité avec laquelle il arrive à se faire aimer, il ne faut pas négliger son importance stratégique dans l'apprivoisement des novices. Il suffit tout simplement de prévoir un plateau lui étant strictement réservé à l'occasion des soirées formelles. Dans le cadre du présent livre, seuls des chèvres frais, la feta, ainsi que le Boursin ont été considérés pour les épousailles.

Fromage frais aux herbes

Boursin à l'ail et aux fines herbes

L'un des fromages frais les plus populaires est sans aucun doute le Boursin à l'ail et aux fines herbes. Facile à marier, grâce aux herbes qu'il renferme, il serait plus juste ici de classer ce type d'accord dans le livre des épousailles « herbes-bières ». Ici, la crème joue un rôle secondaire, quoique essentiel, dans l'établissement des accords.

Indice de mariabilité : 90 %
Indice d'amitié : 80 %
Indice orgastique : 10 %
Indice conflictuel : 10 %

Épousailles probables
- Triple complexe

Amitiés probables
- À peu près tous les styles de bière

Conflits éventuels
- Bock

Chèvres frais

Chèvre des Alpes nature, Chèvre des Neiges nature, Biquet de chèvre, Capriny nature, Petit Vinoy

Voici un fromage plutôt instable dont l'humeur peut varier considérablement en fonction de sa température de service. Plus il est froid, plus il est difficile à marier, à cause de sa saveur acide dominante. Il faut alors porter une attention particulière aux rendez-vous avec les bières amères. La Guinness Pub Draught et Saint-Ambroise pale ale en couple avec le Biquet de chèvre nous en fournissent des exemples éloquents. La combinaison « amertume-acidité », si elle est trop mise en exergue, n'est pas source d'agrément.

Mieux vaut servir ce fromage chambré.

Exemples de l'influence de la température

sur la qualité de couples avec le Biquet de chèvre

GUINNESS PUB DRAUGHT (couple à la température de la pièce)
Explosion orgasmoleptique intense dès le toucher originel qui se termine par le ronronnement de bonheur du fromage. (***)

GUINNESS PUB DRAUGHT (couple froid)
Dès leur première morsure sur nos lèvres, la chamaille éclate et développe des échanges plutôt acrimonieux, notamment celui de l'acidité qui explose dans tout son tranchant. (–)

ST-AMBROISE PALE ALE (couple à la température de la pièce)
Belle relation qui souligne l'aigre-onctuosité du fromage. La bière s'efface toutefois rapidement. (*)

ST-AMBROISE PALE ALE (couple froid)
On se méfie à un point tel que l'amertume explose dans les deux camps, une amertume désagréable doit-on souligner. (–)

Les attractions naturelles semblent se faire du côté du rôti (stout), de l'acidité (qui s'assemble se ressemble : la bière ne doit pas être servie trop froide) et de l'alcool (ABT, scotch ale et triple)

Indice de mariabilité : 70 %

Indice d'amitié : 60 %

Indice orgastique : 10 %

Indice conflictuel : 30 %

Épousailles probables

- Bières douces/sucrées : abbaye blonde, abbaye brune, blanche jeune, désinvolte douce, double

Amitiés probables

- Bières acides chambrées : gueuze lambic, brune/rouge des Flandres
- Bières amères de rôti : stout à l'azote, stout amère de rôti et de houblon
- Bières de garde jeunes, encore sucrées
- Quadruple chambrée
- Pale ale chambrée, pas trop froide
- Triple complexe
- Triple douce et moelleuse d'alcool

Conflits éventuels

- Bières acides très froides : gueuze lambic et brune/rouge des Flandres
- Bières amères de houblon froides : alt, pale ale, pilsener d'origine, IPA, Orval
- Bières sur levures trop âgées
- Désinvolte sèche
- Lager d'origine
- Quadruple froide
- Stout à l'azote
- Vapeur Cochonne

Chèvres frais aux herbes

Capriny aux herbes, Chèvre des Alpes aux herbes, Chèvre frais aux herbes

Indice de mariabilité : 85 % Indice d'amitié : 75 %
Indice orgastique : 10 % Indice conflictuel : 15 %

Épousailles probables

- Bières douces/sucrées : abbaye blonde, abbaye brunes, blanche jeune, double

Amitiés probables

- Bières acides chambrées : gueuze d'origine, brune/rouge des Flandres
- Bières amères de rôti : stout à l'azote, stout amère de rôti et de houblon
- Bières de garde (jeunes, encore sucrées)
- Désinvolte douce
- Désinvolte sèche
- Lager d'origine
- Quadruple chambrée
- Pale ale chambrée
- Stout à l'azote
- Triple complexe
- Triple douce et moelleuse d'alcool
- Vapeur Cochonne

Conflits possibles

- Bières acides très froides : gueuze lambic et brune/rouge des Flandres
- Bières amères de houblon froides : alt, pale ale, pilsener d'origine, IPA, Orval
- Bières sur levures trop âgées

Feta

Feta commerciale, en saumure

Servi seul, sans fard, le fromage feta trouverait difficilement à se marier. En fait, il fraternise surtout avec les aigres et les épicées. Mais lorsqu'il est assorti d'un chaperon, telle une salade, ou encore apprêté à l'huile et aux herbes, il devient d'une compagnie très appréciée auprès d'un grand nombre de bières. Bref, l'ajout d'épices aux accords feta-bière est un préalable prémarital essentiel.

Indice de mariabilité : 60 %
Indice orgastique : 5 %
Indice d'amitié : 55 %
Indice conflictuel : 40 %

Épousailles probables
- N'en ai pas trouvé

Amitiés probables
- Bières acides : gueuze lambic, brune/rouge des Flandres
- Désinvolte douce
- Quelque Chose
- Vapeur Cochonne

Conflits éventuels
- Désinvolte sèche
- Pale ale à l'azote
- Triple douce

FETA HUILE D'OLIVE TOURNEVENT

Indice de mariabilité : 90 %
Indice orgastique : 15 %
Indice d'amitié : 75 %
Indice conflictuel : 10 %

Épousailles probables
- Désinvolte sèche
- Viennoise

Amitiés probables
- Brune/rouge des Flandres
- Désinvolte douce
- Pale ale
- Pale ale à l'azote
- Triple douce

Conflits
- N'en ai pas trouvé

Les pâtes molles - croûtes fleuries

Voici l'un des plus connus des fromages de table. Sa grande douceur crémeuse, jumelée à ses saveurs de champignon, séduit aisément un grand nombre d'amateurs. Il se présente en multiples versions, les deux plus connues étant le brie et le camembert.

La pâte de ces fromages n'est tout au plus que légèrement pressée et subit un égouttage par gravité. Une fois égouttée, la pâte est moulée et aspergée d'une culture bactérienne (le *Penicillium candidum*), puis salée et entreposée dans une salle humide pendant au moins deux semaines.

Pendant ce temps, le *Penicillium* forme le duvet blanc caractéristique que l'on nomme également la fleur. Le fromage est retourné tous les deux jours. Cette technique d'affinage en surface provoque un mûrissement se déplaçant de l'extérieur vers l'intérieur. Cette croûte protège le fromage et contribue à développer des saveurs de champignon.

Quelle est la différence entre un brie et un camembert ? La tradition veut que le brie soit surtout une coagulation mixte à domination lactique (donnant une saveur un peu plus aigrelette) tandis que le camembert est une coagulation mixte à domination présure (donnant une saveur un peu plus douce). De plus, ce dernier est souvent offert en meule plus petite, favorisant ainsi un affinage plus rapide. Au Québec, les fromages produits par une grande fromagerie industrielle portent souvent des noms d'étiquettes. Concrètement, un fromage peut porter plusieurs marques de commerce ainsi que dénominations ! Les perceptions sensorielles différentes s'expliquent par un âge différent, par deux réseaux de distribution ou par une température variable de service tout simplement. Le fromage est d'une grande sensibilité.

Les dénominations double ou triple crème signifie tout simplement qu'une quantité de crème a été ajoutée au lait avant l'affinage afin de rendre ces fromages encore plus crémeux. Certaines variations sont aussi ensemencées de *Penicillium roqueforti*, qui se développe en ces veines bleues si caractéristiques. Nous parlerons de ces fromages plus loin, dans la section des bleus. Certains sont poivrés ou aromatisés aux fines herbes, etc.

Comme l'action enzymatique est fortement présente dans ce type de fromage, il est plus facile à digérer. Par ailleurs, sa forte teneur en humidité le rend plutôt vulnérable aux moisissures. Il doit être consommé rapidement après l'achat. Dans le cadre des épousailles, sa réceptivité est particulièrement variable, car fortement inflencée par son âge.

Aux sens

Toucher : La croûte doit s'enfoncer légèrement. Le camembert artisanal offre habituellement une texture un peu plus ferme que le brie.

Nez : Il dégage des arômes doux de champignon.

Bouche : Vache : champignon frais, crème, beurre, noix (juste sous la croûte). Les versions double ou triple crème nous présentent également des notes de beurre et de crème plus soutenues. Chèvre : domination plus lactique, aigrelette.

Les saveurs des fromages à pâte molle et croûte fleurie évoluent rapidement pendant le réchauffement sur la table de cuisine. Cette perception est aussi amplifiée par notre propre distorsion reliée à nos attentes vis-à-vis du fromage. Nous avons en effet tendance, et c'est naturel, à identifier les saveurs qui correspondent à l'idée que nous nous faisons des produits que nous consommons. Lorsqu'ils se réchauffent, leurs saveurs deviennent plus prononcées. Dans le cas d'un fromage industriel, des notes de beurre et de crème deviennent facilement perceptibles. Dans le cas des fromages artisanaux, on reconnaît également des saveurs plus piquantes.

Défauts possibles : odeur trop forte, trop piquante ou d'ammoniaque.

Brie de Meaux

Voici celui qui est considéré comme le brie original, un grand classique aussi reconnu comme « le roi des fromages français » (Talleyrand, 1815, Congrès de Vienne). Il porte la signature originale de saveurs évoquant le navet, à cause des vaches qui se nourrissent dans la région d'un tubercule de la même famille. Particulièrement velouté et crémeux, il est d'une santé particulièrement fragile et peut se dégrader très rapidement si les conditions d'entreposage sont inadéquates. Lorsque vous invitez ce grand fromage à la table de vos épousailles, mieux vaut d'une part vous assurer de la qualité de la source de vos approvisionnements et, d'autre part, le consommer au complet dans des délais très courts.

Indice de mariabilité : 85 %
Indice d'amitié : 75 %
Indice orgastique : 10 %
Indice conflictuel : 15 %

Épousailles probables

- Ale blonde
- Bières douces/sucrées : abbaye blonde, abbaye brune, blanche jeune, désinvolte douce, double
- Viennoise

Amitiés probables

- Bières amères de houblon chambrées : alt, pale ale, pilsener d'origine, IPA, Orval
- Bières de blé, jeunes et sucrées : blanche et Weizen

- Brown ale
- Stout à l'azote
- Triple douce et moelleuse d'alcool

Conflits éventuels

- Bières amères de houblon froides : alt, pale ale, pilsener d'origine, IPA, Orval
- Triple complexe

Bries industriels

Brie Anco, Brie français Caron, Brie le Petit Connaisseur

Indice de mariabilité : 85 %
Indice d'amitié : 75 %
Indice orgastique : 10 %
Indice conflictuel : 15 %

Épousailles probables

- Bières liquoreuses chambrées : quadruple, scotch ale
- Triple douce et moelleuse d'alcool

Amitiés probables

- Ale blonde
- Bières de blé jeunes, sucrées : blanche, Weizen
- Bière de garde
- Bières sucrées : abbaye blonde, abbaye brune, double, lambic édulcoré
- Désinvolte douce
- Pale ale chambrée
- Pale ale à l'azote
- Pilsener d'origine
- Raftman
- Viennoise

Conflits éventuels

- Bock
- Désinvolte sèche
- Orval
- Pale ale froide
- Stout amère de rôti et de houblon

Camemberts industriels

Camembert Anco, Camembert Valmontais

Indice de mariabilité : 75 %
Indice d'amitié : 65 %
Indice orgastique : 10 %
Indice conflictuel : 25 %

Épousailles probables
- Ale blonde
- Désinvolte douce
- Pale ale à l'azote
- Bières amères de houblon chambrées : alt, pale ale, pilsener d'origine, IPA

Amitiés probables
- Bières douces/sucrées : abbaye blonde, abbaye brune, blanche jeune, désinvolte douce, double
- Bières acides : gueuze lambic, brune/rouge des Flandres
- Bières de blé jeunes et sucrées : blanche et Weizen
- Brown ale
- Raftman
- Triple douce et moelleuse d'alcool

Conflits éventuels
- Pilsener d'origine froide
- Bock
- Orval
- Scotch ale
- Bières amères de houblon froides : alt, pale ale, pilsener d'origine, IPA

Coulommiers Roitelet

Cette version de croûte fleurie qui ne porte aucune dénomination semble être plus favorable à lier sa destinée aux bières, comme nous l'indique sa fiche d'épousabilité.

Indice de mariabilité : 85 %
Indice d'amitié : 75 %
Indice orgastique : 10 %
Indice conflictuel : 15 %

Épousailles probables
- Désinvolte douce
- Pale ale à l'azote

Amitiés probables
- Bières de blé jeunes et sucrées : blanche et Weizen
- Bières douces/sucrées : abbaye blonde, abbaye brune, blanche jeune, désinvolte douce, double
- Raftman
- Triple douce et moelleuse d'alcool

Conflits éventuels
- Bières amères de houblon froides : alt, pale ale, pilsener d'origine, IPA, Orval

- Bock
- Pilsener d'origine froide

Brie danois

Voici une version du brie qui nous est offerte en conserve ! Il s'agit d'un fromage dit « stabilisé », fermé hermétiquement sous vide. Sa mariabilité en est sérieusement affectée. Dans nos dégustations, nous n'avons d'ailleurs pas éprouvé de joies orgastiques ! Est-ce le reflet de notre manque de considération pour cet excentrique ?

Indice de mariabilité : 70 %
Indice d'amitié : 60 %
Indice orgastique : 10 %
Indice conflictuel : 30 %

Amitiés probables
- Bières acides : gueuze lambic, brune/rouge des Flandres
- Bières de blé jeunes et sucrées : blanche et Weizen
- Bières liquoreuses : quadruple, scotch ale
- Bières douces/sucrées : abbaye blonde, abbaye brune, blanche jeune, désinvolte douce, double
- Pale ale à l'azote

Conflits éventuels
- Bières amères de rôti : stout à l'azote, stout amère de rôti et de houblon
- Bières amères de houblon froides : alt, pale ale, pilsener d'origine, IPA, Orval
- Désinvolte sèche
- Triple douce et moelleuse d'alcool
- Triple complexe

Chèvres, croûtes fleuries

Cabrie et Saint-Loup

Brie de chèvre velouté et légèrement acidulé.

Notez que ce type de fromage est particulièrement sensible aux jeux de température. Beaucoup plus velouté lorsqu'il est bien chambré, il est continuellement susceptible de se rebuter devant les bières bien houblonnées servies froides.

Indice de mariabilité : 85 %
Indice d'amitié : 75 %
Indice orgastique : 10 %
Indice conflictuel : 15 %

Épousailles probables
- Bière de garde
- Bières douces/sucrées : abbaye blonde, abbaye brune, blanche jeune, désinvolte douce, double
- Triple douce et moelleuse d'alcool

Amitiés probables
- Ale blonde
- Bières acides chambrées : gueuze lambic, brune/rouge des Flandres
- Bières amères de houblon chambrées : alt, pale ale, pilsener d'origine, IPA, Orval
- La Chouffe
- Pale ale à l'azote
- Stout à l'azote
- Stout amère de rôti et de houblon

Conflits éventuels
- Bières amères de houblon froides : alt, pale ale, pilsener d'origine, IPA, Orval
- Bières liquoreuses : quadruple, scotch ale
- Désinvoltes sèches

Bûchettes de chèvre

CHÈVRE FIN TOURNEVENT, PAILLOT DE CHÈVRE CAYER

Voisine du cabrie, cette sorte de brie en forme de bûche est sans aucun doute l'un des plus populaires des fromages de la chèvre. Sa complexité de notes aigres permet de trouver plus facilement une zone d'accord avec un plus grand nombre de bières à l'occasion de l'organisation d'épousailles.

Compte-tenu de ce fromage vraiment « à caractère », notre réaction peut varier de « WOW ! » à « Eurk ! » avec à peu près n'importe quelle bière ! La bûchette vieillit extrêmement vite et traverse plusieurs phases. Plus il est vieux, plus son caractère acariâtre est développé. À l'instar du brie de chèvre, il est particulièrement susceptible aux variations des températures de service relatives à lui-même mais aussi aux bières, notamment celles qui sont bien houblonnées.

Indice de mariabilité : 90 %
Indice d'amitié : 70 %
Indice orgastique : 20 %
Indice conflictuel : 10 %

Épousailles probables
- Bières amères de houblon chambrées : alt, pale ale, pilsener d'origine, IPA, Orval
- Bières de blé jeunes et sucrées : blanche et Weizen
- Bières douces/sucrées : abbaye blonde, abbaye brune, blanche

jeune, désinvolte douce, double
- Bières liquoreuses chambrées : quadruple, scotch ale
- Triple complexe

Amitiés probables
- Ales blondes
- Bock
- Désinvolte douce
- La Chouffe
- Orval
- Pale ale à l'azote
- Pilsener d'origine chambrée
- Stout à l'azote
- Viennoise

Conflits éventuels
- Bières amères de houblon froides : alt, pale ale, pilsener d'origine, Orval
- Bières liquoreuses froides : quadruple, scotch ale
- Triple douce et moelleuse d'alcool froides

Les crottins de chèvre

Barbu, crottins importés tels quels (Fromageries Atwater et Hamel)

La consistance de la pâte varie de dure à crémeuse selon le fromage. Sa croûte fleurie lui confère des saveurs champignonnées.

Pâte crémeuse aux saveurs intenses, légèrement acidulées.

Indice de mariabilité : 90 %

Indice orgastique : 10 %

Indice d'amitié : 80 %

Indice conflictuel : 10 %

Épousailles probables
- Ale blonde chambrée

Amitiés probables
- Bières acides : gueuze lambic, brune/rouge des Flandres
- Bières amères de houblon chambrées : alt, pale ale, pilsener d'origine, IPA, Orval
- Bière de garde
- Bières douces/sucrées : abbaye blonde, abbaye brune, blanche jeune, désinvolte douce, double
- Bières liquoreuses : quadruple, scotch ale
- Désinvolte sèche
- Stout amère de rôti et de houblon
- Triple complexe

Conflits éventuels
- Lager d'origine

Les croûtes lavées

Les croûtes lavées forment une grande famille hétéroclite dont le dénominateur commun gravite autour de leurs pouvoirs odorants. Les plus puissants, tel l'époisses, projettent un effluve si envahissant que notre curiosité gustative est facilement prise de doute. D'autres, tel le Migneron, affirment timidement leurs caractéristiques olfactives lorsque la température de leur corps s'élève. Timidement n'est ici qu'un mot selon ceux et celles qui retirent pour la première fois la fine pellicule faisant frontière entre ce corps gras et leurs cils olfactifs.

Dans tous les cas, il ne faut pas se laisser distraire par l'odeur lorsque le produit se retrouve dans notre bouche. Notre sens de l'odorat a vite fait de se saturer, de telle sorte qu'après quelques secondes (minutes dans le cas de l'époisses et des autres fromages douchés d'alcool) on ne sent plus le fromage. Nos papilles gustatives peuvent alors explorer les saveurs fondamentales du corps crémeux de ces fromages. La signature de l'affinage offre en général, dans l'intimité de notre bouche, une finesse exquise. On reconnaît souvent l'odeur dissimulée, qui danse avec le gras, la crème et l'onctuosité du fromage. Le tout s'exprime dans des flaveurs plus ou moins complexes. La chorégraphie gustative bat au rythme de la température de la pâte : plus elle se réchauffe, plus ses saveurs crémeuses s'exhalent et enrobent les perceptions. Ce phénomène est l'équivalent du développement des saveurs sucrées dans une bière consommée plus chaude.

Marier ce type de fromages aux bières comporte des défis considérables. Certaines associations « froides » peuvent facilement être frappées de divorce lorsque les corps se réchauffent. L'inverse est aussi vrai. L'exemple nous est offert par la relation pont-l'évêque et Sleeman Cream Ale.

SLEEMAN CREAM ALE/PONT-L'ÉVÊQUE (à la sortie du réfrigérateur)
À la première gorgée, la bière nous mord plutôt agressivement en présence du fromage. Dès la deuxième lampée, elle s'amadoue. Tout en affirmant ce volet étonnant de sa personnalité qu'est l'amertume, elle tresse un voile sur lequel le fromage peut coller la profonde douceur de son caractère. En fin d'étalement, des sensations agréables imprègnent notre épithélium. (**)

SLEEMAN CREAM ALE/PONT-L'ÉVÊQUE (réchauffé)
La bière efface d'un seul trait toute trace de fromage et dévoile même dans son geste une autorité amère insoupçonnée. Son triomphe assuré, elle disparaît rapidement et nous pouvons sentir les efforts du fromage qui, même blessé dans sa fierté, tente de télégraphier quelques bons souvenirs de son passage. (-)

Plusieurs croûtes sèches renferment une quantité importante de sel qui facilite grandement l'accord du fromage avec un plus grand nombre de bières. Doit-on ou non consommer ces croûtes ? La réponse relève des préférences individuelles.

Croûte lavée, pâte molle, pas trop odorante

L'EXPLORATEUR, SAINT-HONORÉ

Triple crème (du même type que le Saint-André) qui se démarque surtout par ses notes de beurre et quelques pointes de sel.

Indice de mariabilité : 80 %
Indice d'amitié : 70 %
Indice orgastique : 10 %
Indice conflictuel : 20 %

Épousailles probables

- N'en ai pas trouvé

Amitiés probables

- Bières amères de houblon chambrées : alt, pale ale, pilsener d'origine, IPA, Orval
- Bières liquoreuses : quadruple, scotch ale
- Désinvolte douce
- Triple complexe
- La Maudite

Conflits éventuels

- Désinvolte sèche
- Triple douce et moelleuse d'alcool
- Viennoise

Croûte lavée, pâte molle, odeur qui commence

Nuit-d'Or-Saint-Georges

Époisses de Bourgogne industrielle lavée avec un marc de bourgogne.

Indice de mariabilité : 90 %
Indice d'amitié : 80 %
Indice orgastique : 10 %
Indice conflictuel : 10 %

Épousailles probables

- Bières liquoreuses : quadruple, scotch ale
- Raftman
- Triple douce et moelleuse d'alcool

Amitiés probables

- Bières amères de houblon : alt, pale ale, pilsener d'origine, IPA, Orval
- Bières de blé jeunes et sucrées : blanche et Weizen
- Bières douces/sucrées : abbaye blonde, abbaye brune, blanche jeune, désinvolte douce, double
- Désinvolte douce
- Stout à l'azote

Conflits éventuels

- Bière de blé plus vieille, moins sucrée
- Triple complexe

Pont-l'Évêque

Fromage d'une grande qualité, mais quelque peu réfractaire à l'idée de s'associer aux bières. S'il accepte parfois de s'envoyer en l'air avec quelques-unes, il peut aussi bien ouvrir les hostilités aussitôt après. Indomptable, ce fromage nous réserve de grandes variations d'émotions dans la recherche de sa compagne idéale.

Indice de mariabilité : 75 %
Indice d'amitié : 65 %
Indice orgastique : 10 %
Indice conflictuel : 25 %

Épousailles probables

- N'en ai pas trouvé

Amitiés probables

- Bières acides : gueuze lambic, brune/rouge des Flandres
- Bière aigre-douce aux fruits
- Bières amères de houblon : alt, pale ale, pilsener d'origine, IPA, Orval
- Désinvolte douce

- La Maudite, jeune, sucrée
- Triple douce et moelleuse d'alcool

Conflits éventuels

- Bières amères de houblon froides : alt, pale ale, pilsener d'origine, IPA, Orval
- Bières douces/sucrées : abbaye blonde, abbaye brune, désinvolte douce, double

ROUY

Cette pâte molle industrielle convient quand on veut s'initier à cette classe de fromages. Nez assez puissant sans toutefois être repoussant (cela dépend naturellement de la tolérance de chacun). Les saveurs onctueuses enrobent bien son aigreur longtemps perceptible. Lorsque nous consommons la croûte, le sel dont elle est imprégnée facilite les épousailles avec la bière.

Indice de mariabilité : 90 %
Indice d'amitié : 80 %
Indice orgastique : 10 %
Indice conflictuel : 10 %

Épousailles probables

- Bières liquoreuses : quadruple, scotch ale
- Bières douces/sucrées : abbaye blonde, abbaye brune, désinvolte douce, double
- Pale ale à l'azote
- Raftman
- Stout amère de rôti et de houblon

Amitiés probables

- Bières acides : gueuze lambic, brune/rouge des Flandres
- Bières amères de houblon froides : alt, pale ale, pilsener d'origine, IPA, Orval
- Bock
- Désinvolte douce

Conflits éventuels

- Bière aigre-douce aux fruits
- Orval

SIR LAURIER D'ARTHABASKA

Pâte molle, croûte lavée. Goût du munster tricoté avec la finesse d'une dentelle soyeuse.

Indice de mariabilité : 80 %
Indice d'amitié : 65 %
Indice orgastique : 15 %
Indice conflictuel : 20 %

Épousailles probables

- Bières amères de houblon chambrées : alt, pale ale, pilsener d'origine, IPA, Orval
- Bières douces/sucrées : abbaye blonde, abbaye brune, blanche jeune, désinvolte douce, double
- Viennoise

Amitiés probables

- Bières acides : gueuze lambic, brune/rouge des Flandres
- Bières de blé jeunes et sucrées : blanche et Weizen
- Bières liquoreuses : quadruple, scotch ale
- La Maudite
- Orval
- Pale ale à l'azote
- Raftman
- Triple douce et moelleuse d'alcool

Conflits éventuels

- Bières amères de houblon froides : alt, pale ale, pilsener d'origine, IPA, Orval
- Bière de blé plus vieille, moins sucrée
- Stout à l'azote

Croûte mixte, brossée et lavée, pas trop odorante

Roucoulons

Indice de mariabilité : 70 %

Indice orgastique : 10 %

Indice d'amitié : 60 %

Indice conflictuel : 30 %

Épousailles probables

- Désinvolte sèche

Amitiés probables

- Bières acides : gueuze lambic, brune/rouge des Flandres
- Bières douces/sucrées : abbaye blonde, abbaye brune, désinvolte douce, double
- Bières liquoreuses chambrées : quadruple, scotch ale
- Triple complexe

Conflits éventuels

- La Maudite, plus vieille, plus sèche

Saint-Morgon

Indice de mariabilité : 70 %
Indice d'amitié : 60 %
Indice orgastique : 10 %
Indice conflictuel : 30 %

Épousailles probables

- Bières liquoreuses : quadruple, scotch ale
- Orval
- Triple douce et moelleuse d'alcool

Amitiés probables

- Bières acides : gueuze lambic, brune/rouge des Flandres
- Bières amères de houblon chambrées : alt, pale ale, pilsener d'origine, IPA, Orval
- Bières de blé jeunes et sucrées : blanche et Weizen
- Bières de blé plus vieilles, moins sucrées
- Bock
- Triple complexe

Conflits éventuels

- Bières amères de houblon froides : alt, pale ale, pilsener d'origine, IPA, Orval
- Désinvolte douce

Sieur Corbeau (de Mont-Laurier)

Quel beau et délicieux fromage ! Bien qu'il ne semble pas porté à affectionner particulièrement l'alcool dans les bières, il mérite bien plus que son coefficient relativement faible de 80 % de mariabilité.

Indice de mariabilité : 80 %
Indice d'amitié : 65 %
Indice orgastique : 15 %
Indice conflictuel : 20 %

Épousailles probables

- Bières douces/sucrées : abbaye blonde, abbaye brune, blanche jeune, désinvolte douce, double

Amitiés probables

- Ale blonde
- Bières acides : gueuze lambic, brune/rouge des Flandres
- Bières amères de houblon chambrées : alt, pale ale, pilsener d'origine, IPA, Orval

- Bières liquoreuses chambrées : quadruple, scotch ale
- Bock
- Triple complexe
- Triple douce et moelleuse d'alcool
- Orval
- Viennoise

Conflits éventuels

- Bières amères de houblon froides : alt, pale ale, pilsener d'origine, IPA, Orval
- Bières de blé jeunes et sucrées : blanche et Weizen
- Bières liquoreuses chambrées : quadruple, scotch ale

Croûte mixte, brossée et lavée, très odorante

SAINT-BASILE L.C.

Fromage à croûte lavée unique. Fleuron du combat pour la survie des fromages au lait cru au Canada, il se distingue par un nez plutôt puissant qui évoque ses origines fermières. Il ne se laisse pas aller facilement aux épousailles, mais accepte volontiers de se lier d'amitié avec plusieurs bières.

Indice de mariabilité : 90 %
Indice d'amitié : 80 %
Indice orgastique : 10 %
Indice conflictuel : 10 %

Épousailles probables

- N'en ai pas trouvé

Amitiés probables

- Bières acides : gueuze lambic, brune/rouge des Flandres
- Bières amères de houblon chambrées : alt, pale ale, pilsener d'origine, IPA, Orval
- Bières de blé plus vieilles, moins sucrées
- Bières douces/sucrées : abbaye blonde, abbaye brune, désinvolte douce, double
- Bières liquoreuses froides : quadruple, scotch ale
- La Maudite, plus vieille, moins sucrée
- Pale ale à l'azote
- Raftman

Conflits éventuels

- Désinvolte sèche

Croûte lavée à l'alcool, pâte molle, très odorante

Époisses de Bourgogne

Voici un fromage-culte possédant une très forte personnalité. La méthode soignée de fabrication et d'affinage contraste avec le nez qui se dégage du produit au moment de le consommer.

Pâte molle, croûte lavée avec de l'eau ou du vin blanc renfermant une concentration progressive de marc de Bourgogne. Soulignons qu'auparavant ce lavage était effectué par des enfants de l'assistance publique.

Indice de mariabilité : 80 %
Indice orgastique : 10 %
Indice d'amitié : 70 %
Indice conflictuel : 20 %

Épousailles probables

- Triple complexe

Amitiés probables

- Bières douces/sucrées : abbaye blonde, abbaye brune, blanche jeune, désinvolte douce, double
- Bières liquoreuses : quadruple, scotch ale
- Pale ale à l'azote
- La Maudite, plus vieille, moins sucrée

Conflits éventuels

- Bières acides : gueuze lambic, brune/rouge des Flandres

Fleur de bière

Voici une variation sur le type munster à la pâte molle et croûte lavée avec le moût de bière.

Indice de mariabilité : 80 %
Indice orgastique : 5 %
Indice d'amitié : 75 %
Indice conflictuel : 20 %

Épousailles probables

- Bières douces/sucrées : abbaye blonde, abbaye brune, blanche jeune, désinvolte douce, double

Amitiés probables

- Bières amères de houblon : alt, pale ale, pilsener d'origine, IPA, Orval
- Bières liquoreuses chambrées : quadruple, scotch ale
- Désinvolte douce
- La Maudite, plus vieille, plus sèche
- Triple complexe

- Triple douce et moelleuse d'alcool

Conflits éventuels

- Orval

Croûte lavée à l'alcool, pâte semi-ferme, odeur moyenne

Chimay

Indice de mariabilité : 85 % Indice d'amitié : 70 %
Indice orgastique : 15 % Indice conflictuel : 15 %

Épousailles probables

- Bières amères de houblon : alt, pale ale, pilsener d'origine, IPA, Orval
- Bières de blé plus vieilles, moins sucrées
- Bières liquoreuses : quadruple, scotch ale
- Stout à l'azote
- La Maudite, plus vieille, plus sèche
- Raftman

Amitiés probables

- Ale blonde
- Bières acides : gueuze lambic, brune/rouge des Flandres
- Bières de blé jeunes et sucrées : blanche et Weizen
- Pale ale à l'azote
- Triple douce et moelleuse d'alcool
- Viennoise

Conflits éventuels

- Triple complexe

Le Fêtard

Voici un grand fromage québécois qui reprend la recette du non moins célèbre fromage français maroilles. Sa croûte est lavée à la bière (La Maudite) et au calvados. Il s'agit du même fromage de base que le Victor et Berthold, mais ce dernier est lavé à la saumure.

Indice de mariabilité : 90 % Indice d'amitié : 75 %
Indice orgastique : 15 % Indice conflictuel : 10 %

Épousailles probables

- Bières liquoreuses : quadruple, scotch ale
- Bières douces/sucrées : abbaye blonde, abbaye brune, blanche jeune, désinvolte douce, double

Amitiés probables

- Bières amères de houblon chambrées : alt, pale ale, pilsener d'origine, IPA, Orval
- Bières de blé jeunes et sucrées : blanche et Weizen
- Bières de blé plus vieilles, moins sucrées
- Bock
- Pale ale à l'azote
- Quelque Chose
- Triple douce et moelleuse d'alcool

Conflits éventuels

- La Maudite, plus vieille, moins sucrée
- Stout à l'azote

Croûte lavée, pâte semi-ferme, pas trop odorant

Plusieurs des fromages de ce type originent plus ou moins directement d'un seul : le « Port-du-Salut ». Au début du XIXe siècle, des moines trappistes de l'abbaye du Port-du-Salut près d'Entrames, en France, développent un fromage particulier inspiré des traditions cisterciennes. On peut juger de son succès aux nombreux fromages qui s'en inspirèrent. Le nom « Port-Salut » fut donc protégé par une marque de commerce, qui fut par la suite vendue par les moines à une entreprise commerciale. Depuis, ce fromage a donné naissance à un grand nombre de marques qui sont devenues célèbres, dont l'Oka. Le fromage originel est quant à lui désormais connu sous le nom d'entrammes dans son pays natal.

Ces fromages forment une grande famille relativement facile à marier avec un grand nombre de bières. Devons-nous nous en étonner ? Les trappistes sont aussi reconnus comme des leaders du brassage. N'ont-ils pas développé des compléments naturels ?

Cantonnier de Warwick

Voici l'un des fromages les plus faciles à marier, surtout sa version au lait cru, avec un très grand nombre de bières.

Épousailles probables

- Bières amères de houblon : alt, pale ale, pilsener d'origine, IPA, Orval
- Bières de blé plus vieilles, moins sucrées
- Bières liquoreuses : quadruple, scotch ale
- Pale ale à l'azote
- Stout à l'azote
- La Maudite, plus vieille, moins sucrée
- Raftman

Amitiés probables

- Bières acides : gueuze lambic, brune/rouge des Flandres
- Bières de blé jeunes et sucrées : blanche et Weizen
- Bières douces/sucrées : abbaye blonde, abbaye brune, blanche jeune, désinvolte douce, double
- Triple complexe
- Triple douce et moelleuse d'alcool
- Vapeur Cochonne

Conflits éventuels

- N'en ai pas trouvé

CHAUMES

Indice de mariabilité : 80 % — Indice d'amitié : 70 %
Indice orgastique : 10 % — Indice conflictuel : 20 %

Épousailles probables

- Bières amères de houblon chambrées : alt, pale ale, pilsener d'origine, IPA, Orval
- Bières liquoreuses chambrées : quadruple, scotch ale
- Bock

Amitiés probables

- Bières de blé plus vieilles, moins sucrées
- Bières liquoreuses : quadruple, scotch ale
- Bières douces/sucrées : abbaye blonde, abbaye brune, blanche jeune, désinvolte douce, double
- Désinvolte douce
- Triple complexe
- Triple douce et moelleuse d'alcool
- Orval

Conflits éventuels

- Bières amères de houblon froides : alt, pale ale, pilsener d'origine, IPA, Orval

LE MIGNERON DE CHARLEVOIX

Indice de mariabilité : 90 % — Indice d'amitié : 80 %
Indice orgastique : 10 % — Indice conflictuel : 10 %

Épousailles probables

- Ale blonde

- Bières douces/sucrées : abbaye blonde, abbaye brune, blanche jeune, désinvolte douce, double
- Bières amères de houblon chambrées : alt, pale ale, pilsener d'origine, IPA, Orval
- Bières liquoreuses chambrées : quadruple, scotch ale
- Triple complexe
- Viennoise

Amitiés probables

- Bières de blé jeunes et sucrées : blanche et Weizen
- Bock
- Lager d'origine
- Triple douce et moelleuse d'alcool

Conflits éventuels

- Bières amères de houblon froides : alt, pale ale, pilsener d'origine, IPA, Orval
- Bières liquoreuses froides : quadruple, scotch ale

Oka classique

Lait thermisé, croûte lavée, mi-ferme

Indice de mariabilité : 85 %
Indice d'amitié : 75 %
Indice orgastique : 10 %
Indice conflictuel : 15 %

Épousailles probables

- Bières douces/sucrées : abbaye blonde, abbaye brune, blanche jeune, désinvolte douce, double
- Orval
- Raftman

Amitiés probables

- Ale blonde chambrée
- Bière aigre-douce aux fruits
- Bière de garde
- Bières amères de houblon chambrées : alt, pale ale, pilsener d'origine, IPA, Orval
- Désinvolte douce
- Stout amère de rôti et de houblon
- Viennoise

Conflits éventuels

- Désinvolte sèche
- Ale blonde froide

Port-salut

Indice de mariabilité : 85 % Indice d'amitié : 75 %
Indice orgastique : 10 % Indice conflictuel : 15 %

Épousailles probables

- Bières liquoreuses : quadruple, scotch ale
- Bières douces/sucrées : abbaye blonde, abbaye brune, blanche jeune, désinvolte douce, double
- Désinvolte sèche

Amitiés probables

- Bières acides : gueuze lambic, brune/rouge des Flandres
- Bières amères de houblon : alt, pale ale, pilsener d'origine, IPA, Orval
- Bière de garde
- Désinvolte douce
- Triple douce et moelleuse d'alcool

Conflits éventuels

- Bières de blé plus vieilles, moins sucrées
- Pale ale à l'azote
- La Maudite, plus vieille, moins sucrée

Victor et Berthold

Indice de mariabilité : 80 % Indice d'amitié : 70 %
Indice orgastique : 10 % Indice conflictuel : 20 %

Épousailles probables

- Bières douces/sucrées : abbaye blonde, abbaye brune, blanche jeune, désinvolte douce, double
- Triple complexe
- Triple douce et moelleuse d'alcool
- Quelque Chose

Amitiés probables

- Ale blonde
- Bières amères de houblon : alt, pale ale, pilsener d'origine, IPA, Orval
- Bières de blé jeunes et sucrées : blanche et Weizen
- La Maudite, plus vieille, moins sucrée
- Stout à l'azote
- Viennoise

Conflits éventuels
- Bières liquoreuses : quadruple, scotch ale
- Bières de blé plus vieilles, moins sucrées
- Orval

Morbier

MORBIER FROMAGERIE ATWATER ET HAMEL

Voici un fromage tout à fait original originant du Jura. On le reconnaît facilement à la ligne horizontale qui traverse son cœur. Il s'agit traditionnellement d'un mélange de cendre et de sel apposé sur le caillé de la traite du matin pour le protéger. On verse par-dessus le caillé de la traite du soir et l'affinage s'amorce. De nos jours, grâce aux techniques fromagères modernes, la tradition est évoquée en utilisant surtout du colorant alimentaire.

Indice de mariabilité : 90 %
Indice d'amitié : 70 %
Indice orgastique : 20 %
Indice conflictuel : 10 %

Épousailles probables
- Bières amères de houblon : alt, pale ale, pilsener d'origine, IPA, Orval
- Bières liquoreuses : quadruple, scotch ale
- Désinvolte douce
- Pale ale à l'azote
- Triple complexe
- Triple douce et moelleuse d'alcool
- Vapeur Cochonne

Amitiés probables
- Bières acides : gueuze lambic, brune/rouge des Flandres
- Bières de blé plus vieilles, moins sucrées

Conflits éventuels
- Bières amères de houblon froides : alt, pale ale, pilsener d'origine, IPA, Orval
- Bock

Croûte lavée, pâte molle, odorante de terroir

LIMBURGER ET MUNSTER

LIMBURGER

Fleuron allemand des croûtes lavées à pâte molle, son nez très puissant ne laisse personne indifférent. L'enrobage onctueux de la texture crémeuse nous aide à apprivoiser la puissance épicée de saveurs presque viandeuses.

MUNSTER

Un des plus vieux monastiques français. Pâte pressée, cuite, affinée dans la masse et plutôt ferme. Croûte mince lisse, de couleur orangée. Flaveurs très douces aux notes de lait et de beurre.

Indice de mariabilité : 90 %　　Indice d'amitié : 80 %
Indice orgastique : 10 %　　Indice conflictuel : 10 %

Épousailles probables
- Stout à l'azote

Amitiés probables
- Ale blonde
- Bières amères de houblon : alt, pale ale, pilsener d'origine, IPA, Orval
- Bières de blé jeunes et sucrées : blanche et Weizen
- Bières liquoreuses chambrées : quadruple, scotch ale
- Triple complexe
- Viennoise

Conflits éventuels
- Bières liquoreuses froides : quadruple, scotch ale
- Orval

Fromages affinés dans la masse

ÉDAM COMMERCIAL

L'édam a été développé en Hollande dans un port du nord portant justement le nom d'Édam. Les navires s'y arrêtaient et les marins en faisaient provision, ce qui a contribué au développement de sa réputation hors frontière. L'édam peut être considéré comme le frère du gouda.

Pâte pressée, cuite, demi-ferme. On distingue trois types d'édam en fonction de son âge : jeune (quatre à six semaines; saveur douce et franche); demi-étuvé (six mois; pâte plus ferme, saveurs plus fruitées) et étuvé (plus d'un an; pâte dure, piquante). Il se présente avec sa croûte naturelle, ou encore enrobé de paraffine.

Saveur de base douce qui s'affirme avec l'âge.

Il n'est pas aisé de trouver une compagne à l'édam. Il s'agit en fait de l'un des fromages les plus difficles à accorder avec les bières. Il a tendance à dévoiler son caractère âcre avec trop d'insistance. Il semble qu'en compagnie de bières aigres ou amères, il se fasse plus doux et donc de plus agréable compagnie. Dans plusieurs situations, l'acidité de la bière dissimule l'âcreté du fromage tandis que l'amertume l'annule. L'alcool de son côté l'amplifie. L'accord se fait avec le sucré, dans la mesure où il est de faible intensité. Plus une bière est sucrée, plus le fromage rechigne avec amertume. Il faut porter attention aux températures de service. Il semble que la meilleure combinaison soit : fromage froid et bière moyennement froide.

Quand on saupoudre la pâte du fromage avec des herbes ou des épices (du sel de céleri par exemple), il devient plus conciliant avec les bières. Il reste peu recommandable pour l'organisation d'épousailles de grande voltige. Il peut toutefois convenir en certaines occasions, comme collation ou en amuse-gueule en écoutant un film.

Indice de mariabilité : 60 % Indice d'amitié : 55 %

Indice orgastique : 5 % Indice conflictuel : 40 %

Épousailles probables

- N'en ai pas trouvé

Amitiés probables

- Ale blonde
- Bières acides : gueuze lambic, brune/rouge des Flandres
- Bière de garde
- Bières douces (ale blonde, viennoise)
- Bières douces/sucrées : abbaye blonde, abbaye brune, blanche jeune, désinvolte douce, double
- Désinvolte douce
- Pale ale à l'azote
- Stout à l'azote
- Viennoise

Conflits éventuels

- Désinvolte sèche
- Triple complexe
- Bières liquoreuses froides : quadruple, scotch ale
- Risques de conflits avec tous les types de bière, surtout si elles sont servies froides.

GOUDA DOUX FRICO

Nommé d'après une ville en Hollande, le gouda constitue plus de la moitié de la production fromagère du pays. Dénué de croûte, il se reconnaît facilement à son enveloppe de paraffine. La pâte jaune pâle du gouda fonce avec l'âge. Sa chair légèrement élastique est percée de petits trous irréguliers. Il présente des flaveurs de lait, de beurre, d'amandes et de noisettes. L'enveloppe rouge nous offre un gouda nature tandis que la jaune en propose une version au carvi.

Un peu plus conciliant que son frère l'édam, ce type de fromage aime bien l'alcool et le caramel des bières. Il semble aussi affectionner celles qui ont du caractère, telle l'Orval. Attention toutefois au houblon car le gouda semble allergique aux bières filtrées houblonnées. En présence de levures, il devient plus conciliant.

Indice de mariabilité : 80 %
Indice d'amitié : 75 %
Indice orgastique : 5 %
Indice conflictuel : 20 %

Épousailles probables

- Bières liquoreuses : quadruple, scotch ale

Amitiés probables

- Ale blonde
- Bières acides : gueuze lambic, brune/rouge des Flandres
- Bières de blé jeunes et sucrées : blanche et Weizen
- Bières douces/sucrées : abbaye blonde, abbaye brune, blanche jeune, désinvolte douce, double
- Désinvolte douce
- Stout à l'azote
- Viennoise

Conflits éventuels

- Bières amères de houblon : alt, pale ale, pilsener d'origine, IPA, Orval
- Triple douce et moelleuse d'alcool
- Triple complexe

St-Paulin

Cette pâte demi-ferme est issue de l'héritage du Port-du-Salut, surtout les versions industrielles offertes dans les grandes surfaces. Il s'agit d'une croûte lavée enduite d'une pellicule de plastique. Cette version ne possède pas les grandes qualités de ses inspirations originelles au chapitre des épousailles.

Pâte pressée non cuite blanchâtre aux saveurs plutôt fades mais qui conserve un résidu sensible d'âcreté, probablement dû à sa pellicule de plastique qui l'étouffe.

Difficile, plutôt timide ou indifférent avec les bières, il s'irrite facilement.

Indice de mariabilité : 65 %
Indice d'amitié : 60 %
Indice orgastique : 5 %
Indice conflictuel : 35 %

Épousailles probables

- N'en ai pas trouvé

Amitiés probables

- Bières acides : gueuze lambic, brune/rouge des Flandres
- Bières acides aux fruits
- Bières douces/sucrées : abbaye blonde, abbaye brune, blanche jeune, désinvolte douce, double
- Désinvolte douce
- Désinvolte sèche
- Triple douce et moelleuse d'alcool

Conflits éventuels

- Pale ale à l'azote
- Bières amères de houblon : alt, pale ale, pilsener d'origine, IPA, Orval
- Bières de blé jeunes et sucrées : blanche et Weizen
- Bières liquoreuses : quadruple, scotch ale
- Orval
- Vapeur Cochonne

Les gruyères

La famille des gruyères est composée de plusieurs interprétations régionales. Pourquoi le nom gruyère chapeaute-t-il tous ces types ? Probablement parce qu'il s'agit du nom le plus connu et que le fromage initial ayant parti le bal a d'abord été développé dans cette petite ville de la Suisse romande. Le gruyère est une pâte pressée, cuite et affinée dans la masse, souvent sans croûte. Lorsqu'une croûte existe, elle est de la même couleur que la pâte, soit jaune pâle. Elle se distingue par ses nombreuses ouvertures rondes, ses yeux. Au nez, ses arômes évoquent la fermentation. Texture élastique, flaveurs de beurre et de noisette, nuances fruitées. Plus le gruyère est âgé et plus il est piquant.

Beaufort L.C. Fromagerie Atwater

Le beaufort au lait cru est réputé comme étant le prince des gruyères français et il se marie facilement à un grand nombre de types de bières.

Indice de mariabilité : 95 %
Indice d'amitié : 85 %
Indice orgastique : 10 %
Indice conflictuel : 5 %

Épousailles probables

- Stout à l'azote

Amitiés probables

- Ale blonde
- Bières amères de houblon : alt, pale ale, pilsener d'origine, IPA, Orval
- Bières de blé jeunes et sucrées : blanche et Weizen
- Désinvolte douce
- Triple douce et moelleuse d'alcool
- Triple complexe
- Viennoise

Conflits éventuels

- Bières amères de houblon trop froides : alt, pale ale, pilsener d'origine, IPA, Orval

Gruyère commercial

Fromage d'une grande facilité d'épousailles et d'amitié qui semble avoir un gros faible pour les bières acides. Ses saveurs de noix et sa texture ferme mais fondante...

Indice de mariabilité : 95 %
Indice d'amitié : 85 %
Indice orgastique : 10 %
Indice conflictuel : 5 %

Épousailles probables

- Bières acides : gueuze lambic, brune/rouge des Flandres
- Triple complexe

Amitiés probables

- Pale ale à l'azote

- Bières amères de houblon : alt, pale ale, pilsener d'origine, IPA, Orval
- Bières de blé plus vieilles, moins sucrées
- Bières liquoreuses : quadruple, scotch ale
- Bières douces/sucrées : abbaye blonde, abbaye brune, blanche jeune, désinvolte douce, double
- Triple douce et moelleuse d'alcool

Conflits éventuels

- Bières amères de houblon froides : alt, pale ale, pilsener d'origine, IPA, Orval

Miranda

Gruyère québécois, l'un des premiers.

Indice de mariabilité : 80 %
Indice d'amitié : 70 %
Indice orgastique : 10 %
Indice conflictuel : 20 %

Épousailles probables

- Orval

Amitiés probables

- Ale blonde
- Bières amères de houblon : alt, pale ale, pilsener d'origine, IPA, Orval
- Bières de blé jeunes et sucrées : blanche et Weizen
- Bières liquoreuses : quadruple, scotch ale
- Bières douces/sucrées : abbaye blonde, abbaye brune, blanche jeune, désinvolte douce, double
- Triple complexe
- Quelque chose
- Viennoise

Conflits éventuels

- Bières amères de houblon froides : alt, pale ale, pilsener d'origine, IPA, Orval
- Bock

Jarlsberg fumé

Cet emmental d'interprétation norvégienne est un peu plus sucré et légèrement moins noisetté.

Pâte jaune or parsemée de grands yeux. Voici un fier fromage qui aime bien s'envoyer en l'air mais en choisissant judicieusement ses partenaires. Il n'y pas de préférences particulières par rapport à un ou plusieurs styles. Il est tout simplement imprévisible, mais toujours de bon goût. Il semble avoir un faible pour le rôti et le caramel.

Indice de mariabilité : 70 %
Indice d'amitié : 60 %
Indice orgastique : 10 %
Indice conflictuel : 30 %

Épousailles probables
- Ale blonde
- Pale ale /azote, stout, viennoise,
- Viennoise

Amitiés probables
- Bières acides : gueuze lambic, brune/rouge des Flandres
- Bière aigre-douce aux fruits
- Bières amères de houblon : alt, pale ale, pilsener d'origine, IPA, Orval
- Bières liquoreuses : quadruple, scotch ale
- Bières sucrées sauf abbaye blonde : abbaye brune, blanche jeune, désinvolte douce, double
- Désinvolte douce
- Raftman

Conflits éventuels
- Abbaye blonde
- Bock
- Orval

EMMENTAL DE CHÈVRE

Indice de mariabilité : 85 %
Indice d'amitié : 80 %
Indice orgastique : 5 %
Indice conflictuel : 15 %

Épousailles probables
- Bières amères de houblon sauf Pilsener d'origine : alt, pale ale, IPA, Orval
- Désinvolte douce

Amitiés probables
- Ale blonde
- Bières liquoreuses : quadruple, scotch ale
- Bières douces/sucrées : abbaye blonde, abbaye brune, blanche jeune, désinvolte douce, double
- Désinvolte sèche
- Stout à l'azote

Conflits éventuels
- Bières de blé jeunes et sucrées : blanche et Weizen

- Désinvolte sèche
- Pilsener d'origine

Comté

Gruyère français

Indice de mariabilité : 90 %
Indice d'amitié : 80 %
Indice orgastique : 10 %
Indice conflictuel : 10 %

Épousailles probables

- Bières amères de houblon : alt, pale ale, pilsener d'origine, IPA, Orval
- Bières liquoreuses : quadruple, scotch ale
- Bières douces/sucrées : abbaye blonde, abbaye brune, blanche jeune, désinvolte douce,
- La Maudite, plus vieille, moins sucrée

Amitiés probables

- Bières de blé jeunes et sucrées : blanche et Weizen
- Bières douces/sucrées : abbaye blonde, abbaye brune, blanche jeune, désinvolte douce, double
- Désinvolte douce
- Pale ale à l'azote
- Triple douce et moelleuse d'alcool
- Triple complexe

Conflits éventuels

- N'en ai pas trouvé

Tilsit suisse, Fromagerie Atwater

Pâte demi-ferme à croûte naturelle lisse brun-rouge inspirée d'un fromage hollandais de la ville de Tilsit qui est devenu une spécialité des cantons de Thurgovie près du lac de Constance en Suisse. Plusieurs grands tilsits proviennent également de l'autre côté du célèbre lac, en Allemagne. Sa délicate croûte jaunâtre, sèche, renferme quelques moisissures qui contribuent à son nez légèrement âcre et piquant évoquant des souvenirs de cave. Texture souple et trous irréguliers. Sous le palais ses saveurs très fruitées sont enrobées de beurre et agrémentées d'un petit piquant épicé. Voici un fromage très facile à marier avec un grand nombre de bières.

Indice de mariabilité : 95 %
Indice d'amitié : 85 %
Indice orgastique : 10 %
Indice conflictuel : 5 %

Épousailles probables

- Bières acides : gueuze lambic, brune/rouge des Flandres
- Désinvolte douce
- Triple complexe

Amitiés probables

- Bières douces/sucrées : abbaye blonde, abbaye brune, blanche jeune, désinvolte douce, double
- Désinvolte sèche
- Pale ale à l'azote
- Bières amères de houblon : alt, pale ale, pilsener d'origine, IPA, Orval
- Bières de blé plus vieilles, moins sucrées
- Bières liquoreuses : quadruple, scotch ale
- Orval
- Triple douce et moelleuse d'alcool

Conflits éventuels

- Bières amères de houblon froides : alt, pale ale, pilsener d'origine, IPA, Orval

Le mimolette

Mimolette de la fromagerie Atwater

Ce fromage qui jouit d'une réputation très prestigieuse constitue toutefois un défi considérable dans le cadre des épousailles à cause de sa pâte très dure, difficile à couper et qui s'égraine très facilement. Pâte pressée, non cuite, orange par le rocou utilisé. Les différentes mimolettes sont classées en fonction de leur âge : jeune (4 à 6 semaines : saveur fine et délicate); mi-vieille (4 à 12 mois, goût plus prononcé); et de 12 à 24 mois (très ferme et friable).

Indice de mariabilité : 90 %
Indice d'amitié : 80 %
Indice orgastique : 10 %
Indice conflictuel : 10 %

Épousailles probables

- Bières amères de houblon : alt, pale ale, pilsener d'origine, IPA, Orval
- Bières liquoreuses : quadruple, scotch ale

Amitiés probables

- Bières douces/sucrées : abbaye blonde, abbaye brune, blanche jeune, désinvolte douce, double
- Désinvolte douce
- Stout à l'azote
- La Maudite

- Orval
- Raftman
- Triple douce et moelleuse d'alcool
- Triple complexe

Conflits éventuels

- Bières acides : gueuze lambic, brune/rouge des Flandres

Les cheddars

L'un des fromages les plus connus au Québec, il doit son nom à la ville qui l'a vu naître dans le sud-ouest de l'Angleterre. Il s'agit du fromage préféré de la moitié des pays anglo-saxons. L'héritage britannique et les liens économiques avec la célèbre île ont fortement contribué au développement de l'excellence québécoise dans la fabrication de ce type de fromage.

Sa pâte lisse et ferme devient de plus en plus fondante avec l'affinage. Il se présente enveloppé de différentes croûtes : toilée (fermier), cirée ou tout simplement sans croûte. En règle générale, il offre une pâte blanche, sauf pour plusieurs cheddars nord-américains auxquels on ajoute de l'annato, son corps est alors orangé (plusieurs disent rouge).

Une seule recette de base peut offrir plusieurs variétés de cheddar alors qu'on ne se base que sur son âge. L'évolution des saveurs est très marquée dans les trois premières années. Elle l'est considérablement moins, plutôt en finesse, par la suite. Pour certains cheddars rarement mis en marché, l'âge dépasse cinq ans. Il faut alors s'en approvisionner directement chez le producteur. Jeune, le cheddar nous offre des saveurs timides de noisettes puis, au fil de sa maturation, il développe des saveurs plus piquantes. Il en est ainsi de ses arômes doux, qui évoquent le lait dans sa jeunesse et deviennent de plus en plus piquants avec le temps.

Cheddar doux : approximativement un mois

Cheddar moyen : âgé de trois à six mois

Cheddar moyen-fort : âgé de six à neuf mois

Cheddar fort : âgé de neuf mois à un an

Cheddar extra-fort : âgé de plus d'un an

Les cheddars au lait cru offrent habituellement une finesse plus subtile et moins de piquant au goût.

Le cheddar fermier (fait de lait non pasteurisé) présente un nez frais de noix, des saveurs riches de lait, une légère pointe aigre et une complexité de flaveurs qui évoquent les pâturages.

Les cheddars les plus vendus chez nous sont les versions industrielles dont la pâte caoutchouteuse offre des flaveurs plus ou moins fades. La comparaison entre l'une de ces versions et une production artisanale permettra de facilement se familiariser avec l'impact de l'uniformisation du goût sur la qualité d'un produit.

Le cheddar constitue la base du célèbre fromage en grains, qui n'est ni plus ni moins qu'un fromage frais du jour dont on a découpé la masse sous cette forme. La présence du petit-lait en indique la fraîcheur. Nous pouvons considérer cette version comme les croustilles du lait, aux notes salées et lactiques, qui accompagnent bien la majorité des bières, soulageant surtout nos démangeaisons stomacales lorsque nous buvons.

La mention Farmhouse English Cheese est appliquée sur les cheddars conformes aux normes d'excellence.

Cheddar Balderson, 3 ans

Indice de mariabilité : 95 %

Indice d'amitié : 85 %

Indice orgastique : 10 %

Indice conflictuel : 5 %

Épousailles probables

- Pale ale à l'azote
- Triple douce et moelleuse d'alcool
- La Maudite

Amitiés probables

- Ale blonde
- Bières amères de houblon : alt, pale ale, pilsener d'origine, IPA,

Orval
- Bières liquoreuses : quadruple, scotch ale
- Désinvolte douce
- Stout à l'azote
- Viennoise

Conflits éventuels
- Bières acides : gueuze lambic, brune/rouge des Flandres

CHEDDAR EXTRA-FORT PERRON

Indice de mariabilité : 85 %
Indice d'amitié : 75 %
Indice orgastique : 10 %
Indice conflictuel : 15 %

Épousailles probables
- Ale blonde
- Bières liquoreuses (sauf scotch ale)
- Raftman
- Triple complexe
- Viennoise

Amitiés probables
- Bières acides : gueuze lambic, brune/rouge des Flandres
- Bières amères de houblon : alt, pale ale, pilsener d'origine, IPA, Orval
- Bières de blé jeunes et sucrées : blanche et Weizen
- Bières douces/sucrées : abbaye blonde, abbaye brune, blanche jeune, désinvolte douce, double
- Bock

Conflits éventuels
- Bières liquoreuses : quadruple, scotch ale

CHEDDAR FERMIER ANGLAIS, FROMAGERIE ATWATER ET HAMEL

Indice de mariabilité : 90 %
Indice d'amitié : 80 %
Indice orgastique : 10 %
Indice conflictuel : 10 %

Épousailles probables
- La Maudite
- Triple douce et moelleuse d'alcool

Amitiés probables
- Ale blonde
- Bières amères de houblon chambrées : alt, pale ale, pilsener d'origine,

IPA, Orval
- Bières de blé plus vieilles, moins sucrées
- Bières douces/sucrées : abbaye blonde, abbaye brune, blanche jeune, désinvolte douce, double
- Bières liquoreuses : quadruple, scotch ale
- Désinvolte douce
- Stout à l'azote
- Raftman
- Viennoise

Conflits éventuels
- Bières de blé jeunes et sucrées : blanche et Weizen
- Bières amères de houblon froides : alt, pale ale, pilsener d'origine, IPA, Orval

Cheddar laiterie Charlevoix

Les différentes versions de ce fromage sont de beaux exemples de la grande sensibilité des fromages et des relations qu'ils peuvent développer avec la bière. Voici les différentes réactions de la Pilsner Urquell à trois versions différentes d'un fromage élaboré avec le même lait et en utilisant les mêmes techniques.

Lait cru, mi-fort
La bière se fait petite et discrète. Lorsqu'elle s'endort, le fromage retrouve son naturel et nous oint le palais d'une crème douce. (**)

Lait pasteurisé, mi-fort
Le fromage parfume la bière d'un malt qui avec subtilité efface toute son amertume. Finale très douce. (***)

Lait cru, extra-fort
Une argumentation prend place. Malgré les compromis offerts par le malt de la bière, l'âcreté prend le dessus, nourrie par les deux compères. (-)

Cheddar laiterie Charlevoix L.C. mi-fort

Indice de mariabilité : 90 %	Indice d'amitié : 80 %
Indice orgastique : 10 %	Indice conflictuel : 10 %

Épousailles probables
- Bières amères de houblon chambrées : alt, pale ale, pilsener d'origine, IPA, Orval
- La Chouffe,
- Triple douce et moelleuse d'alcool

Amitiés probables
- Ale blonde
- Bières liquoreuses : quadruple, scotch ale

- Bières douces/sucrées : abbaye blonde, abbaye brune, blanche jeune, désinvolte douce,
- Pale ale à l'azote

Conflits éventuels

- Bières amères de houblon froides : alt, pale ale, pilsener d'origine, IPA, Orval

Cheddar laiterie Charlevoix mi-fort

Indice de mariabilité : 80 %
Indice d'amitié : 70 %
Indice orgastique : 10 %
Indice conflictuel : 20 %

Épousailles probables

- La Maudite, plus vieille, moin sucrée
- Brown ale

Amitiés probables

- Ale blonde
- Bière de garde
- Bières amères de houblon chambrées, à l'exception de Pilsener d'origine et Orval : alt, pale ale, IPA
- Bières de blé plus vieilles, moins sucrées
- Bières douces/sucrées : abbaye blonde, abbaye brune, blanche jeune, désinvolte douce, double
- Bières liquoreuses : quadruple, scotch ale
- Désinvolte douce
- Lager d'origine
- Stout à l'azote
- Raftman
- Viennoise

Conflits éventuels

- Bières amères de houblon froides : alt, pale ale, pilsener d'origine, IPA, Orval
- Pilsener d'origine

Cheddar laiterie Charlevoix L.C. extra-fort

Indice de mariabilité : 95 %
Indice d'amitié : 85 %
Indice orgastique : 10 %
Indice conflictuel : 5 %

Épousailles probables

- Bières liquoreuses : quadruple, scotch ale
- Triple douce et moelleuse d'alcool

Amitiés probables
- Bières amères de houblon : alt, pale ale, pilsener d'origine, IPA, Orval
- La Chouffe,
- Stout amère de rôti et de houblon

Conflits éventuels
- Bières amères de houblon froides : alt, pale ale, pilsener d'origine, IPA, Orval

Cheddar laiterie Charlevoix extra-fort

Indice de mariabilité : 85 %
Indice d'amitié : 75 %
Indice orgastique : 10 %
Indice conflictuel : 15 %

Épousailles probables
- Brown ale
- Viennoise

Amitiés probables
- Bières amères de houblon chambrées : alt, pale ale, pilsener d'origine, IPA, Orval
- Bières de blé jeunes et sucrées : blanche et Weizen
- Bières douces/sucrées : abbaye blonde, abbaye brune, blanche jeune, désinvolte douce, double
- Bières liquoreuses chambrées : quadruple, scotch ale
- Pale ale à l'azote

Conflits éventuels
- Bières liquoreuses : quadruple, scotch ale
- Bock

Cheddar commercial orange mi-fort

Indice de mariabilité : 80 %
Indice d'amitié : 75 %
Indice orgastique : 5 %
Indice conflictuel : 20 %

Épousailles probables
- Bière aigre-douce aux fruits
- Pale ale à l'azote

Amitiés probables
- Bières acides : gueuze lambic, brune/rouge des Flandres
- Bières amères de houblon chambrées : alt, pale ale, pilsener d'origine, IPA, Orval

- Désinvolte douce
- Bières de blé jeunes et sucrées : blanche et Weizen
- Bières de garde
- Bières douces/sucrées : abbaye blonde, abbaye brune, blanche jeune, désinvolte douce, double
- Bières liquoreuses : quadruple, scotch ale
- Stout à l'azote
- Triple douce et moelleuse d'alcool

Conflits éventuels

- Bières amères de houblon froides : alt, pale ale, pilsener d'origine, IPA, Orval
- Bock
- Bière aigre-douce aux fruits
- Triple douce et moelleuse d'alcool, froide

Le cheddar de chèvre

D'après les informations disponibles sur la question fromagère, il semble que l'application de la méthode de cheddarisation du fromage en utilisant du lait de chèvre origine du Québec. Elle nous offre un complément d'une grande somptuosité pour un grand nombre de types de bières. La texture plus granuleuse de ces fromages, dans les premières secondes de la mastication, rebute un certain nombre de consommateurs. Il ne faut surtout pas se laisser influencer par la texture de ces fils du lait.

Cheddar de chèvre Ruban Bleu

Indice de mariabilité : 95 %
Indice d'amitié : 80 %
Indice orgastique : 15 %
Indice conflictuel : 5 %

Épousailles probables

- Ales blondes
- Bières amères de houblon : alt, pale ale, pilsener d'origine, IPA, Orval
- Triple douce et moelleuse d'alcool

Amitiés probables

- Bière de garde
- Bières liquoreuses : quadruple, scotch ale
- Bières douces/sucrées : abbaye blonde, abbaye brune, blanche jeune, désinvolte douce, double
- Désinvolte douce
- La Maudite, plus vieille, moins sucrée
- Stout amère de rôti et de houblon

Conflits éventuels
- Bières acides : gueuze lambic, brune/rouge des Flandres
- Bières amères de houblon froides : alt, pale ale, pilsener d'origine, IPA, Orval

CHÈVRE NOIR L.C., 2 ANS

La chèvre, qu'elle soit blanche, noire, rousse, brune ou grise, donne un lait blanc dont on fera, entre autres, un fromage appelé chèvre noir. Faut-il chercher à tout comprendre ?

Indice de mariabilité : 95 %
Indice d'amitié : 75 %
Indice orgastique : 20 %
Indice conflictuel : 5 %

Épousailles probables
- Bières amères de houblon : alt, pale ale, pilsener d'origine, IPA, Orval
- Orval
- Pale ale à l'azote
- Stout à l'azote
- Triple douce et moelleuse d'alcool

Amitiés probables
- Tous les styles (sauf les suivants)

Conflits éventuels
- Bières amères de houblon froides : alt, pale ale, pilsener d'origine, IPA, Orval
- Bock

CHÈVRE NOIR, 1 AN

Indice de mariabilité : 85 %
Indice d'amitié : 75 %
Indice orgastique : 10 %
Indice conflictuel : 15 %

Épousailles probables
- N'en ai pas trouvé

Amitiés probables
- Bières amères de houblon chambrées : alt, pale ale, pilsener d'origine, IPA, Orval
- Bières douces/sucrées : abbaye blonde, abbaye brune, blanche jeune, désinvolte douce, double
- Raftman
- Viennoise

Conflits éventuels

- Bières amères de houblon froides : alt, pale ale, pilsener d'origine, IPA, Orval
- Bock

L'ossau-iraty et la tomme de brebis

Son nom se compose de « Ossau », une vallée du Béarn, et du plateau d'Iraty, dans le Pays basque. Élaboré dans les Pyrénées avec du lait de brebis non pasteurisé, ce fromage est comme un ange assis sur notre langue en train de penser aux bonnes choses de la vie. Fermier qui a résisté à l'industrialisation à grande échelle, il est souvent issu de caves coopératives. Pour les AOC, il ne doit contenir que de la présure comme agent coagulant.

Son origine très ancienne est attribuée aux religieux de l'abbaye de Belloc : il était fabriqué en montagne dans des cabanes nommées cayolars (basque) ou cujalas (béarnais). Il ne faut pas se laisser décourager par son épaisse croûte orange-grise originant de ses nombreux lavages et de son affinage de trois mois. Elle ajoute une grande finesse aux épousailles, bien qu'elle requière un certain temps de mastication avant de dévoiler la complexité de son âme. La pâte ivoire, semi-molle et d'une souplesse exquise, nous transporte au paradis. C'est presque un péché de penser que certaines bières ne se marieront pas bien avec cette beauté de la nature.

Un grand fromage à découvrir. On ne peut se le procurer que dans les maisons spécialisées. Voici un fromage d'une grande classe que l'on déguste avec toutes les bières.

La tomme des Bois-Francs se compare avantageusement à l'ossau-iraty et offre de plus un double avantage : sa fraîcheur est habituellement plus grande et son coût plus abordable. Il reste néanmoins que le fils des Pyrénées constitue un must pour tout amateur de fromage qui se respecte.

Ossau-iraty (brebis des Pyrénées) Tomme de brebis

Indice de mariabilité : 95 %
Indice d'amitié : 85 %
Indice orgastique : 10 %
Indice conflictuel : 5 %

Épousailles probables

- Bières acides : gueuze lambic, brune/rouge des Flandres
- Désinvolte douce
- Triple complexe
- Triple douce et moelleuse d'alcool

Amitiés probables

- Bières de blé jeunes et sucrées : blanche et Weizen
- Bières douces/sucrées : abbaye blonde, abbaye brune, blanche jeune, désinvolte douce, double
- Désinvolte sèche
- Bières amères de houblon chambrées : alt, pale ale, pilsener d'origine, IPA, Orval
- Bières de blé plus vieilles, moins sucrées
- Bières liquoreuses : quadruple, scotch ale
- Lager d'origine
- Orval
- Pale ale à l'azote
- Stout à l'azote
- Triple douce et moelleuse d'alcool

Conflits éventuels

- Bières amères de houblon froides : alt, pale ale, pilsener d'origine, IPA, Orval
- Bock

Les pâtes persillées

Repoussantes pour plusieurs néophytes, les filets azurés des fromages constituent au contraire pour les amateurs une source d'appétence qui les fait saliver.

Ces fromages offrent en effet au consommateur le double plaisir de leur double personnalité, composée d'une part du type d'affinage et d'autre part de la présence de ces veines bleues dans leur pâte. Nous devons considérer cette caractéristique comme l'intervention d'une troisième variable dans l'organisation d'épousailles. À l'occasion, l'accord avec la bière provoque une union à l'intérieur même du fromage alors que le bleu se marie avec la crème ! On retrouve deux principales variations de pâtes persillées : les croûtes fleuries et les croûtes lavées.

Les bleus à croûtes fleuries

Bleu de Bresse

Fromage d'une personnalité intense qui sait ce qu'il veut, c'est-à-dire s'envoyer en l'air avec la bonne bière au bon moment.

Indice de mariabilité : 75 % Indice d'amitié : 55 %
Indice orgastique : 20 % Indice conflictuel : 25 %

Épousailles probables
- Bières acides : gueuze lambic, brune/rouge des Flandres
- Bière aigre-douce aux fruits
- Bières douces/sucrées : abbaye blonde, abbaye brune, blanche jeune, désinvolte douce,
- Bières amères de houblon : alt, pale ale, pilsener d'origine, IPA,

Orval
- Triple douce et moelleuse d'alcool

Amitiés probables
- Ale blonde
- Bières de blé jeunes et sucrées : blanche et Weizen
- Désinvolte douce
- Pale ale à l'azote
- Triple complexe
- Viennoise

Conflits éventuels
- Bières liquoreuses : quadruple, scotch ale
- Bière de garde
- La Chouffe
- Orval

BLEU DE CASTELLO

Bien qu'il lui ressemble, ce fromage est plus doux que le bleu de Bresse.

Indice de mariabilité : 75 %
Indice d'amitié : 65 %
Indice orgastique : 10 %
Indice conflictuel : 25 %

Épousailles probables
- Triple douce

Amitiés probables
- Ale blonde
- Bières amères de houblon : alt, pale ale, pilsener d'origine, IPA, Orval
- Désinvolte douce
- Pale ale à l'azote
- Viennoise

Conflits éventuels
- La Maudite, plus vieille, moins sucrée

BLEU SAINT-AGUR

L'intensification des veines bleues est plus forte dans ce fromage que dans les castellos et les bleus de Bresse, quoique la partie crémeuse (triple crème) vienne dans ce cas-ci équilibrer le tout, ce qui le rend un peu plus facile à associer.

Indice de mariabilité : 85 %
Indice d'amitié : 75 %
Indice orgastique : 10 %
Indice conflictuel : 15 %

Épousailles probables
- Stout à l'azote

Amitié probable
- Ale blonde
- Bières amères de houblon : alt, pale ale, pilsener d'origine, IPA, Orval
- Triple douce et moelleuse d'alcool
- Bières de blé jeunes et sucrées : blanche et Weizen
- Viennoise

Conflits éventuels
- Triple complexe

BORGONZOLA

La présence de vin de Bourgogne vient ici compliquer les choses et rend ce fromage d'épousailles difficiles car ayant tendance à s'offusquer trop facilement.

Indice de mariabilité : 70 %
Indice d'amitié : 60 %
Indice orgastique : 10 %
Indice conflictuel : 30 %

Épousailles probables
- Bière aigre-douce aux fruits

Amitiés probables
- Bières acides : gueuze lambic, brune/rouge des Flandres
- Bières amères de houblon : alt, pale ale, pilsener d'origine, IPA, Orval
- Orval
- Pale ale à l'azote
- Triple douce et moelleuse d'alcool
- Vapeur Cochonne

Conflits éventuels
- Bières liquoreuses : quadruple, scotch ale
- Désinvolte sèche

Les bleus traditionnels

Voici des fromages racés, costauds, dont la forte personnalité ne laisse personne indifférent. La perception prononcée des saveurs salées, qui devrait les rendre faciles à marier, ne peut empêcher un *roqueforti* fortement dominant de prendre la décision finale. À l'exception du stilton, ces fromages ne se marient pas facilement.

Bleu d'Auvergne

Fromage costaud qui ne se laisse pas apprivoiser facilement. Il n'est capable, à toutes fins utiles, que d'amitiés polies avec les bières.

Indice de mariabilité : 70 %
Indice d'amitié : 65 %
Indice orgastique : 5 %
Indice conflictuel : 30 %

Épousailles probables

- N'en ai pas trouvé

Amitiés probables

- Ale blonde
- Bières douces/sucrées : abbaye blonde, abbaye brune, blanche jeune, désinvolte douce, double
- Désinvolte sèche
- Viennoise

Conflits éventuels

- N'en ai pas trouvé

Bleu danois

Voici un fromage costaud qui se caractérise par un degré très élevé de salinité et dont la forte personnalité transcende la majorité des relations qu'il établit avec les bières. Son coût abordable constitue un attrait réel pour plusieurs personnes.

Attention à la levure, notamment dans les bières plus âgées. Il aime bien l'aigreur (mais dans la chaleur, dans le froid : conflit) dans les bières et l'alcool. Il n'aime pas trop de sucre mais l'apprécie en petite quantité, ce qui le rend agréable, sans plus, avec les désinvoltes. Attention aux bières acides : leur relation avec ce fromage peut rapidement virer à l'aigre.

Indice de mariabilité : 70 %
Indice d'amitié : 65 %
Indice orgastique : 5 %
Indice conflictuel : 30 %

Épousailles probables

- Bières liquoreuses : quadruple, scotch ale

Amitiés probables

- Bières acides : gueuze lambic, brune/rouge des Flandres
- Bières amères de houblon chambrées : alt, pale ale, pilsener d'origine, IPA, Orval
- Bières liquoreuses : quadruple, scotch ale
- Bières douces/sucrées : abbaye blonde, abbaye brune, blanche jeune, double

- Désinvolte douce
- Désinvolte sèche
- Triple complexe

Conflits potentiels

- Bières amères de houblon froides : alt, pale ale, pilsener d'origine, IPA, Orval

Stilton

STILTON

Roi des fromages anglais, ce bleu a une pâte plus cassante que le roquefort et se marie facilement avec un grand nombre de fromages. Le plaisir est habituellement au rendez-vous. On peut donc l'inviter dans des séances formelles sans trop s'en faire pour les résultats. Un véritable fromage à bière, très jouissif...

Indice de mariabilité : 95 %
Indice d'amitié : 80 %
Indice orgastique : 15 %
Indice conflictuel : 5 %

Épousailles probables

- Ales blondes
- Bières liquoreuses : quadruple, scotch ale
- Bières douces/sucrées : abbaye blonde, abbaye brune, blanche jeune, désinvolte douce, double
- Bock
- Orval
- Triple douce et moelleuse d'alcool
- Viennoise

Amitiés probables

- Bières acides : gueuze lambic, brune/rouge des Flandres
- Désinvolte douce
- La Chouffe
- Pale ale à l'azote
- Triple complexe
- Stout

Conflits éventuels

- Bières amères de houblon : alt, pale ale, pilsener d'origine, IPA, Orval
- Bière aigre-douce aux fruits

À surveiller : les relations avec les scotch ale qui peuvent virer mal...

Bleu de Chèvre

Si nos dents pouvaient élire un roi de la morsure parmi les fromages, elles voteraient à l'unanimité pour le bleu de chèvre ! Il possède en effet une force et une intensité saline inégalées au royaume des laits solidifiés ! Les épousailles et intenses amitiés le rendent plus aimable sans toutefois mater son caractère entier et sans compromis. Il est préférable de servir ce fromage vers la fin des dégustations car son empreinte sur les papilles empêche de percevoir autre chose.

On constate d'ailleurs qu'il s'unit surtout avec des bières douces (les contraires s'attirent) et, parmi les bières à personnalité, il a un penchant pour les stouts, le côté rôti de ces bières le tenant tranquille.

Indice de mariabilité : 70 %
Indice d'amitié : 60 %
Indice orgastique : 10 %
Indice conflictuel : 30 %

Épousailles probables

- Pale ale à l'azote

Amitiés probables

- Bières amères de houblon : alt, pale ale, pilsener d'origine, IPA, Orval
- Bière de garde
- La Chouffe
- La Maudite
- Stout à l'azote
- Stout amère de rôti et de houblon

Conflits éventuels

- Bières liquoreuses : quadruple, scotch ale
- Orval

Bleu de la moutonnière

Tiens, voici un bleu un peu plus sociable et qui est en mesure de se laisser aller avec quelques bonnes cervoises !

Indice de mariabilité : 80 %
Indice d'amitié : 70 %
Indice orgastique : 10 %
Indice conflictuel : 20 %

Épousailles probables

- Bières amères de houblon chambrées : alt, pale ale, pilsener d'origine, IPA, Orval
- Bières liquoreuses : quadruple, scotch ale
- La Maudite
- Triple douce et moelleuse d'alcool

Amitiés probables
- Ale blonde
- Bières acides : gueuze lambic, brune/rouge des Flandres
- Bières de blé plus vieilles, moins sucrées
- Bières douces/sucrées : abbaye blonde, abbaye brune, blanche jeune, désinvolte douce, double
- Bock
- Désinvolte douce
- Triple complexe
- Orval
- Viennoise

Conflits éventuels
- La Chouffe

ROQUEFORT

Voici un grand cru dans le monde des fromages. Il est fait de lait de brebis.

Indice de mariabilité : 80 % Indice d'amitié : 70 %
Indice orgastique : 10 % Indice conflictuel : 20 %

Épousailles probables
- Bières liquoreuses : quadruple, scotch ale
- La Maudite
- Stout à l'azote

Amitiés probables
- Bière de garde
- Orval

Conflits éventuels
- Bières amères de houblon : alt, pale ale, pilsener d'origine, IPA, Orval
- Raftman

Bleu des Causses

Voici la version lait de vache du roquefort.

Indice de mariabilité : 80 %
Indice d'amitié : 70 %
Indice orgastique : 10 %
Indice conflictuel : 20 %

Épousailles probables

- N'en ai pas trouvé

Amitié probables

- Bière aigre-douce aux fruits
- Désinvolte douce
- Belles amitiés
- Désinvolte sèche

Conflits éventuels

- N'en ai pas trouvé

Annexe 1

Quelques repères fromagers

Pour nous guider dans le choix des fromages à choisir pour la rédaction de cet ouvrage, nous avons fait parvenir un sondage à des fromageries partout au Québec. Une dizaine de fromageries ont accepté de répondre aux questions. En voici les résultats.

Les grands styles de fromages à découvrir par pays

D'Allemagne
Bleu Bergader
Cambozola
Limburger
Montaguolo
Tilsit

D'Angleterre
Cheddar fermier
Cheshire
Double Gloucester
Drumloch
Lincolnshire
Poacher (vieux cheddar)
Stilton
Stilton au porto
Vieux cheddar

De Belgique
Chimay
Fagnard de Maredsous (rare)
Herve
Maredsous
Passendale
Vieux chimay

Du Canada
La Trappe (Manitoba)
Tomme des Champs doré (Nouveau-Brunswick)
Cheddar fort (Ontario)
Cheddar Balderson, 3 ans (Ontario)

Du Danemark
Danbo allégé
Esrom
Havarti
Havarti vieilli

Des États-Unis
Brick Farmer
Cheddar fermier du Vermont

De France
La majorité des fromages français, notamment ceux qui sont importés au Québec, sont d'une qualité exceptionnelle. La liste suivante représente les incontournables à découvrir.

Abondance (Haute Savoie)
Beaufort d'alpage
Bleu des Causses au lait cru
Brie de Meaux
Brillat d'Armançon
Chebichou du Poitou
Comté
Comté du Juraflore
Édel de Cléron
Époisses de Bourgogne
Fleur du Maquis
Fourme d'Ambert au lait cru
Langres grand clos
Mimolette extra vieille
Mont d'Or
Morbier au lait cru
Munster au lait cru
Munster gérongé
Ossau-Iraty (brebis des Pyrénées)
Pierre-Robert triple crème
Pouligny
Reblochon
Rocamadour
Roquefort
Saint-André (triple crème)
Saint-Nectaire
Saint-Nectaire fermier
Sainte-Maure L.C.
Selles-sur-Cher
Tourrée de l'Aubier

De Hollande
Édam
Gouda moyen
Gouda fumé
Gouda vieilli
Gouda très âgé
Gouda Volvet
Mimolette

D'Italie
Baïta di Spilimbergo (rare)
Fontina d'Aosta
Gorgonzola
Montasio
Parmigiano
Provolone doux
Provolone fort
Reggiano
Tallegio
Torta-Mascarpone

Du Québec
Bleu ermite de Saint-Benoît-du-Lac
Cantonnier (notamment au lait cru)
Cheddar de chèvre
Cheddar de chèvre Tournevent L.C., 2 ans
Cheddar Perron, 3 ans
Chevalier triple crème
Chèvre Heïdi, floralpe
Chèvre fin (Tournevent)
Crottin au marc
Empereur
Fêtard
Lechevalier Mailloux
Mamirolle
Migneron de Charlevoix
Miranda
Paillot de chèvre (Cayer)
Pied-de-vent au lait cru
Saint-Basile de Portneuf au lait cru
Saint-Euzèbe
Sieur Corbeau
Sir Laurier d'Arthabaskaà
Stanfold
Tomme de chèvre (Fabienne Quitel)
Victor et Berthold

De Suisse
Appenzell
Emmental d'alpage
Gruyère âgé
Gruyère d'alpage
Tête de moine
Vacherin fribourgeois

Fromages apéritifs

Brie pasteurisé
Brillat-Savarin
Camembert pasteurisé
Capitoul brebis
Chèvre frais
Comté-Juraflore
Édel de Cleron
Etorki, brebis
Fromages à pâte fraîche
Pierre-Robert triple crème
Roulé aux fines herbes
Saint-André, triple crème
Saint-Euzèbe de Princeville
Sieur Corbeau
Tomme de chèvre
Tourré de l'aubier
Triple crème

Fromages fin de repas

Bleu des Causses L.C.
Bleus
Brie de Meaux L.C.
Cheddar extra-fort Perron
Époisses L.C.
Époisses
Gouda, 4 ans
Gruyère des alpages L.C.
Lechevalier-Mailloux L.C.
Morbier L.C.
Munster (à croûte lavée)
Munster fermier L.C.
Osseau-iraty
Parmesan en morceaux
Roquefort
Saint-Bazile de Portneuf L.C.
Stilton

Fromages d'été

Alepo
Bleus (en salade)
Bocconcini (en salade)
Brie double crème
Brillat-Savarin
Camembert pasteurisé
Cheddar fort et extra-fort
Cheddar frais du jour
Chèvre frais
Chèvre sur croûtons
Édel de Cleron
Emmental
Feta (en salade)
Fromage à la crème
Havarti
Parmesan (en salade)
Roulé aux fines herbes

fomages d'hiver

Bleu
Emmental
Gruyère fondu
Pâte dure
Raclette
Stilton
Vacherin

Fromages saugrenus

Ils défient l'ordinaire, ont une personnalité originale qui sort des sentiers battus.

Boulette d'Avesne (aromatisé)
Bouton de culotte (juste son nom)
Brie de Meaux (goût de navet)
Cabrieregeois (saisonnier)
Cancoillotte (Si tu peux en manger, plus rien ne peut te faire peur.)
Chèvre Peter (Floralpe)
Crottin au marc
Époisses de Bourgogne
Fêtard (goût de paysan)
Fleur du Maquis
Goperon
Gouda, 4 ans
Gruyère d'alpage
Lechevalier Mailloux
Maroilles bien chambré (lavé à la bière)
Mont d'or
Munster Moine (nez très puissant)
Ossau-iraty
Pont-L'évêque bien mûr
Schabziger
Ski-Queen
Saint-Nectaire (nez de terre battue)

Fromages surprenants

Boulette d'Avesne : goût puissant d'ail et d'estragon
Brie de Meaux : goût de navet
Cantal fermier : sent plus ou moins fort mais finale un peu piquante
Chevrotin (reblochon de chèvre) : goût très fin
Époisses de Bourgogne : nez puissant, goût fruité
Gaperon d'Auvergne : goût rude et piquant
Lechevalier-Mailloux : sent fort, mais explose en bouche de saveurs non agressantes
Montbriac : bleu très persillé mais très doux
Roucoulons : sent fort, mais goûte doux
Saint-Albrey : sent fort, mais goûte doux
Saint-Basile de Portneuf : sent très fort, mais très goûteux en bouche
Saint-Morgon : sent fort, mais goûte doux

Fromages mésestimés

Appenzo
Beaufort
Bleu bénédictin
Bleu laqueville
Bleu Ermite
Brebislac (bleu de brebis)
Cantal fermier Selers
Cheddar vieilli (Perron)
Cheddar, 10 ans
Chèvre Heïdi
Édel de Cléron
Empereur (style reblochon)
Fromages de chèvre en général
Gruyère comté de Jura
Gruyère d'alpage, 18 mois
Maroilles
Miranda
Oka classique ou vieilli
Provolone piquant (italien)
Reblochon Haute-Savoie L.C.
Saint-Nectaire
Sainte-Maure de Tourraine
Sir Laurier d'Arthabaska
Stilton
Tellegio
Tourre de l'Aubier
Vieille mimolette

Pour grignoter

Allepo
Bâtonnets de cheddar
Brillat-Savarin
Cheddar, 3 ans
Cheddar en grains
Comté du Jura
Crème aux fines herbes
Emmental en cubes
Gruyère suisse
Migneron de Charlevoix
Oka classique
Sieur Corbeau
Tomme de Grandtomachon
Victor et Berthold
Vieux Cantal

Les plus sensuels pour l'homme

Stilton

Les plus sensuels pour la femme

Brillat-Savarin
Saint-André

Annexe 2

Classification des bières

La majorité des marques des fromages et des bières dégustés dans le cadre des recherches effectuées pour ce livre ont été regroupées en fonction de leurs similitudes gustatives. Cette façon de procéder vise à guider de façon générale le consommateur dans ses choix pour ses achats similaires.

Elles ont été regroupées par caractéristiques gustatives dans des catégories le plus homogène possible.

Ales blondes

Frontenanc, Griffon blonde, Boréale blonde

Alt

Exaltée

Bières aigres-douces aux fruits

Liefmans framboise (Brune des Flandres), Kriek Belle Vue, Quelque Chose

Bières d'abbaye blondes

Seigneuriale blonde, Seigneuriale classique, Barbar, Staffe Hendrik

Bières d'abbaye brunes

Chimay première, Seigneuriale classique, Schoune ambrée

Bière de garde

Trois-Monts

Blanches

Blanche de Chambly, Blonde d'épeautre (filtrée), Eau Bénite

Brunes/rouges des Flandres

Liefmans Goudenband, Staffe Hendrick, Bourgogne des Flandres

Bock

Faxe, Canon

Brown ale

Griffon rousse

Désinvoltes douces

Grolsh, Stella Artois, Heineken, Labatt Bleue, U, Boréale dorée, Tremblay, Belle Gueule Pils, DAB

Désinvoltes sèches

Corona, Harp

Doubles

La Maudite, Steenbrugge double, Artevelde Grand cru, Vondel

Gueuzes lambics

Gueuze Boon, Gueuze Cantillon

Lagers d'origine

Giraf Gold, Giraf Strong

Pale ale

Boréale rousse, St-Ambroise Pale Ale, Smitwick's

Pale ale à l'azote

Kilkenny, Boddington

Pilsener d'origine

Birburger, Pilsner Urquell

Quadruples

Trois Pistoles, Rochefort 10, Abbaye des Rocs, Schoune Forte, L'Écume des jours

Scotch Ale

Mc Ewans, Jacobite, Douglas, Scotch de Silly

Stout à l'azote

Guinness Pub Draught

Stout, amère de rôti et de houblon

St-Ambroise noire, Boréale noire

Triple complexe

Triple de Westmalle

Triples douces et moelleuses d'alcool

La Fin du Monde, Duvel,

La Chouffe (aux notes d'oranges), St-Feuillien, Lucifer

Viennoise

Belle Gueule

Weizen

Tucher Hefe Weizen, Schneider Weisse

Inclassables

Orval, amère complexe

Raftman, douce et fumée

Vapeur Cochonne, douce et épicée

Annexe 2
Classification des fromages

Fromages non affinés

Vache frais
Boursin à l'ail et aux fines herbes

Chèvre frais
Biquet de chèvre
Capriny
Chèvre des Alpes, nature
Chèvre des Neiges
Petit Vinoy

Chèvre frais aux herbes
Capriny aux herbes
Chèvre des Alpes aux herbes

Chèvre frais au poivre
Chèvre des Alpes au poivre

Feta
Feta commerciale
Feta Tournevent saumure
Feta Tournevent à l'huile d'olive

Fromages affinés en surface - croûtes fleuries

Croûte fleurie, pâte molle, industriel
Brie Anco
Brie français Caron
Camembert français Caron
Camembert Roitelet
Coulommier Roitelet

Croûte fleurie, pâte molle, industriel en conserve
Brie danois

Croûte fleurie, pâte molle, double crème, industriel
Brie double crème Anco
Caprice des Dieux

Croûte fleurie, pâte molle, triple crème, industriel
Saint-André
Saint-Honoré

Croûte fleurie, pâte molle, artisanal
Brie de Meaux

Croûte fleurie, pâte molle, lait de chèvre
Cabrie
Saint-Loup

Bûchette de chèvre
Paillot de chèvre
Chèvre fin Tournevent
La petite chevrette (forme pyramidale)

Bûchette de chèvre à croûte naturelle
Sainte-Maure

Crottin de chèvre
Barbu
Crottin

Fromage affinés en surface - croûte lavée ou brossée
Tomme de brebis
Ossau-iraty
Tomme de brebis

Croûte lavée, pâte molle, pas trop odorante
L'Explorateur
Nuit-D'Or-Saint-Georges
Pont-L'évêque
Reblochon
Rouy
Sir Laurier d'Arthabaska

Croûte mixte, brossée et lavée, pas trop odorante
Roucoulons
Saint-Morgon
Sieur Corbeau

Croûte mixte, brossée et lavée, très odorant
Saint-Basile

Croûte lavée à l'alcool, pâte molle, très odorante
Époisses de Bourgogne
Fleur de bière

Croûte lavée à l'alcool, pâte semi-ferme, odeur moyenne
Chimay
Fêtard
Mamirolle

Croûte lavée, pâte semi-ferme, pas trop odorante
Cantonnier de Warwick
Chaumes
Le Migneron de Charlevoix
Morbier
Oka Classique
Port-salut
Stanfold
Saint-Euzèbe de Princeville
Victor et Berthold

Croûte lavée, pâte molle, odorante de terroir
Limburger
Munster
Pied de vent
Saint-Nectaire

Fromages affinés dans la masse

Pâte semi-ferme, peu ou pas affiné
Edam
Gouda
Saint-Paulin

Cheddar artisanal/fermier) doux / mi-fort / extra-fort
Cheddar extra-fort Perron
Cheddar fermier anglais
Cheddar Balderson Héritage, 1 an
Vieux cheddar extra-fort Charlevoix L.C.

Cheddar industriel) doux / mi-fort / extra-fort
Cheddar Black Diamond mi-fort
P'tit Québec

Cheddar de chèvre
Chèvre noir
Cheddar Ruban bleu (ou de madame Rivard)

Gruyère
Beaufort L.C.
Comté français
Gruyère suisse
Gruyère commercial
Tilsit suisse
Vacherin fribourgeois

Vigneron suisse

Emmental

Emmental de chèvre

Jarsberg

Emmental commercial

Mimolette

Mimolette

Les persillés

Bleu, pâte molle, croûte fleurie

Bresse Bleu

Coeur de bleu

Cambozola

Borgonzola

Bleu salé traditionnel

Bleu de la moutonnière

Bleu de chèvre

Bleu d'Auvergne

Bleu danois

Bleu des Causses

Roquefort

Bleu onctueux

Bleu de Castello

Bleu Saint-Agur

Gorgonzola

Stilton

Stilton

Lexique

À POINT : un fromage ayant atteint une maturité parfaite. Varie considérablement en fonction du type de fromage, de la température de conservation ainsi que des préférences personnelles du consommateur.

ABBAYE (D') : bière brassée pour le compte d'une abbaye ou évoquant une abbaye. À ne pas confondre avec « trappiste », une bière brassée sous la stricte supervision des moines trappistes. En règle générale, les fromages portant le nom d'une abbaye y sont élaborés.

ACIDE : saveur perçue sur les deux côtés de la langue, vers le milieu ou l'arrière.

ACIDULÉ : légère acidité que l'on rencontre surtout dans les fromages frais et dans plusieurs fromages de chèvre.

ÂCRE : saveur désagréable, évoquant une sensation de brûlure et très astringente.

AFFINAGE : période de mûrissement d'un fromage pendant laquelle il est entreposé dans des conditions particulières visant à favoriser le développement de sa texture, ses arômes et ses saveurs.

AGRUMES (citron, orange, pamplemousse) : flaveur qui évoque les agrumes.

AIGRE : flaveur complexe à dominance acide; goût vif qui peut évoquer le vinaigre, l'acide lactique ou l'acide citrique.

ALCOOL (D') : sensation de vapeurs ou de chaleur détectée par la bouche au cours de la dégustation.

ALPAGE : des Alpes; désigne des fromages dont le lait provient d'un animal ayant brouté les pâturages dans les Alpes. La migration analogue dans les Pyrénées est nommée transhumance.

AMER : saveur habituellement perçue sur le dessus de la langue à l'arrière.

AMMONIAQUE : odeur de fromages plus âgés ayant dépassé le stade de la maturité; qualité que l'on retrouve surtout dans les fromages à croûte fleurie.

AOC : voir Appellation d'origine contrôlée

APPELLATION D'ORIGINE CONTRÔLÉE (AOC) : qualificatif protégeant l'origine spécifique d'un fromage en fonction de son terroir. L'AOC est attribuée par l'Institut national des appellations d'origine (France).

AROMATIQUE : qui dégage une odeur d'origine végétale très agréable.

ARÔME : molécule volatile pouvant être perçue par le sens de l'odorat par les voies nasales et rétronasales.

ARRIÈRE-GOÛT : l'épanouissement de chaque ingrédient après avoir avalé.

ARTISANAL : fromage dont les méthodes de fabrication traditionnelles n'impliquent aucune mécanisation. Dans le monde du brassage, le mot artisanal désigne les brasseurs maison.

ASTRINGENCE : propriété de certains aliments de provoquer une constriction ou une crispation des tissus.

BACTÉRIE DU ROUGE : voir linnens.

BACTÉRIES : micro-organismes ayant le pouvoir de fermenter. Fromage : utilisées dans l'affinage (exemple : les bactéries du rouge, les linnens, dans le lavage de la croûte du Oka). Bière : utilisées dans la fabrication du lambic et des brunes ou rouges des Flandres.

BLEU : se dit des veines qui se forment dans un fromage pendant l'affinage. Ces fissures sont produites par des champignons microscopiques de la famille du pénicille.

BOUQUET : ensemble des parfums qui composent la bière ou le fromage.

BROSSAGE : action de brosser certains fromages pendant l'affinage.

BROUSSE : fromage fabriqué en utilisant le petit-lait ou du lait écrémé.

CAILLAGE : action de favoriser la précipitation des matières solides contenues dans le lait par coagulation (emprésurage) ou par fermentation. Deux méthodes peuvent être employées : emprésurage ou fermentation lactique. On dit aussi coagulation.

CAILLE-LAIT : voir présure.

CAILLÉ : le résultat de la coagulation (ou caillage) du lait. Masse grumeleuse composée de matières solides et du petit-lait.

CASÉINE : protéine du lait qui coagule à l'étape du caillage. On se sert de la caséine pour la fabrication d'étiquettes comestibles incrustées dans certains fromages.

CAVE : local naturel ou artificiel où on entrepose les fromages pendant l'affinage.

CENDRAGE : saupoudrage de cendre sur certains fromages pour les protéger contre les moisissures.

CENDRÉ : fromage saupoudré de cendre, habituellement provenant de charbon de bois pulvérisé auquel on ajoute du sel.

CHAMPIGNON : flaveur sulfurique qui évoque le champignon. Il peut s'agir de levures (de la bière), de la croûte (du fromage, notamment les croûtes fleuries).

CHÊNE : flaveur résineuse qui évoque le chêne. Provient à l'occasion d'une garde en fût de chêne.

CHOCOLAT : flaveur torréfiée habituellement due à l'utilisation de certains malts torréfiés.

COAGULATION : voir caillage.

COLORANT : le principal colorant naturel utilisé pour donner une couleur orangée au fromage est le rocou.

CROÛTE : peau du fromage qui se forme pendant l'affinage par dessèchement ou par l'action de l'affineur, soit fleurissement, ou brossage, et même artificielle.

CUITE (PÂTE) : l'action de chauffer le caillé de certains types de fromage afin d'en extraire l'humidité.

DÉCAILLAGE : action de rompre le caillé afin de faciliter l'élimination du petit-lait.

DOUBLE CRÈME : fromage dont la teneur en matières grasses est égale ou supérieure à 60 % de l'extrait sec.

ÉDULCORÉ : saveur sucrée qui évoque la saccharine ou la saccharinate.

ÉGOUTTAGE : procédure d'élimination du petit-lait à la suite du caillage. Elle peut se faire par processus de gravité (dite spontanée ou naturelle) ou en utilisant un procédé mécanique l'accélérant.

EMPRÉSURAGE : ajout de présure au lait afin qu'il coagule.

ENSEMENCER : ajouter des ferments au lait pasteurisé ou encore, à l'étape de l'affinage, ajouter des moisissures à la surface ou à l'intérieur du caillé.

ÉPAISSE : dont la texture donne une impression d'épaisseur.

ESTÉRIFIÉE : présence importante d'esters. Indicateurs : banane, bonbon à la poire, pomme légèrement anisée, légèrement fruitée, type solvant.

ÉTUVÉ : synonyme d'affinage : on fait spécifiquement référence aux fromages à pâte dure alors qu'ils deviennent de plus en plus secs.

EXTRAIT SEC : proportion de matière solide qui subsisterait si le fromage était asséché au complet. L'extrait sec est utilisé afin de calculer la proportion de matières grasses.

FAISSELLE : moule dont les parois sont perforées, permettant l'égouttage du fromage dans les premières étapes de sa fabrication. Le fromage y prend sa forme.

FAIT : synonyme de mûr. Degré de maturité du fromage. Se rapporte surtout aux fromages à pâte molle. Bien mûr : à cœur.

FERMENT DU ROUGE : voir ferments caséiques.

FERMENTATION : transformation de la bière ou du fromage par l'action de ferments. On retrouve trois principaux types de fermentation : lactique (pour les fromages frais), caséique (pour les fromages à pâte molle et semi-dure) ou propionique (pour les fromages à pâte dure). Dans le monde de la bière, on retrouve les fermentations basses (à froid), hautes (à la température ambiante), et spontanée (inoculation naturelle du moût).

FERMENTS CASÉIQUES : enzymes qui prédigèrent la caséine et qui ramollissent la pâte.

FERMIER : se dit d'un fromage fabriqué artisanalement à l'endroit où les animaux sont élevés et traits et qui utilise du lait cru (L.C.), provenant d'un seul troupeau. Peut aussi désigner un fromage fait à la ferme.

FILATA : signifie « filé », comme dans « pâte filée ». La pâte est travaillée jusqu'à l'obtention d'un filet avant d'être moulée.

FISSURE : voir lainure et ouverture.

FLAVEUR : ensemble des sensations olfactives, gustatives et tactiles perçues pendant la dégustation. Les nombreuses flaveurs qui peuvent être présentes dans la bière et le fromage forment une construction complexe qui s'étale sur plusieurs paliers et qui se libèrent à un rythme plus ou moins rapide, en fonction des variables présentes au moment de la dégustation : température, pression atmosphérique, condition du buveur, etc.

FLEUR : moisissure blanche qui se forme à la surface des fromages ensemencés (croûte fleurie. Exemples : brie et camembert).

FLEURINE : cheminée naturelle par laquelle circule l'air frais et humide favorisant le développement des moisissures pour les fromages à pâte persillée.

FONCET : planche de bois de l'essence épicéa sur laquelle on laisse s'affiner les fromages de grande forme (comté).

FRAÎCHE (PÂTE) : nom donné à la pâte des fromages non affinés, après caillage et fermentation.

FROMAGE FORT : il s'agit habituellement de la préparation de restes de fromages dissous dans de l'alcool, assaisonnés d'herbes.

FROMAGE FRAIS : fromage salé, non affiné.

FROMAGE BLANC : fromage frais, légèrement égoutté.

FRUITIÈRE : nom donné aux coopératives fromagères où les éleveurs apportent le fruit de la traite - le lait - afin qu'il soit transformé en fromage.

HÂLOIR : nom donné au local où sont déposés les fromages à pâte molle ou semi-dure pour que soit complété leur ressuyage et qu'ils fleurissent.

HYGROMÉTRIE : taux d'humidité dans l'air ambiant pendant l'affinage.

INDUSTRIEL : se dit d'un fromage fabriqué mécaniquement et à grande échelle. Dans le monde des bières, « industrielle » renvoie surtout aux grandes brasseries comme Labatt et Molson.

LACTIQUE : flaveur qui évoque l'acide lactique (produits laitiers); flaveur de lait légèrement surette dégagé par le fromage.

LACTOSE : sucre contenu dans le lait. L'affinage des fromages le fait disparaître en majeure partie.

LAÎCHE : bande de papier permettant au fromage de se tenir pendant l'affinage.

LAINURE : trous de forme horizontale que l'on retrouve dans certains fromages.

LAITIER (FROMAGE) : par opposition à fromage fermier, fromage fabriqué dans une coopérative ou de façon industrielle.

LAVÉE (CROÛTE) : se dit des fromages ayant subi un traitement de lavage périodique pendant l'affinage.

L.C. : lait cru.

LEVURE (de) : flaveur qui évoque habituellement le pain.

LIE : nom donné au dépôt de levures dans les bouteilles de bière.

LINNENS : bactéries utilisées pour le lavage des croûtes de certains fromages et qui développe, outre une saveur particulière, une couleur cuivrée rougeâtre. Aussi nommées bactéries du rouge.

LUMINOSITÉ : qualité d'une bière claire et limpide. La luminosité renvoie à la brillance de la bière, à sa capacité de laisser passer la lumière. Deux principaux types de matière affectent la luminosité d'une bière : les levures et les protéines.

MARC : eau-de-vie fabriquée à partir de marc de raisin.

MARQUAGE : inscriptions (textes) faites sur la croûte de certains fromages à pâte dure ou semi-dure à l'aide de caséine.

MATIÈRES GRASSES : France : proportion de matières grasses présentes dans le fromage, calculée sur l'extrait sec. Canada : proportion de matières grasses présentes dans le fromage au moment de son achat. Les pourcentages de matières grasses imprimés varient ainsi considérablement pour le même produit ! Il est beaucoup plus élevé en Europe.

MATIÈRE SÈCHE : matière solide restante lorsque toute l'eau contenue dans un fromage s'est évaporée.

M.G. : matières grasses.

MOISISSURE : champignon microscopique qui se développe autour ou à l'intérieur du fromage. Voir Penicillium.

MOLLE : pâte fermentée n'ayant été ni pressée ni cuite.

MORGE : peau visqueuse autour de certains fromages affinés après avoir été frottés plusieurs fois avec de la saumure. L'action d'enlever l'excès de morge est appelée « le revirage ».

MOULAGE : étape de la fabrication du fromage succédant à l'égouttage. La matière solide est versée dans un moule afin d'en prendre la forme et la taille.

NEZ : partie saillante du visage qui abrite la partie antérieure des fosses nasales, organe de l'odorat. Premier nez; odeurs perceptibles à la deuxième inhalation : deuxième nez, troisième nez, etc.; qualifie l'ensemble des odeurs perceptibles : le nez de la bière, du fromage, etc.

NOIX (DE) : flaveurs résineuses qui évoquent les noix.

ONCTUOSITÉ : sensation provoquée sur la langue, les parois internes des joues et le palais par l'épaisseur du produit. Elle varie de mince (qui évoque l'eau) à crémeuse (qui évoque la crème épaisse).

OUVERTURES : trous présents dans les fromages à pâte pressée et cuite. On distingue entre les ouvertures d'origine mécanique et les « yeux » d'origine naturelle pendant l'affinage. Voir aussi fissure.

PAIN (DE) : flaveur qui évoque le pain. Habituellement occasionnée par des levures en suspension.

PARFUM : Le parfum se compose d'arômes précis (par opposition au bouquet qui se compose de l'ensemble des arômes).

PASTEURISATION : procédé visant à détruire les bactéries présentes de façon naturelle dans le lait ou la bière en faisant chauffer le liquide pendant quelques secondes à une température variant entre 72 °C et 75 °C. Dans le monde du fromage, la pasteurisation est effectuée sur la matière première (le lait) alors que, dans l'univers de la bière, elle est quelquefois appliquée sur le produit fini (la bière).

PÂTE : désigne la matière qui se trouve sous la croûte du fromage. On la qualifie en fonction de sa consistance : molle, mi-dure, dure.

PÂTEUSE : dont la consistance épaisse, habituellement très sucrée, évoque la pâte.

PÉNICILLE : champignon microscopique formant une moisissure verdâtre que l'on qualifie de bleue.

PENICILLIUM : champignons microscopiques qui se développent autour ou à l'intérieur du fromage. On en retrouve trois principaux : *Penicillium candidum* (la fleur blanche autour du brie, du camembert, etc.), le *Penicillium glaucum* (bleu d'Auvergne, fourme d'Ambert), et le *Penicillium roqueforti* (roquefort). Certains sont spontanés, d'autres introduits artificiellement. On dit aussi « moisissures ».

PENICILLIUM CANDIDUM : champignon microscopique qui se développe autour du fromage et forme une croûte, une fleur blanche.

PENICILLIUM GLAUCUM : champignon microscopique qui se développe à l'intérieur du fromage et qui forme des veines de couleur verdâtre ou bleu. Typique du stilton.

PENICILLIUM ROQUEFORTI : champignon microscopique qui se développe à l'intérieur du fromage et qui forme des veines de couleur verdâtre ou bleu. Typique des roqueforts.

PERSILLÉ : moisissures internes que l'on retrouve surtout dans les fromages bleus.

PÉTILLEMENT : 1) sensation de picotement provoquée par le gaz carbonique. 2) l'action des bulles qui s'échappent du liquide pour se rendre à la surface.

PETIT-LAIT : nom donné au liquide restant après l'égouttage du caillé. On dit aussi « lactosérum ».

PIQUÉE : se dit d'une croûte qui porte de petites taches sombres, des moisissures ou les marques d'une toile.

PRESSE : appareil accélérant l'égouttage du caillé. Utilisée dans la fabrication des fromages à pâte semi-dure et dure.

PRÉSURE : enzyme favorisant la coagulation du lait. Cet enzyme provient habituellement de la caillette de veau (quatrième compartiment de l'estomac, sécrétant le suc gastrique). Certaines plantes possèdent un suc ayant les mêmes propriétés. On dit aussi « caille-lait ».

PROPIONIQUE (GAZ) : type de gaz qui se forme pendant l'affinage de l'emmental, lui donnant ses grands yeux.

PUANTE : dont les odeurs sulfuriques sont repoussantes.

RÂPEUSE : très astringente ou très amère.

RAYON : aire de ramassage du lait dans les zones d'AOC.

RESSUYAGE : égouttage des fromages à pâte molle après le caillage et le moulage.

RÉTRONASALE : sensations olfactives perçues par les voies rétronasales alors que la bière est dans la bouche, au moment d'avaler ou en expirant.

REVIRER : action d'enlever l'excès de morge avant d'emballer le fromage.

ROCOU : teinture végétale extraite des graines du rocouyer. On l'utilise pour colorer des produits alimentaires, dont certains fromages (cheddar, mimolette, etc.).

RÔTI : saveur amère qui évoque la carbonisation.

ROUGE DES FROMAGERS : voir ferments caséique.

SALAGE : étape de la fabrication des fromages. Le caillé ou la pâte peut être salé dans une étape spécifique de la fabrication. Le fromage peut également être lavé à l'aide d'une saumure pendant l'affinage et, enfin, dans le cas de la feta, être entreposé dans la saumure pour saturation en sels.

SALÉ : saveur habituellement perçue sur les deux côtés avant de la langue.

SATURATION : diminution de la sensibilité d'un organe à la suite d'une stimulation continue ou prolongée.

SCINTILLANTE : se dit d'une bière parfaitement claire et qui laisse passer la lumière de façon parfaite.

SENTIR : perception générale de chacun de nos sens. De façon plus spécifique, désigne l'action de faire entrer de l'air directement par le nez afin d'aspirer les arômes.

SUCRÉ : saveur habituellement perçue sur le devant de la langue.

TALON : le dessous du fromage, la partie qui repose sur la tablette, la paille, etc.

TERROIR : dont les saveurs sont communiquées directement ou indirectement par le sol où a poussé la végétation ayant nourri l'animal dont on utilise le lait pour fabriquer le fromage.

TEXTURE : composition du liquide, formée des sensations d'épaisseur, de chaleur ou d'astringence.

TOMME : désigne habituellement un fromage à pâte pressée de forme ronde. Nom donné aux gros blocs de caillé dans la fabrication de certains fromages (Saint-Nectaire).

TRANCHANTE : dont la forte acidité donne l'impression de couper la langue sur les deux côtés.

TRANSHUMANCE : l'action d'amener les moutons et les chèvres paître dans les Pyrénées pour la saison estivale.

TRIPLE CRÈME : dont la teneur en matières grasses est supérieure ou égale à 75 % de l'extrait sec.

TROU : nom donné aux trous que l'on retrouve dans certains fromages : ouverture. Les trous de l'emmental se nomment « yeux ». Voir fissure, lainure et ouverture.

Index des bières

Index des fromages

Bibliographie sélective

Des incontournables sur la bière

Beaumont, Stephen, *A Taste for Beer*, Macmillan, Toronto, 1995.

Colin, Jean-Claude, *La Bière, Saveurs et Dégustation*, Éditions Batsberg, 2000.

Colin, Jean-Claude, Deglas, Christian et Sparmont, Jean-Paul, *L'ABCDAIRE de la Bière*, Éditions Flammarion, 1998.

Delos, Gilbert, *Les Bières du monde*, Paris, Hatier, 1993.

Jackson, Michael, *La Bière, Bières et Brasseries du monde entier*, Bruxelles, Glénat-Bénélux, 1990.

Jackson, Michael, *Beer Companion*, General Publishing, Toronto, 1993.

Jackson, Michael, *The New World Guide to Beer*, Philadelphie, Dunning Press, 1988.

Voluer, Philippe, *Les Quatre Saisons de la bière*, Association des Brasseurs de France, 1993.

Des incontournables sur le fromage

Chenuet, Gérard *et al.*, *Le Guide des fromages de France et d'Europe*, Sélection du Reader's Digest, Paris, 1995.

Fouillet, André, *À la découverte des Fromageries du Québec*, Éditions de l'Homme, 1998.

Gayler, Paul, *Le fromage, une passion*, Guy Saint-Jean éditeur, Laval, 1998.

Harbutt, Juliet, *The World Encyclopedia of Cheese*, Prospero Books, Anness Publishing Limited, London, 1998.

Masui, Kazuko et Yamada, Tomoko, *Encyclopédie des fromages*, Gründ, Paris, 1997.

Du même auteur

Le Guide de la bonne bière, Éditions du Trécarré, Québec, 1991.

Le Papillomètre, le Carnet de la dégustation des bières, Éditions Bièremag, Chambly, 1997.

Ales, lagers et lambics: la bière, Bièremag/Trécarré, 1998.

L'Agenda 1999 de la bière, Éditions du Trécarré, Saint-Laurent, 1998.